M000032517

Nuestro Pan Diario

EDICIÓN ANUAL

*De:*_____

Para: _____

Publicaciones
Nuestro Pan Diario

ESCRITORES:

Dave Branon, Anne M. Cetas, Poh Fang Chia, William E. Crowder, Lawrence Darmani, Mart DeHaan, David C. Egner, H. Dennis Fisher, Timothy Gustafson, James Banks, Chek Phang Hia, Cindy Hess Kasper, Randy K. Kilgore, Julie Ackerman Link, David C. McCasland, Keila Ochoa, Amy Boucher Pye, David H. Roper, Jennifer Benson Schuldt, Joseph M. Stowell, Marion Stroud, Marvin L. Williams, Philip D. Yancey.

Traducción: Alicia Güerci Hotton
Edición: Gabriela De Francesco, Fernando Plou Fernández, Luis Magín Álvarez
Coordinación gráfica: Audrey Novac Ribeiro
Diagramación: Audrey Novac Ribeiro, Priscila Santos

Fotos de portada:
Canadá, Terry Bidgood © Ministerios Nuestro Pan Diario
Israel, Alex Soh © Ministerios Nuestro Pan Diario

Citas bíblicas:
Excepto cuando se indique lo contrario, las citas bíblicas están tomadas de las versiones Reina-Valera © 1960 por las Sociedades Bíblicas en América Latina (En todos los casos, el nombre «Jehová» ha sido sustituido por su sinónimo «Señor»); y LA BIBLIA DE LAS AMÉRICAS © Copyright 1986, 1995, 1997 por The Lockman Foundation. Usadas con permiso.

Créditos:
Artículos: 7 de enero, 11 de junio, 30 de julio, 11 de agosto, 15 de septiembre, 15 de noviembre; extraídos y adaptados de *Grace Notes* [Notas de gracia], de Philip Yancey © 2009 Zondervan.; 21 de enero; extraído y adaptado de *Prayers for Prodigals* [Oraciones por los pródigos], de James Banks © 2011 Zondervan. Todos los derechos reservados. Publicados con permiso.

Para la producción de los materiales de Ministerios Nuestro Diario, se utilizan las actualizaciones de la Nueva gramática, la Ortografía y el Diccionario de la lengua de la Real Academia Española. Nuestro idioma es sumamente rico y variado, y su uso también se ve afectado por regionalismos que cambian el significado de ciertas palabras, lo cual podría hacerlas desconocidas o incluso ofensivas según el país. Por este motivo, si algún término o expresión utilizados en este material es desconocido, despierta curiosidad o incluso genera rechazo, por favor, consultar su significado en el Diccionario de la Real Academia Española. Con gusto, responderemos a toda consulta al respecto.

PUBLICACIONES NUESTRO PAN DIARIO
Internet: www.nuestropandiario.org • Email: oficinaregional@odb.org

NJ355 • ISBN: 978-1-68043-340-1
RK301 • ISBN: 978-1-68043-341-8

Contenido

Introducción

Tienes en tus manos un ejemplar de la Edición anual de regalo 2018 de *Nuestro Pan Diario*. Esperamos que te sea útil en tu relación con el Señor.

James Banks escribió un artículo especial sobre el tema de la **oración**, un aspecto importante de nuestro andar con el Señor. Lo encontrarás en el centro de este libro. Allí, James comparte una historia personal de oración, de esperar en Dios, confiar en Él y, luego, actuar. Dice: «Aprender a priorizar la oración sobre todo lo demás lleva tiempo [...]. Dios desea que seamos personas que oren y actúen; que podamos orar primero y, después, actuar en respuesta a su guía». Esperamos que esta historia te ayude a medida que aprendes a buscar la presencia y la dirección de Dios.

Este libro de devocionales está diseñado para ayudarlos a ti, a tus amigos y a tus seres queridos en su tiempo con Dios, así que, por favor, considera compartirlo con ellos.

No dudes en contactarnos si podemos servirte en algo. 🕮

EL PERSONAL DE MINISTERIOS NUESTRO PAN DIARIO

Más de lo que pedimos
o imaginamos

Hace varios años, cuando estaba pasando por un tiempo particularmente difícil, un pastor al que admiro mucho me llevó aparte en una conferencia a la cual habíamos asistido. Me dijo: «Quisiera pedirte que ores conmigo. Acordemos orar Efesios 3:14-21 el uno por el otro durante los próximos 30 días». Durante ese mes en que estábamos orando el uno por el otro, tuve que ser hospitalizado varios días. Todo parecía ir de mal en peor. Sin embargo, mi relación con Dios se profundizó, y recibí la afirmación de su amor de una forma poderosa y duradera, como enseña el pasaje de Efesios.

Cuando oramos juntos en el nombre de Jesús, el poder de Dios se derrama de maneras que superan nuestra comprensión. Con razón, Jesús insistió con tanta pasión: «Mi casa será llamada casa de oración para todas las naciones» (MARCOS 11:17). Si queremos ver un verdadero cambio y progreso en la obra de Dios, debemos buscar lo que solo Él puede hacer. Spurgeon declaró: «¿Tengo que hacer alguna gran obra para Dios? Entonces, primero debo ser poderoso de rodillas».

> ¿Cómo responderá Dios? ¿Qué hará?

Juntos, somos más fuertes de lo que jamás podríamos ser por nuestra cuenta. No obramos por nuestra propia fuerza, sino con la de Dios, y Él prometió estar presente cuando dos o más lo buscan juntos. ¿Cómo responderá? ¿Qué hará? ¿Qué bendiciones llegarán solo de su mano si se las pedimos?

Solo hay una manera de descubrirlo.

Nuestro Padre está esperando. La puerta al trono está abierta, y se nos da la bienvenida con amor y anticipación. ¿Por qué no le pedimos? ✿

EXTRAÍDO Y ADAPTADO DE THE LOST ART OF PRAYING TOGETHER
[EL ANTIGUO ARTE DE ORAR JUNTOS],
DE JAMES BANKS © 2009 DISCOVERY HOUSE.

Tal vez este año

Mi padre era pastor. El primer domingo de cada año predicaba sobre el retorno de Cristo, y muchas veces, se basaba en el pasaje de 1 Tesalonicenses 4. Siempre concluía diciendo: «Tal vez este sea el año en que Jesús vuelva. ¿Estás preparado para encontrarte con Él?». Jamás olvidaré que, cuando tenía seis años, escuché ese mensaje y pensé: *Si esto es cierto, no estoy seguro de estar entre los que venga a buscar.* Sabía que mis padres irían al cielo, y yo también quería ir. Por eso, cuando mi papá volvió a casa, le pregunté cómo podía estar seguro. Entonces, abrió su Biblia, me leyó unos versículos y me dijo que necesitaba un Salvador. Enseguida reconocí que era pecador y, ese mismo día, él me guió a Cristo. Siempre le estaré agradecido por haberme inculcado esas verdades.

> **LECTURA:**
> **1 Tes. 4:13-18**
>
> *Luego nosotros los que vivimos, [...] seremos arrebatados [...] y así estaremos siempre con el Señor* (v. 17).

En este mundo cada vez más caótico, ¡qué esperanzador es pensar que Jesús podría volver este año! Más consolador aun es prever que todos los que creen en Él como Salvador serán reunidos y liberados del sufrimiento, la tristeza y el temor de este mundo. Y por sobre todo: ¡estaremos para siempre con el Señor! ✤

JMS

Señor, *gracias porque este mundo no es lo único que hay,
sino que nos aguarda la eternidad contigo.
Que esté siempre consciente de tu regreso seguro e inminente.*

«¡Tal vez hoy!». DR. M. R. DEHAAN

Él responderá

Me **entusiasmé** mucho cuando encontré la cuenta de Twitter de mi actriz coreana favorita, y decidí enviarle un comentario. Elaboré el mejor mensaje que pude y esperé su respuesta. Sabía que había pocas probabilidades de recibirla, ya que a una celebridad como ella, le enviarían muchísimos mensajes por día. De todos modos, esperé… pero me frustré.

> **LECTURA:**
> **Salmo 91**
>
> *Me invocará, y yo le responderé…* (v. 15).

Felizmente, sabemos que Dios sí contesta. Él es el «Altísimo», el «Omnipotente» (SALMO 91:1). Aunque su posición es elevada y su poder ilimitado, podemos acceder a Él, ya que prometió: «Me invocará, y yo le responderé» (v. 15).

Una antigua leyenda habla de un rey que contrataba tejedores para que le hicieran tapetes y vestidos. Les daba la seda y los diseños, y les indicaba que lo consultaran de inmediato si surgían problemas. Un tejedor hacía todo bien y estaba contento, mientras que el resto siempre tenía dificultades. Cuando le preguntaron por qué, respondió: «¿No vieron cuántas veces llamé al rey?». «Sí —le respondieron—, pero como siempre está tan ocupado, pensamos que no debías molestarlo tanto». El muchacho contestó: «¡Solo le obedecí, y él estaba muy feliz de poder ayudarme!».

Nuestro Dios es como ese rey… pero mucho más grande. En su inmenso amor y bondad, se ocupa de nuestras cosas más pequeñas. 🕮

PFC

Señor, *me asombra poder acudir a ti en oración con mis pequeñeces.*

Dios siempre nos presta atención.

Todos sus beneficios

Un problema recurrente en nuestra vida es que nos concentramos tanto en las necesidades del momento que nos olvidamos de lo que ya tenemos. Esto me vino a la mente cuando el coro de nuestra iglesia cantó un himno hermoso basado en el Salmo 103: «Bendice, alma mía, al Señor, y no olvides ninguno de sus beneficios» (v. 2). El Señor es quien nos perdona, sana, redime, provee, satisface y renueva (vv. 4-5). ¿Cómo podemos olvidar todo esto? Sin embargo, solemos hacerlo cuando la vida cotidiana desvía nuestra atención a las necesidades apremiantes, los fracasos constantes y las circunstancias que parecen fuera de control.

> **LECTURA:**
> **Salmo 103**
>
> *Bendice, alma mía, al Señor, y no olvides ninguno de sus beneficios...* (v. 2).

El escritor de este salmo nos llama a recordar: «Misericordioso y clemente es el Señor [...]. No ha hecho con nosotros conforme a nuestras iniquidades, ni nos ha pagado conforme a nuestros pecados. Porque como la altura de los cielos sobre la tierra, engrandeció su misericordia sobre los que le temen» (vv. 8, 10-11).

En la vida de fe, nuestra indignidad nos hace acercar a Jesucristo con humildad. Cuando recibimos su gracia y nos maravillamos ante la abundancia de su amor, nos damos cuenta de que no merecemos nada. Todo esto nos trae a la mente sus beneficios.

«Bendice, alma mía, al Señor, y bendiga todo mi ser su santo nombre» (v. 1). 🌿

DCM

Señor, que recordemos siempre tus bendiciones.

El amor se manifestó cuando Dios se hizo hombre.

¿Es verdad que escucha?

«A veces, me** parece que Dios no me escucha». Estas palabras de una mujer que intentaba mantenerse firme en su andar con Dios mientras lidiaba con un esposo alcohólico reflejan el clamor de muchos creyentes. Durante años, le pidió al Señor que lo cambiara, pero eso nunca sucedió.

LECTURA:
Mt. 26:39-42; 27:45-46

... Dios mío, Dios mío, ¿por qué me has desamparado? (27:46).

¿Qué debemos pensar cuando le pedimos una y otra vez a Dios algo bueno, algo que podría glorificarlo con facilidad, pero la respuesta no llega? ¿Nos escucha o no?

Observemos la vida del Salvador. En el huerto de Getsemaní, agonizó durante horas en oración, derramando su corazón y rogando: «pase de mí esta copa» (MATEO 26:39). Sin embargo, la respuesta del Padre fue un claro «no». Para proveer salvación, Dios tenía que enviar a su Hijo a morir en la cruz. Aunque Jesús estaba atravesando una prueba durísima, oró con intensidad y pasión porque confiaba en que su Padre lo estaba escuchando.

Cuando oramos, quizá no veamos cómo está obrando Dios ni entendamos que haya algo bueno en lo que nos pasa. Por eso, debemos confiar en el Señor, renunciando a nuestros derechos y dejando que Él haga lo más apropiado.

Debemos dejar lo desconocido en manos del Omnisciente. Él oye y lleva a cabo las cosas a su manera. 🕮

JDB

Señor, no necesitamos saber por qué a veces parece que no respondes.
Ayúdanos a esperar tu tiempo, porque eres bueno.

Cuando doblamos las rodillas para orar,
Dios inclina su oído para escuchar.

Temporada solitaria

Entre la pila de correspondencia posterior a la Navidad, descubrí un tesoro: una tarjeta hecha a mano y pintada en cartulina reciclada. Unas sencillas pinceladas de acuarela evocaban un paisaje invernal con colinas adornadas de pinos. En la parte inferior, enmarcado en bayas rojas de acebo, aparecía este mensaje manuscrito: *¡La paz sea contigo!*

El artista era un amigo mío que estaba preso. Mientras admiraba su obra, ¡me di cuenta de que hacía dos años que no le escribía!

Hace mucho, otro prisionero fue desatendido mientras aguardaba en la cárcel. «Sólo Lucas está conmigo», le escribió el apóstol Pablo a Timoteo (2 TIMOTEO 4:11). «Ninguno estuvo a mi lado, sino que todos me desampararon» (v. 16). Aun así, Pablo encontró ánimo incluso en la prisión, y escribió: «Pero el Señor estuvo a mi lado, y me dio fuerzas» (v. 17). Sin duda, el apóstol experimentó la angustia del abandono.

> **LECTURA:**
> **2 Timoteo 4:9-18**
>
> *No ceso de dar gracias por vosotros, haciendo memoria de vosotros en mis oraciones* (Efesios 1:16).

Al dorso de esa hermosa tarjeta de Navidad, mi amigo escribió: «Que la paz, el gozo, la esperanza y el amor que trajo el nacimiento de Jesús sean contigo y los tuyos». Y firmó: «Tu hermano en Cristo». Puse la tarjeta sobre la pared para acordarme de orar por él. Después, le escribí.

Durante este nuevo año, acerquémonos a los hermanos que se sienten más solos. 🌿 *TG*

¿Qué puedo hacer para alcanzar a los que se sienten solos?

Hazte amigo de alguien que esté solo y dale ánimo.

Alarmas recordatorias

El reloj de la torre de Westminster, que contiene la famosa campana conocida como *Big Ben*, es un ícono de Londres, en Inglaterra. La tradición dice que la melodía se tomó de la sección «Yo sé que mi Redentor vive», del *Mesías* de Handel. Con el tiempo, se le agregaron palabras y las colocaron junto al reloj:

> *Señor, en esta hora,*
> *sé tú nuestro guía;*
> *para que, por tu poder,*
> *ningún pie resbale.*

> **LECTURA:**
> **Salmo 37:21-31**
>
> *Cuando el hombre cayere, no quedará postrado, porque el Señor sostiene su mano* (v. 24).

Estas palabras aluden al Salmo 37: «Por el Señor son ordenados los pasos del hombre, y él aprueba su camino. Cuando el hombre cayere, no quedará postrado, porque el Señor sostiene su mano (vv. 23-24). Observa la íntima participación de Dios en la vida de sus hijos: «el Señor se deleita en su camino» (v. 23 LBLA). Y agrega: «La ley de su Dios está en su corazón; no vacilan sus pasos» (v. 31).

¡Qué maravilloso! El Creador del universo no solo nos sostiene y nos ayuda, sino que también se interesa profundamente por cada instante de nuestra vida. Con razón el apóstol Pedro podía invitarnos con confianza a «[echar] toda [nuestra] ansiedad sobre él, porque él tiene cuidado de [nosotros]» (1 PEDRO 5:7). Cuando la certeza de su cuidado resuena en nuestro corazón, cobramos ánimo para enfrentar todo lo que se presenta en nuestro camino. 🌾

WEC

Amado Padre, gracias porque te importa cada faceta de mi vida.

El lugar más seguro es estar tomado de la mano de Dios.

Comenzar donde nace

Mi casa está al costado de un arroyo, en un desfiladero junto a una gran montaña. En primavera, el deshielo y las fuertes lluvias hacen que esta corriente que nace en la cima descienda y actúe más como un río que como un arroyo.

Pensando en la oración, se me ocurre que, la mayoría de las veces, voy en la dirección incorrecta: empiezo abajo, en la profundidad de mis preocupaciones, y se las presento a Dios, informándolo como si Él no las supiera y rogándole con la esperanza de lograr que cambie de idea. Sin embargo, debería comenzar donde nace la corriente.

> **LECTURA:**
> **Mateo 6:5-10**
>
> *... vuestro Padre sabe de qué cosas tenéis necesidad, antes que vosotros le pidáis* (v. 8).

Cuando cambiamos de dirección, nos damos cuenta de que Él está más interesado que nosotros en un ser amado enfermo, una familia destrozada o un adolescente rebelde. Nuestro Padre sabe qué necesitamos (MATEO 6:8).

La gracia, como el agua, desciende a las partes más bajas. Y las corrientes de misericordia fluyen. Debemos empezar con Dios y preguntar qué papel desempeñamos en su obra en la Tierra. Este nuevo punto de inicio en la oración cambia nuestra perspectiva. La naturaleza nos revela al gran Artista, y los seres humanos evidencian ser hechos a la imagen de Dios y con un destino eterno. La respuesta natural ante todo esto es gratitud y alabanza al Señor. 🌿

PY

Señor, gracias por ocuparte de mí. ¿Qué haría sin ti?

La oración canaliza la provisión de Dios que suple nuestras necesidades.

La mejer felicidad

Cuando yo era joven, «todos los hacen» parecía un argumento válido, pero no lo era. Mis padres nunca cedieron ante tales ruegos, por más desesperada que yo estuviera por conseguir permiso para hacer algo que ellos consideraban peligroso o insensato.

A medida que crecemos, nuestro repertorio de argumentos para conseguir lo que queremos se llena de excusas: «no perjudicará a nadie»; «no es ilegal»; «él empezó primero»; «ella no se va a enterar». En el fondo, creemos que lo que queremos es lo más importante.

Con el tiempo, esta perspectiva equivocada afecta nuestras convicciones sobre Dios. Por ejemplo, creer que somos el centro del universo. Pensamos que solo seremos felices si reordenamos el mundo según nuestros deseos. Esta mentira es convincente porque promete una manera más fácil y rápida de conseguir lo que queremos, argumentando: «Dios es amor; por eso, quiere que haga lo que me hace feliz». Sin embargo, lo único que produce es tristeza.

> **LECTURA:**
> **Juan 8:31-38**
>
> *… Si vosotros permaneciereis en mi palabra, […] conoceréis la verdad, y la verdad os hará libres* (vv. 31-32).

Jesús dijo a quienes creían en Él que la verdad los haría realmente libres (JUAN 8:31-32). Pero advirtió: «todo aquel que hace pecado, esclavo es del pecado» (v. 34).

La mayor felicidad se encuentra en la libertad que experimentamos al aceptar la verdad de que solo Jesús da satisfacción plena. ❧

JAL

Señor, *ayúdame a obedecerte sin excusas.*

No hay atajos para la felicidad verdadera.

Las fuentes de la salvación

Por lo general, cuando se perfora la profundidad de la tierra, se busca extraer muestras de roca, llegar hasta donde haya petróleo o encontrar agua.

En Isaías 12, observamos que Dios quería que su pueblo, que vivía en un desierto tanto geográfico como espiritual, descubriera las «fuentes de la salvación» divina. Isaías comparaba la salvación del Señor con una fuente de la cual puede obtenerse el agua más refrescante. Después de muchos años de que le dieran la espalda, Dios permitió que naciones extranjeras conquistaran Judá y que el pueblo fuera exiliado. Sin embargo, con

> **LECTURA:**
> **Isaías 12**
>
> *Sacaréis con gozo aguas de las fuentes de la salvación* (v. 3).

el tiempo, un remanente volvería a su tierra natal, como una señal de que el Señor estaba con ellos (ISAÍAS 11:11-12).

Isaías 12 es un himno de alabanza a Dios por su fidelidad en cumplir lo que había prometido; en especial, la promesa de salvación. El profeta alentó al pueblo diciéndole que, en la profundidad de las «fuentes de la salvación» divina, encontrarían las aguas frescas de la gracia, la fortaleza y el gozo del Señor (vv. 1-3), que refrescarían y fortalecerían sus corazones y los inducirían a alabarlo y darle gracias (vv. 4-6).

Dios desea que todos, tras la confesión y el arrepentimiento, encontremos las refrescantes aguas de gozo en las fuentes eternas de la salvación. 🌿

MLW

¿Puedes hoy obtener gozo y fortaleza en el Señor?

Las fuentes de salvación divina nunca se secan.

Refugio verdadero

En marzo de 2014, se desató un conflicto tribal en la zona donde nací, lo cual obligó a mi familia y otros refugiados a resguardarse cerca de la ciudad capital. A lo largo de la historia, infinidad de personas que se sintieron inseguras en sus tierras viajaron a otros lugares para encontrar protección y una vida mejor.

Mientras visitaba y hablaba con personas de mi pueblo natal, pensé en las ciudades de refugio, en Josué 20:1-9, las cuales se establecieron para brindar seguridad a quienes, tras un homicidio accidental, huían de algún pariente «vengador de la sangre» (v. 3). Allí encontraban paz y protección.

> LECTURA:
> **Josué 20:1-9**
>
> *Torre fuerte es el nombre del Señor; a él correrá el justo, y será levantado*
> (Proverbios 18:10).

En la actualidad, la gente sigue buscando refugio, aunque por otras razones. Sin embargo, por más beneficios materiales que ofrezcan esos santuarios, no pueden suplir por completo las necesidades de los refugiados y los fugitivos, ya que tal reposo solo puede encontrarse en Dios. Aquellos que caminan con Él encuentran verdadero amparo y seguridad. Cuando Israel fue exiliado, el Señor declaró: «seré para ustedes un pequeño santuario en los países adonde lleguen» (EZEQUIEL 11:16 RVC).

Podemos unirnos al salmista para decirle confiadamente al Señor: «Tú eres mi refugio; me guardarás de la angustia; con cánticos de liberación me rodearás» (32:7). 🌿

LD

__Señor__, que siempre recordemos tu protección.

*Nada puede estremecer a los que están protegidos
en las manos de Dios.*

Eres valioso

Tras la muerte de mi suegra, mi esposa y yo encontramos en un cajón de su apartamento una caja con monedas de un centavo de dólar grabadas con cabezas de indios. En realidad, ella no coleccionaba monedas, sino que vivió en la época en que esas monedas estaban en circulación, y había guardado algunas.

Varias se encuentran en muy buen estado, pero otras están tan gastadas que apenas se ven las caras. Al dorso, todas dicen «Un centavo». Aunque hoy un centavo no vale casi nada y muchos lo consideran inservible, en aquella época, podrías haber comprado un periódico. Incluso, los coleccionistas las valoran mucho, aunque estén desgastadas.

> **LECTURA:**
> Romanos 5:6-11
>
> *... habéis sido comprados por precio...*
> (1 Corintios 6:20).

Quizá te sientas viejo, gastado o fuera de circulación, pero para Dios eres valioso. El Creador del universo te ama, no por tu saber, tu cuerpo, tu vestimenta, tus logros o tu personalidad, ¡sino porque eres una persona! El Señor recorrería cualquier distancia y pagaría lo que fuera necesario para que seas suyo (1 CORINTIOS 6:20).

En realidad, eso fue lo que hizo: descendió del cielo a la Tierra y te compró con su propia sangre (ROMANOS 5:6, 8-9). Tal es la medida de su amor por ti. Eres sumamente valioso a sus ojos y te ama sin medida. 🌱

DHR

Señor, cuando pienso en tu amor por mí,
me asombra que puedas amar a alguien como yo.
Por eso, te alabo.

La muerte de Cristo es la medida del amor de Dios por ti.

¡Agárrate fuerte!

Un amigo mío, vaquero, creció en un rancho en Texas y tiene muchos dichos interesantes. Uno de los que más me gusta es: «No se necesita mucha agua para hacer buen café». También, cuando alguien abarca más de lo que puede o tiene algún problema, exclama: «¡Agárrate fuerte!», con lo cual quiere decir: «¡Aguanta! ¡Ya llega la ayuda!».

> **LECTURA:**
> Apocalipsis 3:7-13
>
> *Ya pronto vengo. Lo que tienes, no lo sueltes...* (v. 11 RVC).

En Apocalipsis, encontramos cartas «a las siete iglesias que están en Asia» (CAPS. 2–3). Esos mensajes de Dios están repletos de ánimo, reprensiones y desafíos, y nos hablan hoy a nosotros tal como lo hicieron a sus receptores en el primer siglo.

En ellas, aparecen estas frases: «lo que tenéis, retenedlo» y «retén lo que tienes». A la iglesia de Tiatira, el Señor le dijo que retuviera lo que tenía hasta que Él viniera (2:25), y a la de Filadelfia, que hiciera lo mismo porque Él vendría pronto y la recompensaría (3:11). En medio de grandes pruebas y oposición, aquellos creyentes se aferraron a las promesas de Dios y perseveraron en la fe.

Cuando atravesamos circunstancias difíciles y las tristezas superan las alegrías, Jesús exclama: «¡Aguanta! ¡Aférrate a mis promesas! ¡Ya llega la ayuda!». Y ante tal promesa, puedes agarrarte fuerte por medio de la fe y regocijarte. 🕊️ DCM

Señor, nos aferramos a tu promesa,
esperamos tu regreso y decimos con confianza:
«Sí, ven, Señor Jesús».

La promesa del retorno de Cristo nos incentiva a perseverar en la fe.

Las Puertas del Paraíso

El **talentoso** artista italiano Lorenzo Ghiberti (1378-1455) pasó años tallando imágenes de la vida de Jesús en las puertas de bronce del Baptisterio de Florencia. Esos bajorrelieves eran tan conmovedores que Miguel Ángel los llamó las Puertas del Paraíso.

Como un tesoro del arte, estas puertas reciben a los visitantes haciendo eco del relato del evangelio. Fue Jesús quien declaró: «Yo soy la puerta; el que por mí entrare, será salvo» (JUAN 10:9). Y una noche, antes de su crucifixión, les dijo a sus discípulos: «Yo soy el camino, y la verdad, y la vida; nadie viene al Padre, sino por mí» (14:6). Horas después, le diría a uno de los criminales crucificado junto a Él: «hoy estarás conmigo en el paraíso» (LUCAS 23:43).

> **LECTURA:**
> **Juan 10:1-9**
>
> *Yo soy la puerta; el que por mí entrare, será salvo...* (v. 9).

Semanas más tarde, el apóstol Pedro proclamaría valientemente que «no hay otro nombre bajo el cielo [...] en que podamos ser salvos (HECHOS 4:12). Años después, Pablo escribió que había un solo mediador entre Dios y la humanidad: Jesucristo hombre (1 TIMOTEO 2:5).

Las puertas del paraíso se encuentran en el Salvador que ofrece vida eterna a todos los que acuden a Él con fe. Entra en el gozo de su salvación. 🖊 *HDF*

Por mi pecado, necesité un mediador.
Jesús, gracias por ser el camino al Padre por tu muerte
y resurrección. Estaré agradecido siempre.

Jesús murió en nuestro lugar para darnos paz.

Despedirse

Es difícil despedirse de la familia y los amigos, de un lugar conocido y preciado, o de un trabajo o vecindario.

En Lucas 9:57-62, nuestro Señor describe el costo de ser su discípulo. Un potencial seguidor de Jesús, le dijo: «Te seguiré, Señor; pero déjame que me despida primero de los que están en mi casa». Y Él le respondió: «Ninguno que poniendo su mano en el arado mira hacia atrás, es apto para el reino de Dios» (vv. 61-62). ¿Está el Señor pidiéndoles a sus seguidores que digan adiós a todo lo que consideran valioso?

> LECTURA:
> **Lucas 9:57-62**
>
> *Ninguno que poniendo su mano en el arado mira hacia atrás, es apto para el reino de Dios* (v. 62).

En chino, no hay una expresión que equivalga exactamente a la palabra *adiós*. Los dos caracteres chinos que se usan para traducir este término significan, en realidad, «nos veremos de nuevo». A veces, convertirse en discípulo de Cristo puede significar que otros nos rechacen, pero no implica despedirse de las personas en el sentido de tener que olvidar todas las relaciones interpersonales del pasado. Decir adiós significa que Dios desea que lo sigamos con esta condición: de todo corazón. Entonces, volveremos a ver a las personas desde la perspectiva correcta.

El Señor quiere lo mejor para nosotros, pero es necesario que le permitamos ser la prioridad sobre todo lo demás. 🌐 *CPH*

Señor, ayúdame a no colocar a nadie ni nada delante de ti,
y a seguirte de corazón.

Cuando seguimos a Jesús, adoptamos una nueva perspectiva.

¿Qué hay en el banco?

Durante el invierno de 2009, un avión de pasajeros realizó un aterrizaje de emergencia en el río Hudson, en Nueva York, sin que nadie muriera. Tiempo después, cuando le preguntaron al piloto que guiaba la nave sobre esos momentos en el aire cuando enfrentó una situación de vida o muerte, él respondió: «Una manera de verlo podría ser que, durante 42 años, he estado haciendo con regularidad pequeños depósitos en este banco de experiencia, aprendizaje y capacitación. Y [ese día], el saldo era tal que pude hacer una extracción importante».

> **LECTURA:**
> **Efesios 2:4-7**
>
> *Acerquémonos, pues, confiadamente al trono de la gracia...* (Hebreos 4:16).

Casi todos enfrentamos crisis en determinados momentos. Tal vez sea un trabajo que se termina, el resultado de un examen médico o la pérdida de un familiar o un amigo querido. Es entonces cuando debemos recurrir a lo profundo de las reservas de nuestra cuenta bancaria espiritual.

Pero ¿qué podemos encontrar allí? Si disfrutamos de una profunda comunión con Dios, estuvimos haciendo «depósitos» de fe permanentes. Hemos experimentado su gracia (2 CORINTIOS 8:9; EFESIOS 2:4-7) y confiamos en la promesa bíblica de que el Señor es fiel y justo (DEUTERONOMIO 32:4; 2 TESALONICENSES 3:3).

El amor y la gracia de Dios están disponibles cuando sus hijos necesitan hacer una «extracción» (SALMO 9:10; HEBREOS 4:16). 🌿   CHK

Señor, gracias por suplir mis necesidades diarias.

Recordar la fidelidad de Dios en el pasado nos fortalece para el futuro.

Querer crecer

El **axolote** es un enigma biológico. En vez de crecer y alcanzar una forma adulta, esta salamandra mexicana en peligro de extinción mantiene el aspecto de un renacuajo durante toda su vida. Escritores y filósofos lo han usado como un símbolo de alguien que tiene miedo de crecer.

En Hebreos 5, vemos que había cristianos que no querían crecer y se contentaban con la «leche» espiritual, aunque esta era para los nuevos en la fe. Quizá por temor a ser perseguidos, no crecían en la clase de fidelidad a Cristo que les permitiría ser lo suficientemente fuertes como para sufrir con Él para beneficio de otros (vv. 7-10). Corrían peligro de perder

> **LECTURA:**
> **Hebreos 5:11-14**
>
> *... todo aquel que participa de la leche es inexperto en la palabra de justicia...* (v. 13).

las actitudes cristianas que ya habían demostrado (6:9-11) y no estaban preparados para el alimento sólido del sacrificio personal (5:14). Por eso, el autor escribió: «Acerca de esto tenemos mucho que decir, aunque no es fácil explicarlo porque ustedes son lentos para entender» (v. 11 RVC).

Los axolotes siguen el patrón natural que su Creador estableció para ellos. Sin embargo, los seguidores de Cristo están diseñados para madurar espiritualmente. Cuando lo hacen, descubren que crecer en Él no solo implica tener paz y gozo, sino animar desinteresadamente a los demás. Honramos al Señor cuando crecemos a su semejanza. 🌱

KO

Señor, quiero profundizar en tu Palabra para crecer.

Cuanto más nos alimentamos de la Palabra de Dios, más crecemos.

Un anticipo del cielo

El jardín botánico frente a nuestra iglesia fue el escenario de un encuentro congregacional comunitario. Mientras saludaba gente que conocía desde hacía años, me ponía al día con los que no había visto por mucho tiempo y disfrutaba del hermoso entorno que era fruto de personas que sabían de plantas y las amaban, me di cuenta de que me rodeaban símbolos de cómo debe funcionar la iglesia: un pequeño atisbo del cielo en la Tierra.

> **LECTURA:**
> **1 Corintios 14:6-12, 26**
>
> *... procurad abundar en [dones espirituales] para edificación de la iglesia* (v. 12).

Un jardín es el lugar donde cada planta se coloca para crecer. Los jardineros preparan el suelo, protegen las plantas de las plagas y se aseguran de que reciban nutrientes, agua y luz solar. El resultado es un sitio hermoso, colorido y fragante, donde la gente disfruta.

Del mismo modo, la iglesia debe ser un lugar donde todos trabajen juntos en amor para la gloria de Dios y el bien común, cada uno florezca al vivir en un entorno seguro y supla las necesidades del otro (1 CORINTIOS 14:26).

Como las plantas bien cuidadas, las personas que crecen en un medio saludable tienen un aroma agradable que atrae a otros hacia Dios, ya que exhiben la belleza del amor divino. La iglesia no es perfecta, pero es, sin duda, un anticipo del cielo. 🌱 JAL

¿Cómo puedes promover la salud de la iglesia?
Pídele al Señor que te ayude a servir a otros como lo hizo Cristo.

Los corazones perfumados con el amor de Cristo exhiben su belleza.

Ministerio de reconciliación

Mientras **Martin Luther King Jr.** predicaba un domingo por la mañana en 1957, intentaba resistir la tentación de contraatacar a una sociedad sumergida en el racismo.

«¿Cómo puedes amar a tus enemigos? —le preguntó a la congregación—. Comienza por ti mismo. [...]. Cuando se presente la oportunidad de derrotarlos, ese es el momento en que no debes hacerlo».

King citó las palabras de Jesús: «Amad a vuestros enemigos, bendecid a los que os maldicen, haced bien a los que os aborrecen, y orad por los que os ultrajan y os persiguen; para que seáis hijos de vuestro Padre que está en los cielos» (MATEO 5:44-45).

> **LECTURA:**
> **2 Corintios 5:16-21**
>
> *... siendo enemigos, fuimos reconciliados con Dios por la muerte de su Hijo...* (Romanos 5:10).

Al pensar en quienes nos dañan, es sabio recordar que nosotros también éramos enemigos de Dios (VER ROMANOS 5:10). Pero Él «nos reconcilió consigo mismo por Cristo, y nos dio el ministerio de la reconciliación» (2 CORINTIOS 5:18). Ahora tenemos una obligación santa: «nos encargó a nosotros la palabra de la reconciliación» (v. 19). Debemos llevar este mensaje al mundo.

Las tensiones políticas y raciales no son nada nuevo, pero la tarea de la iglesia es evitar las divisiones. No debemos atacar a quienes tienen opiniones diferentes o, incluso, buscan destruirnos. Nuestro «ministerio de la reconciliación» imita el corazón de siervo generoso de Cristo. 🌼

TG

En Cristo, todos somos uno.

*«El odio destruye al que odia,
al igual que al que es odiado».* MARTIN LUTHER KING JR.

¡Primero tú!

El *sherpa* tibetano Nawang Gombu y el norteamericano Jim Whittaker alcanzaron la cima del monte Everest el 1 de mayo de 1963. Cuando estaban por llegar, ambos pensaron en el honor de ser el primero en pisar la cumbre. Whittaker invitó a Gombu a ir adelante, pero este se negó con una sonrisa, y dijo: «¡Primero tú, gran Jim!». Finalmente, decidieron hacerlo al mismo tiempo.

> **LECTURA:**
> **Filipenses 2:1-11**
>
> *... [Jesús] se humilló a sí mismo...* (v. 8).

Pablo alentó a los creyentes filipenses a demostrar esa clase de humildad: «no mirando cada uno por lo suyo propio, sino cada cual también por lo de los otros» (FILIPENSES 2:4). El egoísmo y la altanería pueden dividir a las personas, pero la humildad las une, porque refleja la cualidad de tener «el mismo amor, unánimes, sintiendo una misma cosa» (v. 2).

Cuando hay peleas o desacuerdos, podemos aplacarlos cediendo nuestro derecho a tener la razón. La humildad nos llama a mostrar bondad y cortesía en lugar de insistir en imponernos: «antes bien con humildad, estimando cada uno a los demás como superiores a [uno] mismo» (v. 3).

Ser humildes nos ayuda a parecernos más a Jesús, quien, por nosotros, «se humilló a sí mismo, haciéndose obediente hasta la muerte» (vv. 7-8). Seguir las pisadas del Señor significa hacer lo que es mejor para los demás. 🌱　　　*JBS*

Señor, ayúdame a reflejar tu humildad sacrificándome por los demás.

La humildad promueve la unidad.

Gente real y Dios real

Hace muchos años, después de escribir sobre una tragedia familiar en un artículo de *Nuestro Pan Diario*, recibí una carta de un lector, que decía: «Me di cuenta de que los escritores son personas reales con problemas también reales». ¡Qué gran verdad! Observo la lista de hombres y mujeres que escriben estos artículos y veo cáncer, hijos descarriados, sueños incumplidos y muchas otras clases de pérdidas. Sin duda, somos simples personas reales que escriben sobre un Dios real que entiende nuestros problemas reales.

> **LECTURA:**
> **Filipenses 3:17-21**
>
> *... sed imitadores de mí...* (v. 17).

El apóstol Pablo se destaca en el Salón de la Fama de Personas Reales. Tenía problemas físicos, conflictos legales y luchas con otras personas que debía solucionar. En semejante realidad tan complicada, estaba dejándonos un ejemplo. En Filipenses 3:17, afirmó: «Hermanos, sed imitadores de mí, y mirad a los que así se conducen según el ejemplo que tenéis en nosotros».

Las personas a nuestro alrededor que necesitan el evangelio, que necesitan a Cristo, están buscando gente confiable que pueda guiarlas al Salvador perfecto. Esto significa que debemos ser reales. 🌱

JDB

Señor, tú eres la perfección, pero recibes a personas imperfectas que buscan en ti la salvación. Ayúdanos a ser personas reales y auténticas al guiar a otros a ti.

Si somos sinceros con Dios, no seremos falsos con la gente.

¡Bienvenido a casa!

Cuando estábamos atravesando un desafío muy particular con nuestro hijo, un amigo me llamó después de una reunión en la iglesia y me dijo: «Quiero que sepas que oro por ti y por tu hijo todos los días». Y agregó: «¡Me siento tan culpable!».

«¿Por qué?», le pregunté.

«Porque nunca tuve que lidiar con hijos descarriados —respondió, encogiéndose de hombros—. Mis hijos se ajustaron bastante a las reglas. Pero no fue por lo que yo haya hecho o dejado de hacer. Ellos toman sus propias decisiones».

> **LECTURA:**
> **Lucas 15:11-24**
>
> *... cuando aún estaba lejos, lo vio su padre, y fue movido a misericordia...* (v. 20).

Quise abrazarlo. Su compasión fue un regalo de Dios que me recordó que el Padre entendía mi lucha.

Nadie comprende mejor la lucha con hijos descarriados que nuestro Padre celestial. La historia de ese joven, en Lucas 15, es la nuestra y la de Dios. Jesús la relató para beneficio de todos los pecadores que necesitan desesperadamente volver a la casa de su Creador y descubrir la calidez de la comunión amorosa con Él.

Jesús es Dios encarnado, quien nos ve desde lejos y nos mira con compasión. Es Dios corriendo hacia nosotros para abrazarnos. Es el beso del cielo que da la bienvenida a casa al pecador arrepentido (v. 20).

Dios no solo deja la luz encendida en la entrada, sino que está afuera observando, esperando y llamándonos para que volvamos a casa. 🌿

JB

Señor, que nuestros hijos descarriados vuelvan a ti.

«Nuestros seres queridos pueden ignorar [todo], pero están indefensos ante nuestras oraciones». J. SIDLOW BAXTER

Libérate

Un hombre de mediana edad se me acercó después de un taller que lideré donde él trabajaba, y preguntó: «He sido creyente casi toda la vida, pero mi manera de actuar me decepciona permanentemente. ¿Por qué parece que sigo haciendo siempre lo que no quiero y nunca hago lo que sé que debo? ¿Dios se está cansando de mí?». Otros dos hombres que estaban cerca también parecían interesados en escuchar la respuesta.

LECTURA:
Romanos 7:15-25

Porque lo que hago, no lo entiendo; pues no hago lo que quiero, sino lo que aborrezco, eso hago (v. 15).

Esta es una lucha habitual que aun el apóstol Pablo experimentaba: «Porque lo que hago, no lo entiendo; pues no hago lo que quiero, sino lo que aborrezco, eso hago» (ROMANOS 7:15). Pero hay buenas noticias: No tenemos que seguir en esa trampa del desánimo. Parafraseando lo que Pablo escribe en Romanos 8, la clave es dejar de ocuparnos de la ley y empezar a concentrarnos en Jesús. No podemos solucionar nuestra condición de pecadores con acciones personales. La respuesta no es «esforzarse para cumplir las normas», sino enfocarse en Aquel que nos muestra su misericordia y colaborar con el Espíritu que nos transforma.

Concentrarnos en la ley nos recuerda permanentemente que no podemos ser suficientemente buenos para merecer la gracia de Dios. Cuando llenamos nuestra mente de Cristo, nos parecemos cada vez más a Él. 🕊 *RKK*

*Señor, ayúdame a depender de tu gracia
para que me transformes.*

Concéntrate en Jesús.

Lecciones para niños

Cuando mi hija contó el problema que tenía en el comedor de la escuela, de inmediato me pregunté cómo podía ayudarla a solucionarlo. Pero luego, se me ocurrió otra cosa: quizá Dios lo había permitido para que ella pudiera verlo actuar y conocerlo mejor. En vez de correr a rescatarla, decidí orar por ella. ¡El problema se solucionó sin que yo hiciera nada!

Esa situación le mostró a mi pequeña que Dios se interesa por ella, escucha sus oraciones y las contesta. La Biblia enseña que es muy importante aprender estas lecciones durante los primeros años de vida. Si «[instruimos] al niño en su camino, [...] aun cuando fuere viejo no se apartará de él» (PROVERBIOS 22:6). Cuando enseñamos a los niños a tomar conciencia de la persona de Jesús y su poder, estamos dándoles un lugar al cual volver si se descarrían y un fundamento para crecer espiritualmente durante toda la vida.

> **LECTURA:**
> **Proverbios 22:1-16**
>
> *Instruye al niño en su camino...* (v. 6).

Piensa cómo puedes fomentar la fe en un niño. Muéstrale el diseño de Dios en la naturaleza, nárrale una historia sobre cómo te ayudó el Señor o invítalo a darle gracias contigo cuando las cosas salen bien. Dios puede obrar a través de ti para hablar de sus bondades a todas las generaciones. ✸ *JBS*

Dios, muéstrame cómo guiar a los jóvenes a confiar en ti.
Levanta creyentes en las generaciones futuras.

Influenciamos a las generaciones futuras
cuando vivimos para Cristo hoy.

Honrar a Dios

La reunión en la iglesia estaba en pleno desarrollo. Esa mañana, nos visitaban algunas personas por primera vez. El predicador iba por la mitad del sermón, cuando observé que una de las visitas salía. Sentí curiosidad y preocupación; entonces, salí detrás de ella.

«¡Qué pronto se está yendo! —le dije mientras me acercaba—. ¿Hay algo en que pueda ayudarla?». Fue sincera y directa: «Sí, ¡mi problema es ese sermón! No estoy de acuerdo con lo que dice el predicador». Él había dicho que, sea lo que sea que logremos en la vida, el reconocimiento y la alabanza le pertenecen a Dios. Quejándose, la mujer agregó: «Al

> **LECTURA:**
> **Juan 15:1-5**
>
> *[Jesús dijo:] el que permanece en mí, y yo en él, éste lleva mucho fruto...* (v. 5).

menos, ¡merezco que se me atribuya *algo* de reconocimiento por mis logros!».

Le expliqué lo que el pastor quería decir: las personas sí merecen reconocimiento y aprecio por lo que hacen. No obstante, nuestros dones y talentos provienen de Dios; por eso, la gloria le pertenece a Él. Aun Jesús, el Hijo de Dios, declaró: «No puede el Hijo hacer nada por sí mismo, sino lo que ve hacer al Padre» (JUAN 5:19). Y a sus seguidores, les dijo: «separados de mí nada podéis hacer» (15:5).

Reconocemos que el Señor es quien nos ayuda a llevar a cabo todas las cosas. ❧   *LD*

***Señor,** que no olvide reconocer todo lo que haces por mí y que tú eres quien me capacita para concretar mis logros.*

Hacer la voluntad de Dios lo glorifica.

Palabras imprudentes

Últimamente, mi hija ha tenido muchos problemas de salud, y su esposo la ha cuidado y respaldado de maravilla. «¡Tienes un verdadero tesoro en él!», le dije.

«No pensabas lo mismo cuando lo conocí», dijo ella con una mueca.

Tenía razón. Cuando se comprometieron, yo estaba preocupada. Tenían personalidades tan diferentes. Nuestra familia era grande y ruidosa, y él era más reservado. Además, le había expresado mis dudas a mi hija de manera bastante cortante.

LECTURA:
Santiago 3:1-12

... la lengua es un miembro pequeño, pero se jacta de grandes cosas... (v. 5).

Me horroricé al darme cuenta de que ella todavía recordaba mis comentarios de hacía quince años, que podrían haber destruido una relación que demostró ser tan armoniosa y feliz. Pensé en cuánto debemos cuidar lo que decimos. Muchos somos rápidos para señalar lo que consideramos debilidades en la familia, los amigos o los colegas, o para centrarnos en sus errores. Santiago dice que «la lengua es un miembro pequeño» (3:5), pero que las palabras que emite pueden destruir relaciones, o generar paz y armonía en el trabajo, la iglesia o la familia.

Quizá debamos apropiarnos de la oración de David al comenzar cada día: «Pon guarda a mi boca, oh Señor; guarda la puerta de mis labios» (SALMO 141:3). 🕊️   MS

***Padre,** por favor, frena mis palabras inconvenientes, y cuida mi lengua hoy y siempre.*

«Manzana de oro con figuras de plata es la palabra dicha como conviene». PROVERBIOS 25:11

Siguen las dudas

En 2014, una nave espacial estalló durante un vuelo de prueba. El copiloto murió, mientras que el piloto sobrevivió milagrosamente. Los investigadores determinaron lo que había sucedido, pero no encontraban la causa. El título de un artículo periodístico decía: «Siguen las dudas».

LECTURA:
Job 23:1-12

Mas él conoce mi camino... (v. 10).

En la vida, experimentamos dolores que no tienen explicación. Algunas catástrofes tienen consecuencias generales, pero otras son personales, y afectan nuestra vida y la de nuestros familiares. Queremos saber la razón, pero las preguntas superan las respuestas. No obstante, aunque luchemos con los «porqués», Dios nos extiende su amor inalterable.

Cuando Job perdió a sus hijos y su riqueza en un mismo día (JOB 1:13-19), se hundió en el enojo y la depresión, y rechazó todo intento de explicación de sus amigos. Sin embargo, tenía esperanzas de que, un día, el Señor le explicara. Por eso, en medio de su confusión, dijo: «[Dios] conoce mi camino; me probará, y saldré como oro (23:10).

Oswald Chambers escribió: «Llegará el día en que el toque personal y directo de Dios explicará de manera amplia y sorprendente toda lágrima y perplejidad, opresión y angustia, sufrimiento y dolor, perjuicio e injusticia».

Ante las dudas de la vida, el amor y las promesas de Dios nos ayudan y nos brindan esperanza. 🕊️

DCM

Señor, confío y espero en ti.

Ante las preguntas sin respuestas,
el amor de Dios nos brinda ayuda y esperanza.

¿Qué es esto?

Mi madre enseñó en la escuela dominical durante décadas. Un día, quería mostrar cómo Dios les proveyó comida a los israelitas en el desierto. Para darle vida a su relato, hizo un «maná» para los niños de su clase. Cortó trozos pequeños de pan y les puso miel encima. Su receta se inspiró en la descripción bíblica: «dulce como el pan con miel» (ÉXODO 16:31 TLA).

Cuando los israelitas encontraron el pan que Dios envió del cielo, parecía una helada sobre la tierra: «Y viéndolo los hijos de Israel, se dijeron unos a otros: ¿Qué es esto?» (v. 15). La palabra hebrea *man* significa «qué»; por eso, lo llamaron *maná*. Descubrieron que podían molerlo y hacer panes para cocinar (NÚMEROS 11:7-8). Sea lo que fuere, llegaba de manera desconcertante (ÉXODO 16:4, 14), tenía una consistencia singular (v. 14) y duraba poco (vv. 19-20).

> **LECTURA:**
> **Éxodo 16:11-31**
>
> *Y viéndolo los hijos de Israel, se dijeron unos a otros: ¿Qué es esto?...* (v. 15).

A veces, Dios provee de modo sorprendente. Esto nos recuerda que nuestras expectativas no lo limitan y que no podemos predecir lo que hará. Mientras esperamos, nos concentramos en su Persona y no en lo que podemos hacer para encontrar gozo y satisfacción en nuestra relación con Él. ✍ *JBS*

Querido Dios, ayúdame a aceptar tu provisión y la manera en que decides enviarla. Gracias por ocuparte de mis necesidades y suplirlas.

Los que permiten que Dios les provea estarán siempre satisfechos.

Antes del teléfono

Como madre de niños pequeños, suelo ser susceptible al pánico. Lo primero que hago es llamar por teléfono a mi mamá y preguntarle qué hacer con la alergia de mi hijo o la repentina tos de mi hija.

Mi madre es un gran recurso, pero leer los Salmos me hace recordar con cuánta frecuencia necesita-mos la clase de ayuda que ningún mortal puede brindar. En el Salmo 18, David corría gran peligro. Con miedo, cerca de la muerte y angustiado, clamó al Señor.

> LECTURA:
> **Salmo 18:1-6**
>
> *En mi angustia invoqué al Señor...* (v. 6).

Podía decir «te amo, oh Señor» por-que entendía que Dios era su fortaleza, roca y libertador (vv. 1-2). El Señor era su escudo, salvación y castillo. Tal vez no comprendamos la ala-banza de David porque no hemos experimentado la ayuda de Dios. Quizá buscamos primero el teléfono, antes de pedirle al Señor que nos aconseje y ayude.

Sin duda, Dios coloca personas en nuestra vida que nos ayudan y consuelan. Pero no nos olvidemos de orar, ya que Él nos oye. Cantemos como David: «Él oyó mi voz desde su tem-plo, y mi clamor llegó delante de él, a sus oídos» (v. 6). Cuando acudimos al Señor, nos unimos al cántico del salmista y nos gozamos porque Dios es nuestra roca, fortaleza y libertador.

La próxima vez, antes de tomar el teléfono, acuérdate de orar. 🌾   *KO*

Querido Señor, *ayúdame a recordar que tú eres mi libertador y que siempre oyes mi clamor.*

La oración es el puente entre el pánico y la paz.

El zoológico de su padre

June Williams tenía solo cuatro años cuando su padre compró un terreno para hacer un zoológico sin rejas ni cuevas. Siempre recuerda lo creativo que era su papá al tratar de ayudar a los animales salvajes a sentirse libres aun en confinamiento. En la actualidad, el Zoológico Chester es una de las atracciones más populares de Inglaterra. Alberga 11.000 animales en un terreno de unas 45 hectáreas, y refleja el interés de su padre por el bienestar y la conservación de los animales.

> **LECTURA:**
> **1 Reyes 4:29-34**
>
> *El justo cuida de la vida de su bestia; mas el corazón de los impíos es cruel* (Proverbios 12:10).

Salomón tenía un interés similar por todas las criaturas, grandes y pequeñas. Además de estudiar la vida animal de Medio Oriente, importaba de tierras lejanas animales exóticos, como monos y pavos reales (1 REYES 10:22). Pero uno de sus proverbios muestra que su conocimiento de la naturaleza va más allá de la curiosidad intelectual. Al expresar las implicaciones espirituales de cómo tratamos a los animales, evoca parte del corazón de nuestro Creador: «El justo cuida de la vida de su bestia; mas el corazón de los impíos es cruel» (PROVERBIOS 12:10).

Con la sabiduría de Dios, Salomón entendía que nuestra relación con el Creador no solo afecta el trato con las personas, sino también la atención que brindamos a las criaturas que están a nuestro cuidado. 🌱

MRD

Señor, *ayúdanos a cuidar lo que nos has encomendado.*

Dios es el verdadero Dueño de todos nosotros.

La mención de su nombre

Cuando el solista empezó a cantar, la congregación lo escuchó en silencio y atentamente. Su encantadora voz de barítono expresaba las conmovedoras palabras de una antigua canción de Gordon Jensen, cuyo título transmite una verdad que se torna más preciosa a medida que maduramos: «Él está tan cerca como la mención de su nombre».

LECTURA:
Juan 16:17-24

... os volveré a ver, y se gozará vuestro corazón, y nadie os quitará vuestro gozo (v. 22).

Todos hemos atravesado ocasiones en que nuestros seres amados se han ido. Un hijo se casa y se muda lejos. Nuestros padres se van por motivos laborales o de salud. Un hijo parte para estudiar en otra ciudad o país. Sí, es cierto, tenemos el email y Skype, pero nosotros estamos *aquí* y ellos están *allá*. Además, también está la separación de la muerte.

No obstante, como creyentes en Cristo, el Señor nos promete que nunca estaremos solos. Aunque nos sintamos así, Él no se ha ido a ninguna parte. Está aquí, ahora y siempre. Cuando dejó esta Tierra, les dijo a sus seguidores: «he aquí yo estoy con vosotros todos los días, hasta el fin del mundo» (MATEO 28:20). Y también promete: «No te desampararé, ni te dejaré» (HEBREOS 13:5).

El ruego silencioso, la casi imperceptible mención de su nombre e, incluso, el solo pensar en Él, nos brindan consuelo y seguridad. «Él está tan cerca como la mención de su nombre». 🕮

DCE

Señor, gracias por estar cerca. Te necesito.

Jesús nunca olvida ni abandona a los suyos.

Vino a buscarte

En sus novelas *El proceso* y *El castillo*, Franz Kafka (1883-1924) describe la vida como una existencia deshumanizada que torna a las personas en un mar de rostros vacíos, sin identidad ni valía. Escribe: «La cinta transportadora de la vida te lleva, quién sabe adónde. Uno se transforma en un objeto, una cosa, en lugar de una criatura viviente».

Al principio de su ministerio, Jesús fue a la sinagoga de Nazaret, se puso en pie ante la multitud y leyó en Isaías: «El Espíritu del Señor está sobre mí, por cuanto me ha ungido para dar buenas nuevas a los pobres; me ha enviado a sanar a los quebrantados de corazón; a pregonar libertad a los cautivos, y vista a los ciegos; a poner en libertad a los oprimidos; a predicar el año agradable del Señor» (LUCAS 4:18-19).

> **LECTURA:**
> **Lucas 4:14-21**
>
> *... El Espíritu del Señor está sobre mí, por cuanto me ha ungido para dar buenas nuevas a los pobres...* (v. 18).

Luego, se sentó y declaró: «Hoy se ha cumplido esta Escritura delante de vosotros» (v. 21). Siglos antes, el profeta había proclamado esas palabras (ISAÍAS 61:1-2). Ahora, Jesús anunciaba que Él era el cumplimiento de aquella promesa.

Observa a quiénes vino Jesús a rescatar: pobres, quebrantados de corazón, cautivos, ciegos y oprimidos; personas deshumanizadas por el pecado y el sufrimiento, el quebrantamiento y la angustia. ¡Vino por nosotros! 🌿 *WEC*

Señor, *ten piedad de nosotros, pecadores y sufrientes.*

Por más impersonal que parezca el mundo,
Jesús ama a cada persona como si fuera la única.

Orar siempre y no desmayar

¿Estás atravesando** uno de esos momentos en que, cada vez que intentas resolver un problema, encuentras una nueva dificultad? Por la noche, agradeces a Dios por su intervención; pero, al despertar, descubres que otra cosa salió mal y el problema sigue en pie.

Durante una experiencia similar, estaba leyendo el Evangelio de Lucas y me sorprendieron las primeras palabras del capítulo 18: «También les refirió Jesús una parábola sobre la necesidad de orar siempre, y no desmayar» (v. 1). Había leído la historia de la viuda persistente muchísimas veces, pero nunca entendí por qué Jesús la relató (vv. 2-8). En ese momento, conecté las palabras iniciales

> **LECTURA:**
> **Lucas 18:1-8**
>
> *... les refirió Jesús una parábola sobre la necesidad de orar siempre, y no desmayar...* (v. 1).

con la historia. La lección para sus seguidores fue clara: «Oren siempre y no desmayen jamás».

La oración no es una manera de lograr que Dios haga lo que queremos. Es un proceso para reconocer su poder y su plan para nosotros. Al orar, rendimos nuestra vida y circunstancias al Señor, y confiamos en que actúe en su tiempo y a su manera.

Mientras confiamos en la gracia de Dios, no solo para la respuesta, sino también para el proceso, podemos seguir acudiendo a Él en oración, confiando en su sabiduría y cuidado.

El Señor nos anima diciendo: «¡Oren siempre y no desmayen jamás!». ✒

DMC

Señor, quiero acudir siempre a ti en oración y no desmayar.

La oración cambia todo.

Dejar un legado

Cuando un capataz murió en un accidente, el amor de este hombre por los demás generó una abrumadora sensación de pérdida. Como su iglesia no tenía espacio para tantas personas, se realizó el funeral en un edificio mucho más grande. ¡Los amigos y familiares llenaron el auditorio! Aquel hombre había tocado muchas vidas de manera singular. Muchos extrañarían su bondad, su sentido del humor y su entusiasmo por la vida.

> LECTURA:
> **2 Crónicas 21:4-20**
>
> *... el Hijo del Hombre no vino para ser servido, sino para servir...*
> (Marcos 10:45).

Cuando regresé del funeral, pensé en la vida del rey Joram. ¡Qué contraste! Su breve reinado de terror se relata en 2 Crónicas 21. Para consolidar su poder, mató a sus propios hermanos y a otros líderes (v. 4). Después, guió a Judá a la idolatría. La Biblia señala que «murió sin que nadie lo lamentara» (v. 20). Joram pensó que la fuerza bruta garantizaría su legado, y así fue. Se lo recuerda como un hombre malvado y un líder egoísta.

Aunque Jesús también era Rey, llegó a la Tierra para servir. Mientras hacía el bien, soportó el odio de aquellos que anhelaban poder. Y este Siervo-Rey terminó entregando su vida.

Hoy, Jesús vive junto con su legado. Este legado incluye a aquellos que entienden que la vida no gira alrededor de ellos. La vida le pertenece a Jesús, quien anhela envolver con sus brazos fuertes y misericordiosos a todo el que acuda a Él. 🌱 TG

__Señor__, ayúdanos a imitarte y servir a otros hoy.

__Si vivimos para Dios, dejamos un legado duradero.__

Entrenamiento para la vida

Hace poco, conocí a una mujer que ha llevado su cuerpo y su mente al límite. Escaló montañas, enfrentó la muerte y hasta rompió un récord mundial de Guinness. Ahora, tiene un desafío diferente: criar a un hijo con necesidades especiales, y derrama en la maternidad el valor y la fe que demostró al escalar montañas.

En 1 Corintios, el apóstol Pablo habla de alguien que compite en una carrera. Después de exhortar a una iglesia obsesionada con sus derechos a considerar a los demás (CAP. 8), explica cómo los desafíos del amor y el sacrificio personal se parecen a una maratón de resistencia (CAP. 9). Como seguidores de Jesús, debemos renunciar a nuestros derechos en obediencia a Él.

> LECTURA:
> **1 Corintios 9:24-27**
>
> *... golpeo mi cuerpo, y lo pongo en servidumbre, no sea que [...] venga a ser eliminado* (v. 27).

Así como los atletas entrenan su cuerpo para obtener una medalla, nosotros también capacitamos nuestro cuerpo y mente para florecer. Cuando le pedimos al Espíritu Santo que nos transforme, momento a momento, dejamos atrás nuestra antigua forma de ser. Con el poder de Dios, evitamos las palabras crueles. Dejamos de lado los aparatos electrónicos y les prestamos atención a nuestros amigos. No sentimos la necesidad de tener la última palabra.

Mientras nos entrenamos para correr en el Espíritu de Cristo, ¿en qué querrá formarnos hoy Dios? ✿   ABP

*Señor, no quiero exigir mis derechos,
sino entrenarme para ganar el premio eterno.*

El entrenamiento lleva a la transformación.

Tesoro escondido

Mi esposo y yo leemos de maneras diferentes. Como el inglés no es su idioma materno, suele leer lentamente, palabra por palabra. Yo muchas veces leo rápidamente, como al pasar. Pero él retiene más que yo. Con facilidad, puede citar algo que leyó hace una semana, mientras que yo olvido lo que leí segundos después de quitar la mirada de la pantalla o el libro.

LECTURA:
Proverbios 2:1-5

[Busca la inteligencia y el entendimiento] como si fueran plata, como si fueran tesoros escondidos (v. 4).

Además, cuando leo la Biblia, me cuesta romper el hábito de leer superficialmente... y no me pasa solo con las genealogías. Me veo tentada a pasar por alto pasajes conocidos, historias que escucho desde que era niña o un salmo que es parte de una canción familiar.

Proverbios 2 nos alienta a esforzarnos por conocer mejor a Dios cultivando un corazón atento. Cuando leemos la Biblia con detenimiento y nos dedicamos a memorizarla, absorbemos más sus verdades (vv. 1-2). A veces, leer en voz alta nos ayuda a escuchar y entender mejor la sabiduría de Dios. Y cuando oramos con las palabras de la Escritura y le pedimos a Dios «inteligencia y prudencia» (v. 3), disfrutamos de una conversación con el Autor.

Llegamos a conocer a Dios y su sabiduría cuando indagamos con todo el corazón. Y hallamos entendimiento cuando lo buscamos como si fuera un tesoro escondido. ❧ CHK

*Señor, ayúdame a ir más despacio
y escuchar lo que quieres enseñarme en tu Palabra.*

Lee la Biblia con cuidado y estúdiala con espíritu de oración.

Un líder servicial

En las sociedades africanas tradicionales, la sucesión al liderazgo es una decisión importante. Cuando un rey muere, se selecciona con gran cuidado al próximo soberano. Además de ser de la familia real, el sucesor tiene que ser fuerte, valiente y sensible. No solo debe ser alguien que lidere, sino que también lo haga con una actitud servicial.

Aunque Salomón tomó malas decisiones, se preocupó por quién lo sucedería. «Y ¿quién sabe si será sabio o necio el que se enseñoreará de todo mi trabajo en que yo me afané y en que ocupé debajo del sol mi sabiduría?» (ECLESIASTÉS 2:19). Su hijo Roboam lo sucedió, pero demostró falta de buen juicio y terminó cumpliendo el peor temor de su padre.

> **LECTURA:**
> **1 Reyes 12:1-15**
>
> *... el que quiera hacerse grande entre vosotros será vuestro servidor...*
> (Mateo 20:26).

Cuando las personas pidieron condiciones de trabajo más humanas, fue una oportunidad para que Roboam mostrara su liderazgo como servidor. Los ancianos le aconsejaron: «Si tú fueres hoy siervo de este pueblo y lo sirvieres, [...] ellos te servirán para siempre» (1 REYES 12:7). Pero el rey rechazó el consejo. No quiso buscar a Dios y su respuesta dura dividió el reino y aceleró el deterioro espiritual del pueblo de Dios (12:14-19).

En el hogar, el trabajo, la iglesia o el vecindario, necesitamos la sabiduría divina para servir con humildad en lugar de ser servidos. 🌿 *LD*

Padre, dame un corazón de siervo.
Ayúdame a vivir con humildad y compasión.

Un buen líder es un buen siervo.

Lo que será

Tú y yo tenemos algo en común. Vivimos en un mundo contaminado y confundido, y nunca conocimos otra cosa. Sin embargo, Adán y Eva podían recordar cómo era el mundo cuando Dios lo creó: libre de muerte, dificultades y dolor (GÉNESIS 3:16-19). En el Edén, antes de la caída, el hambre, el desempleo y la enfermedad no existían. Nadie cuestionaba el poder creador de Dios o su plan para las relaciones humanas.

> LECTURA:
> **Apocalipsis 22:1-5**
>
> *Y no habrá más maldición...* (v. 3).

El mundo que heredamos apenas se parece al jardín perfecto de Dios. Citando a C. S. Lewis: «Este es un mundo bueno que se deterioró, pero todavía conserva el recuerdo de lo que tendría que haber sido». Gracias a Dios, el vago recuerdo de lo que debería ser la Tierra es también un vistazo profético a la eternidad. Allí, tal como Adán y Eva caminaban y hablaban con Dios, los creyentes verán su rostro y lo servirán directamente. Nada se interpondrá entre Dios y nosotros. «Y no habrá más maldición» (APOCALIPSIS 22:3). Ya no habrá pecado, temor ni remordimientos.

El pasado y sus consecuencias pueden ensombrecer el presente, pero el destino del creyente guarda la promesa de algo mejor: la vida en un lugar tan perfecto como el Edén. ✤   *JBS*

*Señor, ayúdame a recordar que todavía hay mucho
por disfrutar y por hacer en este mundo contaminado.
Gracias por la promesa de una vida contigo en un lugar perfecto.*

Un día, Dios pondrá todas las cosas en su lugar.

La fábrica de tristeza

Siempre fui aficionado de los Browns de Cleveland, un equipo de fútbol americano, y como tal, experimenté varias desilusiones. Aunque mi equipo nunca ha jugado la *Super Bowl*, los Browns tienen aficionados fieles que siguen al equipo a todos lados. Pero, como suelen terminar desilusionados, muchos ahora se refieren al estadio sede como «la fábrica de tristeza».

El mundo destruido en que vivimos también puede ser una «fábrica de tristeza». Parece haber una provisión interminable de dolor y desilusión, ya sea por decisiones propias o por cuestiones fuera de nuestro control.

LECTURA:
Juan 16:28-33

Enjugará Dios toda lágrima de los ojos de ellos...
(Apocalipsis 21:4).

Sin embargo, el seguidor de Cristo tiene esperanza, no solo en la vida venidera, sino para el presente. Jesús dijo: «Estas cosas os he hablado para que en mí tengáis paz. En el mundo tendréis aflicción; pero confiad, yo he vencido al mundo» (JUAN 16:33). Observa que, sin minimizar las luchas o la tristeza que podamos experimentar, Cristo las contrarresta con su promesa de paz, gozo y victoria final.

En Jesús podemos hallar paz, y eso es más que suficiente para ayudarnos a hacerle frente a lo que debamos enfrentar. 🌱 *WEC*

*Señor, no importa lo que se presente en el camino;
ayúdame a confiar en ti y descansar en tus promesas.*

Nuestra esperanza y nuestra paz se encuentran en Jesús.

No hay marcha atrás

No **pude** deshacer mis acciones. Una mujer había estacionado su auto y me impedía llegar al surtidor de combustible. Se bajó a dejar algunos objetos para reciclar y, como yo no tenía ganas de esperar, hice sonar la bocina. Irritada, retrocedí y di la vuelta por otro lado. De inmediato, me sentí mal por ser impaciente y no querer esperar treinta segundos (como mucho) a que avanzara. Le pedí perdón a Dios. Sí, la mujer tendría que haber estacionado en el lugar designado, pero yo podría haber mostrado bondad y paciencia en lugar de dureza. Por desgracia, ya era demasiado tarde para disculparme... la mujer se había ido.

> **LECTURA:**
> **Gálatas 5:13-26**
>
> *... el fruto del Espíritu es [...] mansedumbre, templanza...*
> (vv. 22-23).

Muchos Proverbios nos desafían a pensar en cómo responder cuando las personas interfieren en nuestros planes. Nos enseñan: «El necio al punto da a conocer su ira» (PROVERBIOS 12:16), y «honra es del hombre dejar la contienda, mas todo insensato se envolverá en ella» (20:3). Y este apunta directo al corazón: «el necio da rienda suelta a toda su ira, mas el sabio al fin la sosiega» (29:11).

Crecer en paciencia y bondad puede parecer difícil. Sin embargo, el apóstol Pablo afirma que es la obra de Dios, el «fruto del Espíritu» (GÁLATAS 5:22-23). A medida que dependemos del Señor, Él produce este fruto en nosotros. ✪   AMC

Por favor, cámbianos, Señor.
Que podamos parecernos más a ti.

Dios prueba nuestra paciencia para ensanchar nuestro corazón.

Menú secreto

La **«Montaña** de carne» es un súper sándwich relleno de seis clases de carne. Pero, a pesar de su originalidad, no aparece en ningún menú. El sándwich representa una moda de platos conocidos solo en las redes sociales o por transmisión oral. Al parecer, la competencia está llevando a los restaurantes de comida rápida a ofrecer un menú secreto, conocido solo por ciertos clientes.

LECTURA:
Juan 4:31-34

... Yo tengo una comida que comer, que vosotros no sabéis (v. 32).

Cuando Jesús les dijo a sus discípulos que tenía una «comida» que ellos no conocían, seguramente les pareció que el Señor tenía un menú secreto (JUAN 4:32). Él percibió su confusión y les explicó que su comida era hacer la voluntad de su Padre y acabar su obra (v. 34).

Jesús acababa de hablar con una mujer samaritana sobre un agua viva de la que ella nunca había escuchado, y le reveló que conocía su sed insatisfecha de vida. Cuando el Señor reveló su identidad, ella salió corriendo a preguntar a sus vecinos: «¿No será éste el Cristo?» (v. 29).

Lo que solía ser un secreto, ahora puede ofrecerse a todos. Jesús nos invita a confiar en su capacidad de satisfacer las necesidades más profundas de nuestro corazón. Al hacerlo, descubrimos cómo vivir, no solo por nuestros apetitos físicos, sino por el Espíritu de Dios, que satisface nuestra alma. *MRD*

Padre, *gracias por revelarnos tu verdad.*
Ayúdanos a vivir con tu poder.

Solo Cristo, el Pan de vida,
puede satisfacer el hambre espiritual del mundo.

Jesús sobre todas las cosas

U n día, el hijo de mi amiga decidió ponerse una camiseta deportiva sobre el uniforme escolar. Quería mostrar su apoyo a su equipo favorito que jugaría un partido importante esa noche. Antes de salir de su casa, se colocó algo sobre la camiseta: una cadena con un dije que decía «Jesús». Su acción sencilla ilustró una verdad más profunda: el Señor merece el primer lugar sobre todo lo demás en nuestra vida.

> **LECTURA:**
> **Colosenses 1:15-20**
>
> *Y él es antes de todas las cosas...* (v. 17).

Jesús está por encima de todas las cosas. «Y él es antes de todas las cosas, y todas las cosas en él subsisten» (COLOSENSES 1:17). Es soberano sobre toda creación (vv. 15-16), «la cabeza del cuerpo que es la iglesia» (v. 18), y debería tener el primer lugar siempre.

Cuando le damos a Jesús el lugar de honor en cada área de nuestra vida, esta verdad se hace visible a quienes nos rodean. En el trabajo, ¿nos esforzamos para agradar a Dios o a nuestro jefe? (3:23). ¿Cómo mostramos a Dios en nuestra manera de tratar a los demás? (vv. 12-14). ¿Lo ponemos en primer lugar mientras vivimos y disfrutamos de nuestros pasatiempos favoritos?

Si Jesús es nuestra mayor influencia en la vida, tendrá el lugar correcto en nuestro corazón. 🌱

JBS

Querido Jesús, mereces lo mejor de mi tiempo, energía y afecto.
¿Cómo puedo ponerte en primer lugar hoy?

Dale a Jesús el primer lugar.

Apaga el marcador

En la fiesta de bodas de su hijo, mi amigo Roberto les ofreció consejo y ánimo a los recién casados. En su discurso, habló de un entrenador de fútbol que, cuando su equipo perdía un partido, mantenía el resultado en el marcador toda la semana para recordarles su fracaso. Aunque esta puede ser una buena estrategia deportiva, Roberto señaló sabiamente que es terrible para el matrimonio. Cuando tu cónyuge te irrita o te falla de alguna manera, no marques constantemente el error. Apaga el marcador.

¡Qué buen consejo! La Escritura está llena de mandamientos para que nos amemos unos a otros y pasemos por alto las faltas. Se nos recuerda que el amor «no guarda rencor» (1 CORINTIOS 13:5) y que

> LECTURA:
> **Efesios 4:25-32**
>
> *... perdonándoos unos a otros, como Dios también os perdonó a vosotros en Cristo* (v. 32).

debemos estar dispuestos a perdonarnos unos a otros «como Dios también [nos] perdonó» (EFESIOS 4:32).

Estoy profundamente agradecido porque Dios apaga el marcador cuando fallo. No solo nos perdona cuando nos arrepentimos, sino que aleja nuestro pecado como el oriente está lejos del occidente (SALMO 103:12). Con Dios, el perdón significa que nuestro pecado queda enterrado y olvidado. Que el Señor nos dé gracia para ofrecer perdón a los que nos rodean. ✤

JMS

Señor, gracias por darme siempre otra oportunidad.
Ayúdame a perdonar a otros como tú me perdonas a mí.

Perdona como Dios te perdona: apaga el marcador.

Conocimiento sin digerir

En su libro sobre el lenguaje, el diplomático británico Lancelot Oliphant (1881-1965) señala que muchos estudiantes responden bien en una prueba, pero no ponen en práctica esas mismas lecciones. «Este conocimiento sin digerir no sirve demasiado», declaró Oliphant.

El autor Barnabas Piper observó un paralelo con su propia vida: «Pensé que estaba cerca de Dios porque sabía todas las respuestas, pero me había engañado pensando que eso era lo mismo que tener una *relación* con Jesús».

> **LECTURA:**
> **Juan 8:39-47**
>
> *... Si vosotros permaneciereis en mi palabra, seréis verdaderamente mis discípulos*
> (Juan 8:31).

Un día, mientras estaba en el templo, Jesús se encontró con personas que pensaban que tenían las respuestas correctas. Proclamaban con orgullo su descendencia de Abraham, pero no querían creer en el Hijo de Dios.

Jesús les dijo: «Si fueseis hijos de Abraham, las obras de Abraham haríais» (JUAN 8:39). ¿A qué se refería? Abraham «creyó al Señor, y le fue contado por justicia» (GÉNESIS 15:6). Los que escucharon a Jesús no quisieron creer, así que Él les dijo: «El que es de Dios, las palabras de Dios oye; por esto no las oís vosotros, porque no sois de Dios» (v. 47).

Cuando permitimos que la verdad de Dios transforme nuestras vidas, ganamos mucho más que la respuesta correcta: le presentamos a Jesús al mundo. 🌿　　　　　　*TG*

Padre, ayúdame a poner en práctica todo lo que sé sobre ti.

La fe no es creer que Dios existe, sino recibir la vida que Él da.

Flores de hielo

Wilson **Bentley** estaba fascinado con la compleja belleza de los copos de nieve. Cautivado, los observaba a través de un microscopio que su madre le había dado y hacía cientos de bocetos de sus increíbles diseños, pero se derretían demasiado rápido como para captarlos en detalle. Varios años más tarde, en 1885, tuvo una idea. Conectó una cámara de fuelle al microscopio y, después de muchos intentos, tomó la primera de cinco mil fotografías de un copo de nieve, cada uno con un diseño único. Los describía como «pequeños milagros de belleza» o «flores de hielo».

> LECTURA:
> **1 Corintios 12:4-14**
>
> *... hay diversidad de dones, pero el Espíritu es el mismo* (v. 4).

No hay dos copos de nieve iguales, aunque todos vienen de la misma fuente. Lo mismo sucede con los seguidores de Cristo. Todos venimos del mismo Creador, pero somos diferentes. En su plan glorioso, Dios ha decidido juntar a personas totalmente distintas y formar un cuerpo unificado, y nos ha dado diversas habilidades. Al describir la variedad de dones a los creyentes, Pablo escribe: «hay diversidad de dones, pero el Espíritu es el mismo. Y hay diversidad de ministerios, pero el Señor es el mismo. Y hay diversidad de operaciones, pero Dios, que hace todas las cosas en todos, es el mismo» (1 CORINTIOS 12:4-6).

Gracias a Dios por la contribución singular que puedes ofrecer al ayudar y servir a otros. 🌿 *HDF*

Señor, ayúdame a usar mis dones para servirte.

Cada persona es una expresión única del amoroso diseño de Dios.

Es fácil ser ingrato

F*lip, flap, flip, flap.*

El sonido del limpiaparabrisas, que intentaba mantener a raya la lluvia torrencial, me irritaba aun más mientras me acostumbraba a conducir el automóvil usado que acababa de comprar; un modelo familiar con más de 130.000 kilómetros y sin bolsas de aire laterales de protección.

> **LECTURA:**
> **Hebreos 12:18-29**
>
> *... recibiendo nosotros un reino inconmovible, tengamos gratitud...* (v. 28).

Para comprar este automóvil y obtener algo de dinero que tanto necesitábamos para comer, había vendido mi último «tesoro»: un auto familiar que sí tenía protección de bolsas de aire laterales para los niños. Para entonces, habíamos perdido todo lo demás. Nuestra casa y nuestros ahorros habían desaparecido bajo el peso de gastos médicos para tratar una enfermedad gravísima.

«Bueno, Señor —dije en voz alta—. Ahora ni siquiera puedo proteger a mis hijos de un choque lateral. Si les sucede algo, ya me vas a escuchar...».

Flip, flap, flip, flap... y se me hizo un nudo en la garganta.

Me sentí avergonzado. En los últimos dos años, Dios les había salvado la vida a mi esposa y mi hijo de una muerte casi segura, y allí me encontraba, quejándome de las «cosas» que había perdido. Me di cuenta de lo desagradecido que me había vuelto. El Padre amoroso, que no escatimó a su propio Hijo para salvarme, había salvado a mi hijo de manera milagrosa.

«Perdóname, Padre», oré. *Ya lo hice, hijo mío.* 🌑   RKK

Padre, gracias por tu paciencia y tu amor incondicional.

El gozo florece en el terreno de la gratitud.

La decisión de una viuda

Cuando una amiga perdió de repente a su esposo por un ataque al corazón, lloré con ella. Como consejera, ella había consolado a muchas personas. Ahora, después de cuarenta años de matrimonio, se enfrentaba a la horrible perspectiva de volver a una casa vacía todos los días.

En medio de su dolor, nuestra amiga se apoyó en Aquel que está «cercano [...] a los quebrantados de corazón». Mientras Dios la acompañaba en su dolor, ella nos dijo que quería «usar con orgullo el rótulo de *viuda*», porque sentía que era lo que el Señor le había dado.

LECTURA:
Salmo 34:15-22

Cercano está el Señor a los quebrantados de corazón... (v. 18).

El dolor siempre es personal, y tal vez otros lo enfrenten de manera diferente. Su respuesta no alivia su dolor ni hace que su hogar se sienta menos vacío. Sin embargo, nos recuerda que, incluso en medio de nuestra peor angustia, podemos confiar en nuestro Dios soberano y amoroso.

El Padre celestial también sufrió una profunda separación. Mientras Jesús colgaba de la cruz, exclamó: «Dios mío, Dios mío, ¿por qué me has desamparado?» (MATEO 27:46). Sin embargo, ¡soportó el dolor y la separación de la crucifixión por amor a nosotros!

¡Él nos entiende! Y, como «cercano está el Señor a los quebrantados de corazón» (SALMO 34:18), encontramos el consuelo que necesitamos. Él está cerca. 🌿

JDB

Señor, recibimos tu consuelo.
Gracias por estar cerca de nuestro corazón roto.

Dios participa de nuestro dolor.

Escrito en nuestro corazón

En mi vecindario, abundan las inscripciones religiosas: en placas, paredes, puertas, vehículos comerciales e, incluso, en nombres de negocios. Puede leerse *Por la gracia de Dios* en un autobús; y *El favor divino* en el cartel de una librería. El otro día, no pude evitar sonreír al leer detrás de una Mercedes Benz: *Tome distancia... ¡ángeles en guardia!*

> **LECTURA:**
> **Deuteronomio 6:1-12**
>
> *Y estas palabras que yo te mando hoy, estarán sobre tu corazón* (v. 6).

Sin embargo, las inscripciones religiosas no son indicadores confiables del amor de una persona por Dios. Las palabras exteriores no son las que cuentan, sino que la verdad que llevamos dentro revela nuestro deseo de ser transformados por Él.

Recuerdo un programa patrocinado por un ministerio local que distribuía tarjetas con versículos bíblicos escritos a ambos lados, que ayudaban a las personas a memorizar la Palabra de Dios. En Deuteronomio 6, Moisés exhortó a Israel a escribir los mandamientos de Dios «en los postes de [su] casa» (v. 9). Debemos atesorar la Palabra de Dios en nuestros corazones (v. 6), imprimirla en nuestros hijos y repetirla «andando por el camino», y al acostarnos y levantarnos (v. 7).

Que nuestra fe sea real y nuestro compromiso verdadero, para que podamos amar al Señor con todo nuestro corazón, nuestra alma y nuestras fuerzas (v. 5). 🌼

LD

Señor, que tu Palabra esté escrita sobre mi corazón.

**Si guardas la Palabra de Dios en tu corazón,
sus caminos serán también los tuyos.**

Abrir puertas

Charlie Sifford es un nombre importante en el deporte. Fue el primer jugador afroamericano en jugar en la Asociación de Golfistas Profesionales, en un deporte que, hasta 1961, tenía una cláusula que prohibía la participación de personas de color. Sifford soportó la injusticia y el acoso racial, y se ganó su puesto en el nivel más alto del juego: ganó dos torneos y, en 2004, fue el primer afroamericano en entrar en el Salón de la Fama del Golf Mundial. Charlie Sifford abrió la puerta para los jugadores de golf de todas las etnias.

> **LECTURA:**
> **Mateo 28:16-20**
>
> *... id, y haced discípulos a todas las naciones...* (v. 19).

Abrir puertas también es una temática central en la misión del evangelio. Jesús dijo: «Por tanto, id, y haced discípulos a todas las naciones, bautizándolos en el nombre del Padre, y del Hijo, y del Espíritu Santo; enseñándoles que guarden todas las cosas que os he mandado; y he aquí yo estoy con vosotros todos los días, hasta el fin del mundo» (MATEO 28:19-20).

La palabra naciones (v. 19) viene del vocablo griego *etnos*, en el que se basa la palabra *étnico*. En otras palabras: «Id y haced discípulos a todas las etnias». La obra de Jesús en la cruz abrió el camino al Padre para todos.

Ahora, tenemos el privilegio de abrir la puerta para otros que jamás soñaron que serían bienvenidos en la casa y la familia de Dios. 🌑

WEC

Señor, ayúdame a ser sensible con los demás y a hablarles de ti.

Jesús abrió las puertas de la salvación para todos los que creen.

Soledad y servicio

El **comediante** Fred Allen dijo: «Una celebridad es una persona que se esfuerza toda su vida para ser conocida, y luego, usa anteojos oscuros para evitar que la reconozcan». La fama trae la pérdida de la privacidad, junto con un implacable frenesí de atención.

Cuando Jesús empezó su ministerio, fue catapultado a la mirada pública, y la gente se agolpaba a su alrededor en busca de ayuda. Pero Él sabía que el tiempo a solas con Dios era esencial para mantener su fuerza y perspectiva.

> **LECTURA:**
> **Lucas 9:1-2,10-17**
>
> *... les recibió, y les hablaba del reino de Dios, y sanaba a los que necesitaban ser curados...* (v. 11).

Cuando los discípulos de Jesús regresaron de su exitosa misión de «predicar el reino de Dios, y [...] sanar a los enfermos», los llevó a un lugar tranquilo a descansar (LUCAS 9:2, 10). Sin embargo, al poco tiempo, multitudes los encontraron y Jesús «les recibió, y les hablaba del reino de Dios, y sanaba a los que necesitaban ser curados» (v. 11). En lugar de despedirlos, ¡el Señor organizó un picnic al aire libre para cinco mil personas! (vv. 12-17).

Jesús no era inmune a la presión de los curiosos y los angustiados, pero mantuvo el equilibrio entre el servicio público y la soledad privada, al tomar tiempo para descansar y orar a solas a su Padre (LUCAS 5:16).

Que podamos seguir el ejemplo de nuestro Señor al servir a los demás en su nombre. ❧

DMC

Señor, que podamos imitarte y encontrar el equilibrio entre el descanso y el servicio.

Bajar el volumen de la vida nos permite escuchar a Dios.

La voz de la fe

La **noticia** fue abrumadora. Las lágrimas vinieron con tanta rapidez que ella no pudo reprimirlas. Las preguntas inundaban su mente, y el temor amenazaba con abrumarla. Todo iba tan bien cuando, de repente, la vida fue interrumpida y cambió para siempre sin previo aviso.

La tragedia llega de muchas maneras: una enfermedad, la pérdida de un ser querido, del patrimonio o del sustento. Puede pasarle a cualquiera en cualquier momento.

Aunque el profeta Habacuc sabía que se aproximaba una tragedia, el temor se apoderó de su corazón. Mientras esperaba el día en que Babilonia invadiría

> LECTURA:
> **Habacuc 3:16-19**
>
> *Aunque la higuera no florezca [...] con todo, yo me alegraré en el Señor...* (vv. 17-18).

el reino de Judá, su corazón latía fuertemente, y le temblaban los labios y las piernas (HABACUC 3:16).

El miedo es una emoción legítima frente a la tragedia, pero no tiene por qué inmovilizarnos. Cuando no entendemos las pruebas que estamos atravesando, podemos recordar cómo ha obrado Dios en la historia (vv. 3-15). Eso fue lo que hizo Habacuc; y aunque no disipó sus temores, cobró valor para seguir adelante al decidir alabar al Señor (v. 18).

Dios ha probado su fidelidad y que siempre está con nosotros. Como su carácter no cambia, cuando tenemos miedo, podemos decir con la voz tranquila de la fe: «El Señor es mi fortaleza» (v. 19). ✿

PFC

***Señor,** ayúdame a confiar en ti cuando mi mundo tiembla.*

**En la escuela de la prueba,
podemos aprender la lección de la confianza.**

Cuatro formas de mirar

Mientras luchaba con algunas situaciones difíciles con sus hijos, Juana se sentó en la reunión de alabanza. Exhausta, tenía ganas de «renunciar» a su papel de madre. Las cuatro reflexiones que escuchó esa mañana la ayudaron a seguir adelante:

Mira hacia arriba y ora. Asaf expresó que sentía que Dios se había olvidado de él y lo rechazaba (SALMO 77:9-10). Podemos decirle todo al Señor con sinceridad y pedirle cualquier cosa. La respuesta quizá no llegue en el momento o de la manera que esperamos, pero Él no nos criticará por preguntar.

LECTURA:
Salmo 77:1-15

Meditaré en todas tus obras, y hablaré de tus hechos (v. 12).

Mira atrás y recuerda lo que Dios hizo por ti y por otros. Asaf no habló con Dios solo sobre el dolor; también recordó el poder y las obras maravillosas del Señor por su pueblo. Escribió: «Me acordaré de las obras del Señor; sí, haré yo memoria de tus maravillas antiguas» (v. 11).

Mira hacia delante. Piensa en lo bueno que puede salir de una situación. ¿Qué podrías aprender? ¿Qué puede querer lograr Dios? ¿Qué sabes que hará ya que sus caminos son perfectos? (v. 13).

Mira otra vez. Esta vez, mira tus circunstancias con los ojos de la fe. Recuérdate a ti mismo que Él es el Dios de grandes maravillas y que es digno de confianza (v. 14).

Que estas ideas te ayuden a recuperar la perspectiva y a avanzar en tu andar de fe con Jesús. 🖋 AMC

Padre, quiero mirarte en medio de mis problemas.

**Nuestros problemas son oportunidades
para descubrir las soluciones de Dios.**

La vista desde la montaña

El **valle** donde vivo puede ser muy frío en invierno. Las nubes y la niebla cubren el suelo como un manto, atrapando el aire helado bajo capas más cálidas. Sin embargo, se puede ir más arriba. Allí cerca, hay una carretera que sube a una montaña de 2.300 metros que se eleva desde nuestro valle. A los pocos minutos de conducir, sales de la niebla y emerges a la calidez y el resplandor de un día de sol. Puedes mirar hacia abajo y ver las nubes que envuelven el valle, y observarlo desde un punto de vista diferente.

LECTURA:
Filipenses 4:8-13

Si, pues, habéis resucitado con Cristo, buscad las cosas de arriba
(Colosenses 3:1).

La vida es así a veces. Las circunstancias parecen rodearnos con una neblina que el sol no puede penetrar. Sin embargo, la *fe* es la manera de elevarse por encima del valle; el medio por el cual «[buscamos] las cosas de arriba» (COLOSENSES 3:1). Al hacerlo, el Señor nos permite elevarnos por encima de las circunstancias y encontrar valentía y tranquilidad. Como escribió el apóstol Pablo: «he aprendido a contentarme, cualquiera que sea mi situación» (FILIPENSES 4:11).

Podemos salir de la tristeza y las penumbras; sentarnos en la ladera de la montaña y, mediante Cristo que nos fortalece (v. 13), obtener una nueva perspectiva. 🌿   *DHR*

***Aunque** no siempre puedo verte, Señor,
descanso en tu amor por mí.*

La fe puede elevarte por encima de tus temores.

Quédate quieto

Hace años, respondía a las pocas semanas las cartas que recibía. Después, llegó la máquina de fax, y todos parecían contentarse con recibir una respuesta a los dos días. Hoy, con el email, los mensajes instantáneos y los teléfonos celulares, ¡la gente espera que responda el mismo día!

«Estad quietos, y conoced que yo soy Dios». En este conocido versículo del Salmo 46, leo dos mandamientos de igual importancia. En primer lugar, debemos permanecer quietos, algo contra lo cual conspira la vida moderna. En este mundo frenético, es difícil encontrar siquiera unos momentos de quietud. Y esta quietud nos prepara para el segundo mandamiento: «conoced que yo soy Dios; seré exaltado entre las naciones; enaltecido seré en la tierra». En medio de un mundo que conspira para suprimir a Dios, ¿cómo aparto tiempo para permitir que el Señor nutra mi vida interior?

> LECTURA:
> **Salmo 46**
>
> *Estad quietos, y conoced que yo soy Dios...* (v. 10).

Patricia Hampl escribe: «La oración es el hábito de la atención aplicado a todo». Ah... un hábito de atención. *Estad quietos y conoced.* El primer paso para orar es reconocer o «conocer» que Dios es Dios. Y, en esa atención, todo lo demás se coloca en su lugar. La oración nos permite admitir nuestras fallas, debilidades y limitaciones frente a Aquel que responde con infinita misericordia a la vulnerabilidad humana. 🌿

PY

Señor, nutre mi alma mientras estoy en oración.

Cuando oramos, Dios puede aquietar nuestra mente.

Una vista mejor

Cuando era pequeña, me encantaba trepar a los árboles. Cuanto más alto subía, más podía ver. De vez en cuando, en busca de una mejor vista, iba avanzando por alguna rama hasta que sentía que empezaba a doblarse. Por supuesto, mis días de trepar árboles pasaron. Supongo que no es demasiado seguro… o decoroso.

Zaqueo, un hombre rico, dejó de lado su dignidad al trepar a un árbol en Jericó. Jesús pasaba por la ciudad, y él quería verlo. Sin embargo, «no podía a causa de la multitud, pues era pequeño de estatura» (LUCAS 19:3). Felizmente, eso no le impidió ver al Señor, e incluso, hablar con Él. ¡Su plan funcionó! Y, cuando se

> LECTURA:
> **Lucas 19:1-10**
>
> *… no podía a causa de la multitud, pues era pequeño de estatura* (v. 3).

encontró con Él, su vida cambió para siempre. «Hoy ha venido la salvación a esta casa», dijo el Señor (v. 9).

Nosotros también podemos tener impedimentos para ver a Jesús. El orgullo puede evitar que lo veamos como el admirable Consejero. La ansiedad no nos deja conocerlo como el Príncipe de Paz (ISAÍAS 9:6). El hambre de poder y de cosas materiales puede evitar que lo veamos como la verdadera fuente de satisfacción, el Pan de Vida (JUAN 6:48).

¿Qué estás dispuesto a hacer para ver mejor a Jesús? Cualquier esfuerzo sincero por acercarte a Él dará su fruto. Dios recompensa a los que lo buscan de corazón (HEBREOS 11:6). 🍂 *JBS*

Jesús, ayúdame a verte al buscarte de todo corazón.

Para fortalecer tu fe, busca el rostro de Dios.

Mirar hacia delante

uando el gran pintor holandés Rembrandt murió inesperadamente a los 63 años de edad, encontraron una pintura sin terminar en su atril. Se trata de la emoción de Simeón al sostener al bebé Jesús en el templo de Jerusalén, cuarenta días después de su nacimiento. Sin embargo, el fondo y los detalles quedaron inconclusos. Algunos expertos creen que Rembrandt sabía que se acercaba al fin de su vida y, como Simeón, estaba listo para que el Señor lo despidiera (LUCAS 2:29).

> LECTURA:
> **Lucas 2:21-35**
>
> *... Simeón [... era] justo y piadoso, [...] y el Espíritu Santo estaba sobre él* (v. 25).

El Espíritu Santo estaba sobre Simeón (v. 25), así que no fue una coincidencia que estuviera en el templo cuando María y José presentaron a su primogénito a Dios. Simeón, que había estado esperando al Mesías prometido, tomó al bebé en sus brazos y alabó a Dios, diciendo: «Ahora, Señor, despides a tu siervo en paz, conforme a tu palabra; porque han visto mis ojos tu salvación, la cual has preparado en presencia de todos los pueblos; luz para revelación a los gentiles, y gloria de tu pueblo Israel» (vv. 29-32).

Simeón no anhelaba los días gloriosos de la historia de Israel, sino que miraba hacia delante al Mesías prometido, que vendría a redimir a las naciones.

Al igual que Simeón, podemos tener una mirada expectante en la vida, porque sabemos que, un día, veremos al Señor. 🔵 DMC

*Que, como Simeón, podamos mirar
hacia delante a la venida del Señor.*

«... Amén; sí, ven Señor Jesús». APOCALIPSIS 22:20

Fiebre de salida

E l 28 de enero de 1986, el transbordador espacial Challenger despegó en medio de una obertura estruendosa de ruido y llamas. Apenas 73 segundos después, una falla en el sistema destruyó el transbordador, y los siete tripulantes murieron.

El desastre se atribuyó a un anillo de obturación defectuoso. Los entendidos se refirieron al error fatal como «fiebre de salida»: la tendencia de ignorar precauciones vitales en el apuro por alcanzar una gran meta.

LECTURA:
Números 14:39-45

Guarda silencio ante el Señor, y espera en él...
(Salmo 37:7).

Nuestra naturaleza humana nos tienta a tomar decisiones imprudentes. Sin embargo, también somos propensos a un temor que puede volvernos demasiado cautelosos. Los israelitas demostraron las dos características. Cuando los doce espías regresaron de su misión a la tierra prometida, diez hablaron solo de los obstáculos (NÚMEROS 13:26-33). Después de una horrible rebelión contra el Señor que terminó en la muerte de los diez espías, el pueblo de repente contrajo «fiebre de salida». Sin Dios, la invasión inoportuna fracasó rotundamente (14:41-45).

Cuando apartamos la mirada del Señor, nos vamos a los extremos. Nos apuramos con impaciencia y avanzamos sin Él, o nos acobardamos y nos quejamos atemorizados. Concentrarnos en Dios trae una valentía moderada con su sabiduría. ✍ *TG*

*Antes de tomar una decisión,
considera si le agradará a Dios, ¡y ora!*

Un momento de paciencia puede evitar un gran desastre.

Cómo envejecer

«**¿Cómo estás** hoy?», pregunté sin pensar. Mi amiga de 84 años susurró, señalando los dolores en sus articulaciones: «La vejez es difícil», y añadió seriamente: «pero Dios ha sido bueno conmigo».

«Nunca pensé que viviría hasta esta edad», afirma Billy Graham en su libro *Casi en casa*. «Ahora soy viejo, y créanme, no es fácil». Sin embargo, Graham observa: «En tanto que la Biblia no soslaya los problemas que enfrentamos al envejecer, tampoco pinta a la vejez como un tiempo que haya que aborrecer o una

> **LECTURA:**
> **Isaías 46:4-13**
>
> *...Yo los apoyaré y los protegeré...* (v. 4 RVC).

carga que haya que aguantar apretando los dientes». Después, menciona algunas de las preguntas que ha tenido que enfrentar al envejecer, como por ejemplo: «¿Cómo podemos, no solo aprender a hacerle frente a los temores, luchas y limitaciones crecientes que enfrentamos, sino también a fortalecernos por dentro en medio de todas estas dificultades?».

En Isaías 46, Dios nos asegura: «Yo mismo los seguiré llevando, hasta que estén viejos y canosos. Yo los hice, yo los llevaré. Yo los apoyaré y los protegeré» (v. 4 RVC).

No sabemos cuántos años viviremos en esta Tierra o qué enfrentaremos al envejecer, pero una cosa es segura: Dios nos cuidará hasta el fin de nuestros días. 🍃

LD

Señor, enséñanos a vivir bien cada día,
para tener un corazón sabio.

No tengas miedo de envejecer; ¡Dios te acompaña!

Una vida coherente

Cuando preparo mi casa para algún evento especial, me desanimo porque creo que mis invitados no se dan cuenta de que limpio; solo notan cuando ven algo sucio. Esto me hace pensar: *¿Por qué los humanos ven con más facilidad lo que está mal que lo que está bien?* Solemos recordar un mal trato más que un gesto amable. Los delitos reciben más atención que los actos de generosidad. Y los desastres captan nuestra atención más rápido que la inmensa belleza que nos rodea.

LECTURA:
Job 40:1-14

¿Dónde estabas tú cuando yo fundaba la tierra?... (Job 38:4).

Pero, luego, me doy cuenta de que actúo igual con Dios. Suelo concentrarme en lo que no ha hecho, en lo que no tengo y en las situaciones que todavía están sin resolver.

Cuando leo el libro de Job, recuerdo que al Señor no le gusta esto, al igual que a mí. Después de años de prosperidad, Job sufrió una serie de desastres. De repente, estas cosas se transformaron en el centro de su vida y sus conversaciones. Por último, Dios intervino y le hizo a Job varias preguntas difíciles, recordándole su soberanía y todo lo que aquel patriarca no sabía ni había visto (JOB 38-40).

Si empiezo a concentrarme en lo negativo, procuro detenerme a considerar la vida de Job, notar las maravillas que Dios ha hecho y sigue haciendo. 🌰

JAL

Considera llevar un diario de gratitud,
y anota todo lo que el Señor ha hecho.

Cuando pienses en todo lo bueno, dale gracias a Dios.

Madurar

Me entretiene ver a mi nieto jugar al *T-Ball* con sus amigos. Este juego es una versión más suave del béisbol, y los jugadores suelen correr a la base incorrecta o no saben qué hacer con la pelota si la atrapan. Si estuviera mirando un partido de béisbol profesional, estos errores no serían divertidos. Todo es cuestión de madurez.

Está bien que a los deportistas jóvenes les cueste ganar y no sepan exactamente qué hacer. Están practicando y aprendiendo. Entonces, los entrenamos y los guiamos con paciencia hacia la madurez. Después, celebramos su éxito cuando, más adelante, juegan con habilidad como equipo.

> LECTURA:
> **Efesios 4:1-16**
>
> *De quien todo el cuerpo [...] recibe su crecimiento para ir edificándose en amor* (v. 16).

Algo similar sucede en la vida de los seguidores de Jesús. Pablo señaló que la iglesia necesita personas «con toda humildad y mansedumbre, [que se soporten] con paciencia los unos a los otros en amor» (EFESIOS 4:2). Y necesitamos una variedad de «entrenadores» (pastores, maestros, mentores espirituales) que nos ayuden a avanzar hacia la «unidad de la fe», y a la madurez (v. 13).

El objetivo, a medida que escuchamos la enseñanza y disfrutamos juntos en la iglesia, es crecer hasta alcanzar la madurez en Cristo (v. 15). Todos estamos aprendiendo y podemos alentarnos unos a otros en el camino hacia la madurez en Jesús. ✝ 	JDB

Padre, gracias por los que me ayudan a crecer en la fe.
Ayúdame a madurar.

Nuestra travesía está llena de alegría,
a medida que caminamos junto a nuestros hermanos.

Inclinarse hacia la Luz

Un día, recibí un ramo de tulipanes color rosa. Mientras las colocaba en un florero en el centro de la mesa de la cocina, las flores se balanceaban sobre los gruesos tallos. Al día siguiente, noté que apuntaban en otra dirección: en vez de estar derechas, se habían inclinado hacia un costado, bien abiertas y mirando hacia la luz del sol, que asomaba a través de una ventana.

En un sentido, todos fuimos hechos para parecernos a esas flores. Dios nos llamó para que nos volvamos hacia la luz de su amor. Pedro escribe sobre lo maravilloso de ser llamados «de las tinieblas a [la] luz admirable [de Dios]» (1 PEDRO 2:9).

> **LECTURA:**
> 1 Pedro 2:4-10
>
> *Dios [...] os llamó de las tinieblas a su luz admirable* (v. 9).

Antes de conocer al Señor, vivimos en la oscuridad del pecado y de la muerte, que nos impedía acercarnos a Él (EFESIOS 2:1-7). No obstante, en su misericordia y amor, Dios abrió un camino para que huyéramos de las tinieblas espirituales a través de la muerte y resurrección de su Hijo (COLOSENSES 1:13-14).

Jesús es la luz del mundo, y todos los que ponen su fe en Él para que les perdone sus pecados recibirán vida eterna. Solo en la medida en que nos volvamos hacia Cristo, reflejaremos cada vez más su gracia y su verdad (EFESIOS 5:8-9).

Nunca olvidemos inclinarnos hacia la Luz. 🌸

JBS

*Señor, como una flor que busca el sol,
abro hoy mi corazón a ti para recibir tu luz.*

**La salvación del pecado es pasar
de la oscuridad espiritual a la luz de Dios.**

Leones al acecho

Cuando era niño, mi papá nos «asustaba» escondiéndose detrás de un arbusto y rugiendo como un león. Aunque en aquella época vivíamos en la zona rural de Ghana, era casi imposible que un león se acercara a la casa. Con mi hermano, nos reíamos y corríamos hacia el ruido, felices de poder jugar con papá.

LECTURA:
Números 14:1-9

... con nosotros está el Señor; no los temáis (v. 9).

Un día, una amiga vino a visitarnos. Mientras jugábamos, oímos el conocido rugido. Pero ella, asustada, gritó y salió corriendo. Lo cómico fue que, aunque nosotros sabíamos que el «peligro» era un león imaginario, salimos corriendo con ella. Mi papá se sintió muy mal, y nosotros aprendimos que el pánico de los demás no debe afectarnos.

Josué y Caleb son un ejemplo de personas que no se inmutaron ante el pánico de otros. Cuando Moisés los envió a reconocer la tierra prometida, los otros diez espías solo vieron los obstáculos y desanimaron a toda la nación (NÚMEROS 13:27-33). Aunque el pánico comenzó a afectarlos (14:1-4), solo Josué y Caleb evaluaron correctamente la situación (vv. 6-9) porque confiaban en su Padre Dios.

Algunos «leones» son un verdadero peligro; otros son imaginarios. De todos modos, como seguidores de Cristo, nuestra confianza está en Aquel cuya voz y obras conocemos. 🌱 *TG*

Señor, ayúdanos a diferenciar los peligros y las amenazas, y que la fe quite nuestros miedos.

«Huye el impío sin que nadie lo persiga; mas el justo está confiado como un león». PROVERBIOS 28:1

La receta de la abuela

Muchas familias tienen recetas secretas; una forma especial de preparar una comida que la hace particularmente sabrosa. Los hakkas, mi etnia china, tenemos un plato tradicional llamado «cuentas de ábaco», por su parecido con dichas cuentas. ¡No puedes dejar de probarlo!

Por supuesto, mi abuela tenía la mejor receta. Cada vez que celebrábamos el año nuevo, nos decíamos: «Deberíamos aprender a preparar esto»; pero nunca le pedíamos a la abuela que nos enseñara. Ahora, ella ya no está, y su receta secreta se fue con ella.

LECTURA:
Salmo 145:1-13

... Pregunta a tu padre, y él te declarará...
(Deuteronomio 32:7).

Aunque lamentamos no tener a la abuela ni su receta, algo mucho peor sería no conservar el legado de fe que ella nos dejó. Dios espera que cada generación comparta con la siguiente sus poderosas obras. «Generación a generación celebrará tus obras» (SALMO 145:4), expresó el salmista, haciendo eco de las instrucciones de Moisés: «Acuérdate de los tiempos antiguos [...]; pregunta a tu padre, y él te declarará; a tus ancianos, y ellos te dirán» (DEUTERONOMIO 32:7).

Al compartir nuestras historias de cómo fuimos salvos y de la ayuda del Señor para enfrentar los desafíos, nos alentamos unos a otros y lo honramos a Él. Su propósito es que disfrutemos de la familia y la comunidad, y que nos ayudemos mutuamente. 🍂

PFC

Señor, que escuchemos a nuestros mayores
y testifiquemos a nuestros hijos.

Lo que hoy les enseñamos a nuestros hijos
influirá en el mundo del mañana.

Para su tiempo

Cuando el pastor sudafricano Andrew Murray visitaba Inglaterra en 1895, empezó a sentir dolores de una antigua lesión en la espalda. Mientras se recuperaba, su anfitriona le comentó sobre una mujer que estaba atravesando un gran problema, y quería saber si él podía aconsejarla. Murray respondió: «Entréguele este papel que he estado escribiendo para [alentarme a] mí mismo. Quizá le resulte útil». Esto es lo que escribió:

> LECTURA:
> **Santiago 1:2-4**
>
> *En tu mano están mis tiempos...*
> (Salmo 31:15).

«En los momentos difíciles, di:

»*Primero*: Dios me trajo aquí. Es por su voluntad que estoy en este aprieto. Descanso en esto.

»*Luego*: Él me sostendrá en su amor y me dará gracia para comportarme como su hijo.

»*Después*: Él convertirá la prueba en una bendición, enseñándome lecciones. Quiere que aprenda y que experimente su gracia.

»*Por último*: A su tiempo y manera, me sacará de esta situación.

»*Estoy aquí*: por designación de Dios, bajo su cuidado, su guía y para su tiempo».

Nuestro deseo es la solución instantánea, la reparación inmediata, pero algunas cosas requieren cierto tiempo; solo podemos aceptarlas. Dios nos sostendrá en su amor, y podemos descansar en su gracia. 🕊

DHR

Querido Señor, no es fácil soportar los momentos de enfermedad y sufrimiento. Consuélame y ayúdame a confiar en ti.

**Cuando Dios permite el sufrimiento,
también da el consuelo.**

Reenviar a Dios

Cuando no existían los teléfonos, los emails ni los celulares, el telegrama era el medio de comunicación más veloz. Aun así, solo las noticias importantes se enviaban de ese modo, y, por lo general, eran malas.

Cuando Ezequías era rey de Judá, era época de guerra en la antigua Israel. Senaquerib, el rey de Asiria, había invadido y conquistado las ciudades. Entonces, le envió una carta al rey de Judá, un «telegrama» con malas noticias, donde lo presionaba para que se rindiera. Ezequías describe aquel momento como un «día de angustia, de represión y de blasfemia» (2 REYES 19:3).

> LECTURA:
> **2 Reyes 19:9-20**
>
> *Inclina, oh Señor, tu oído, y oye; abre, oh Señor, tus ojos, y mira...* (v. 16).

En tono de burla, Senaquerib se jactó de sus campañas militares, despreciando al Dios de Israel y amenazando al pueblo (vv. 11-13). Ante semejante situación, Ezequías hizo algo inusual con las malas noticias de la carta: «subió a la casa del Señor, y las extendió [...] delante del Señor» (v. 14). Después, oró fervientemente, reconociendo que Dios podía solucionar la grave situación (vv. 15-19). Y el Señor intervino poderosamente (vv. 35-36).

El ejemplo de Ezequías es bueno: cuando nos lleguen malas noticias, extendámoslas delante del Señor en oración. Él nos dice: «Lo que me pediste [...], he oído» (v. 20). 🌿

LD

Padre, *defiéndeme hoy.*

La oración es el clamor desesperado del hijo al oído atento del Padre.

El poder de la música de Dios

La novicia rebelde, o *Sonrisas y lágrimas*, una de las películas musicales más exitosas, se estrenó en 1965. Ganó muchos premios, incluidos cinco premios Óscar, porque captaba el corazón y las voces de personas en todo el mundo. Más de medio siglo después, siguen haciéndose presentaciones del filme donde la gente asiste vestida como su personaje favorito y acompaña con el canto.

> **LECTURA:**
> **Colosenses 3:12-17**
>
> *... cantando con gracia en vuestros corazones al Señor...* (v. 16).

La música está profundamente arraigada en nuestra alma. Y, para los seguidores de Cristo, es un medio maravilloso de alentarnos unos a otros en el sendero de la fe. Pablo exhortó a los creyentes de Colosas: «La palabra de Cristo more en abundancia en vosotros, enseñándoos y exhortándoos unos a otros en toda sabiduría, cantando con gracia en vuestros corazones al Señor con salmos e himnos y cánticos espirituales» (COLOSENSES 3:16).

Cantar juntos al Señor incorpora el mensaje de su amor en nuestra mente y corazón, y ejerce un poderoso ministerio de enseñanza y estímulo. Ya sea que nuestro interior clame angustiado: «Crea en mí, oh Dios, un corazón limpio» (SALMO 51:10), o que exclame con gozo: «él reinará por los siglos de los siglos» (APOCALIPSIS 11:15), el poder de la música que exalta a Dios eleva nuestro espíritu y nos da paz.

Cantemos hoy al Señor. 🌱　　　　　　　　　　　　　　　*DCM*

*Gracias, Señor, por la música,
y por poder alabarte cantando.*

La música barre del alma el polvo de la vida diaria.

Con respeto

Los ciudadanos de Israel tenían problemas con el gobierno. El siglo VI a.C. iba a terminar, y los judíos ansiaban terminar el templo que Babilonia había destruido años antes. Sin embargo, el gobernador de la región no estaba seguro de que debieran hacerlo; entonces, le envió una nota al rey Darío (ESDRAS 5:6-17).

En ella, decía que había encontrado a los judíos trabajando en el templo y le preguntaba al rey si tenían permiso para hacerlo. La carta también registra la contestación respetuosa de aquellas personas que afirmaban que un monarca anterior, Ciro, les había otorgado el permiso para reedificar el templo. El rey

> LECTURA:
> **Esdras 5:6-17**
>
> *... búsquese [...] si es así que por el rey Ciro había sido dada la orden...* (v. 17).

Darío constató que la historia era cierta. Entonces, no solo permitió que continuaran, ¡sino que también les dio dinero para que lo hicieran! (VER 6:1-12). Cuando los judíos terminaron la obra, «con gozo celebraron [...], porque el SEÑOR [...] había vuelto hacia ellos el corazón del rey» (v. 22).

Cuando consideramos necesario tratar algún tema, honramos al Señor al presentar nuestra causa de manera respetuosa, confiando en que Él controla cada situación y dándole gracias por el resultado. 🌿

JDB

> **Señor,** *ayúdanos a reaccionar con respeto ante cada situación. Danos sabiduría para hacerlo, y que siempre confiemos en ti y te honremos.*

El respeto a la autoridad glorifica a Dios.

Provisión abundante

En nuestro jardín, tenemos un comedero para aves, y nos encanta ver cuando los pajarillos se acercan y beben del agua dulce. Sin embargo, hace poco, hicimos un viaje breve y olvidamos reponer el alimento y el agua. Cuando volvimos, estaba totalmente seco. ¡Pobres aves! —pensé—. *Por mi mala memoria, se quedaron sin comida.*
Pero luego, recordé que no soy yo quien las alimenta: es Dios.

A veces, nos parece que las demandas de la vida nos han dejado sin fuerzas y que no hay nadie que las reponga. Pero no son las otras personas quienes alimentan nuestra alma, sino Dios.

LECTURA:
Salmo 36:5-12

... tú los abrevarás del torrente de tus delicias (v. 8).

En el Salmo 36, leemos sobre la bondad del Señor, y allí se describe a los que depositan su confianza en Él y son abundantemente satisfechos. Dios les da de beber «del torrente de sus delicias» (v. 8), porque ¡Él es la fuente de vida!

Podemos acudir al Señor día tras día para que supla nuestras necesidades. Como escribió Charles Spurgeon: «La fuente de mi fe y todas mis gracias; la fuente de mi vida y todos mis placeres; la fuente de mi actividad y todas sus virtudes; la fuente de mi esperanza y todas sus expectativas celestiales; todo yace en ti, Señor mío».

Que su provisión abundante nos llene, ya que su fuente nunca se secará. 🌿

KO

*Señor, me acerco a ti confiando
en que suplirás todas mis necesidades.*

El amor de Dios es abundante.

Por favor, entra

La casa de una amiga está ubicada junto a una pequeña calle rural que los conductores usan durante las horas de mayor tránsito, para evitar la ruta principal y los semáforos. Hace unas semanas, llegaron unos obreros para reparar el pavimento y colocaron unas barreras con carteles que decían: «Prohibido pasar». Mi amiga contó: «Al principio, me preocupé porque pensé que no podría entrar con mi automóvil. Pero, después, seguí leyendo: "Acceso permitido solo para residentes". No había desvíos ni barreras para mí. Tenía derecho a entrar y salir cuando quisiera porque vivía allí. ¡Me sentí especial!».

LECTURA:
Hebreos 10:19-25

Acerquémonos con corazón sincero, en plena certidumbre de fe... (v. 22).

En el Antiguo Testamento, el acceso a Dios en el tabernáculo y en el templo estaba estrictamente restringido. Solamente el sumo sacerdote podía atravesar el velo y entrar a ofrecer sacrificios en el Lugar Santísimo. Además, podía ingresar una sola vez al año (LEVÍTICO 16:2-20; HEBREOS 9:25-26). Sin embargo, en el mismo momento en que Jesús murió, el velo del templo se rasgó de arriba hacia abajo, mostrando que la barrera que separaba al ser humano de Dios había sido destruida para siempre (MARCOS 15:38).

El sacrificio de Cristo por nuestros pecados permite que todos los que le aman puedan entrar en su presencia en cualquier momento. Él nos ha otorgado el derecho de admisión. 🌿 *MS*

Señor, gracias por darme acceso a tu presencia.

La puerta al trono de Dios está siempre abierta.

Extranjeros

Para estar segura, señalé en mi mapa dónde había estacionado la bicicleta. Como la orientación no es mi fuerte, sabía que podía perderme fácilmente en este laberinto de caminos con edificios históricos.

La vida tendría que haber sido idílica, ya que acababa de casarme con un inglés y me había mudado a su país. Sin embargo, me sentía perdida. Mientras estaba callada, era una de ellos, pero, en cuanto hablaba, sentía que me consideraban una turista norteamericana. Todavía no sabía bien cómo actuar, y pronto me di cuenta de que armonizar la vida entre dos pueblos testarudos sería más difícil de lo que pensaba.

> LECTURA:
> **Hebreos 11:8-16**
>
> *Porque esperaba la ciudad [...] cuyo arquitecto y constructor es Dios* (v. 10).

Me identifiqué con Abraham, quien dejó todo lo que conocía para obedecer el llamado de Dios a vivir como extranjero en otra tierra (GÉNESIS 12:1). Enfrentó los desafíos de una cultura diferente confiando en Dios; y unos dos mil años después, el escritor de Hebreos lo denominó héroe (11:9). Como los demás hombres y mujeres mencionados allí, Abraham vivió por fe, esperando con ansias lo prometido y aguardando su hogar celestial.

Quizá hayas vivido siempre en el mismo lugar, pero, como seguidores de Cristo, todos somos extranjeros en esta Tierra. Por fe, seguimos adelante, sabiendo que Él nos guiará, que nunca nos abandonará y que nos llevará al hogar celestial. 🌿

ABP

Padre, *aumenta mi fe.*

Dios nos llama a vivir por fe, confiando en que cumplirá lo prometido.

¡No te rindas!

En 1952, Florence Chadwick intentó nadar unos 42 kilómetros desde la costa de California hasta la isla Santa Catalina. Después de 15 horas, una niebla espesa comenzó a reducirle la visión, tras lo cual se desorientó y abandonó. Su desilusión fue grande cuando se enteró de que su destino estaba apenas a un kilómetro y medio.

Dos meses más tarde, intentó nadar hasta la isla por segunda vez. La niebla volvió a aparecer, pero, esta vez, Florence alcanzó su meta, con lo cual se convirtió en la primera mujer en nadar en el Canal de Catalina. Chadwick dijo que mantenía en su mente una imagen de la costa aunque no podía verla.

> **LECTURA:**
> **Hebreos 12:1-11**
>
> *Corramos con paciencia la carrera que tenemos por delante, puestos los ojos en Jesús...*
> (vv. 1-2).

Cuando los problemas de la vida nublan nuestra visión, tenemos la oportunidad de aprender a ver nuestra meta con los ojos de la fe. La carta a los Hebreos, en el Nuevo Testamento, nos exhorta a que «corramos con paciencia la carrera que tenemos por delante, puestos los ojos en Jesús, el autor y consumador de la fe» (12:1-2). Cuando sentimos deseos de rendirnos, estas palabras no solo nos instan a recordar lo que Jesús sufrió por nosotros, sino que Él también nos ayuda a soportar las dificultades y seguir avanzando... hasta que lo veamos cara a cara. 🖋

HDF

Padre, ayúdame a poner mis ojos en ti y confiar en tus buenos propósitos en medio de los desafíos de la vida.

Podemos llegar a la meta cuando fijamos la mirada en Cristo.

El recordatorio de Abigail

David y sus 400 guerreros buscaban furiosos a Nabal, un hombre rudo y acaudalado que había rehusado ayudarlos. Si no hubiese sido que David se encontró con Abigail, la esposa de Nabal, lo habría matado. Ella había reunido suficiente comida para alimentar a las tropas y fue a encontrarse con ellos, con la esperanza de evitar un desastre. Respetuosamente, le recordó a David que el sentimiento de culpa lo perseguiría si no renunciaba a su vengativo plan (1 SAMUEL 25:31). Él admitió que la mujer tenía razón y la bendijo por su buen juicio.

> **LECTURA:**
> **1 Samuel 25:14-33**
>
> *... aun a sus enemigos hace estar en paz con él* (Proverbios 16:7).

David tenía sus razones para estar enojado (vv. 14-17), pero lo único que lograría sería pecar. Su primera reacción fue pensar en hundir su espada en el cuerpo de Nabal, aunque sabía que Dios no aprobaba ni el asesinato ni la venganza (ÉXODO 20:13; LEVÍTICO 19:18).

Cuando nos ofenden, es bueno comparar nuestras reacciones con lo que el Señor espera del comportamiento humano. Quizá tendamos a golpear a los demás con palabras duras, a aislarnos o a huir de diversas maneras. Sin embargo, responder bondadosamente nos ayudará a evitar el remordimiento y, más importante aun, a agradar a Dios. Cuando deseamos honrar al Señor en las relaciones interpersonales, Él puede hacer que aun nuestros enemigos estén en paz con nosotros (VER PROVERBIOS 16:7). 🌿

JBS

Señor, gracias por tu misericordia hacia mí.

*Podemos soportar las injusticias de la vida
porque sabemos que Dios arreglará las cosas.*

Cuidado personal

Después de que operaran a mi esposo del corazón, pasé una noche difícil junto a su cama en el hospital. A media mañana, recordé que tenía turno en la peluquería, y dije: «Tengo que cancelarlo», pasando los dedos por mi cabello despeinado.

«Mamá —respondió mi hija—, lávate la cara y ve».

«No, no —insistí—. No importa; tengo que estar *aquí*».

«Yo me quedo —dijo ella—. Tienes que cuidarte... *cui-dar-te*. La mejor manera de ayudar a papá es cuidándote tú».

> **LECTURA:**
> **Éxodo 18:14-24**
>
> *... Venid vosotros aparte a un lugar desierto, y descansad...*
> (Marcos 6:31).

Moisés estaba exhausto de ser el único juez sobre los israelitas. Su suegro, Jetro, le advirtió: «Desfallecerás del todo, [...] porque el trabajo es demasiado pesado para ti; no podrás hacerlo tú solo» (ÉXODO 18:18), y le explicó cómo delegar y compartir la carga.

Aunque parezca paradójico, es vital que los creyentes se cuiden para tener una vida saludable (MATEO 22:37-39; EFESIOS 5:29-30). Sí, debemos amar a Dios primero y a los demás, pero también necesitamos descansar para renovar nuestro cuerpo y espíritu. A veces, cuidarse implica permitir que otros nos ayuden a llevar las cargas.

Jesús solía apartarse para descansar y orar (MARCOS 6:30-32). Si seguimos su ejemplo, seremos más eficaces en nuestro servicio a los demás. 🌸

CHK

Señor, *ayúdame a equilibrar mi vida mientras cumplo con mis responsabilidades. Renuévame hoy.*

No trates de ocuparte de todo... *dedica un tiempo para renovar tu cuerpo y tu espíritu.*

Mi espacio personal

Una diseñadora industrial, graduada de una universidad de Singapur, fue desafiada a encontrar la solución a un problema habitual utilizando solamente objetos comunes y corrientes. Entonces, creó un chaleco para impedir que las multitudes invadan el espacio personal al viajar en trenes y autobuses públicos. El chaleco estaba cubierto de pinchos de plástico, largos y flexibles, que suelen usarse para evitar que aves y gatos ataquen las plantas.

> LECTURA:
> **Lucas 8:40-48**
>
> *Porque no tenemos un sumo sacerdote que no pueda compadecerse de nuestras debilidades...*
> (Hebreos 4:15).

Jesús sabía lo que significaba perder el espacio personal en medio de las multitudes desesperadas por verlo y tocarlo. Una mujer que había padecido de flujo constante durante doce años y que no encontraba cura, tocó el borde de su manto. De inmediato, el flujo de sangre cesó (LUCAS 8:43-44).

Que Jesús preguntara quién lo había tocado (v. 45) no es tan extraño como parece, ya que sintió que había salido poder de Él (v. 46). Aquel toque era diferente a los que recibía de manera accidental.

Si bien debemos admitir que a veces deseamos mantener nuestra privacidad, la única manera de ayudar a un mundo lleno de personas dolidas es permitir que se acerquen lo suficiente como para que les brindemos un toque del ánimo, consuelo y gracia que Cristo nos ha dado. 🌢

CPH

Señor, al estar en contacto con otros, que te vean a ti.

*La vida del creyente es la ventana
por donde los demás pueden ver a Jesús.*

Mirar hacia arriba

Un **artículo** de una revista de tecnología quirúrgica afirma que inclinar la cabeza para mirar un teléfono celular equivale a colocar unos 27 kilogramos de peso en el cuello. Al considerar que millones de personas en todo el mundo pasan un promedio de dos a cuatro horas diarias leyendo y enviando mensajes de texto, el daño en el cuello y la columna vertebral se convierte en un problema de salud creciente.

> LECTURA:
> **Salmo 146:1-10**
>
> *... El Señor levanta a los caídos...* (v. 8).

También es fácil que las cargas de la vida nos agobien espiritualmente. El salmista era consciente del peso de la preocupación, pero también veía una esperanza. Por eso, escribió: «El Señor creó los cielos y la tierra, y el mar y todos los seres que contiene. El Señor siempre cumple su palabra; hace justicia a los oprimidos, y da de comer a los que tienen hambre. El Señor da libertad a los cautivos, y les devuelve la vista a los ciegos; el Señor levanta a los caídos; y ama a los que practican la justicia» (SALMO 146:6-8 RVC).

Cuando consideramos el cuidado de Dios, su gran poder y su corazón amoroso, empezamos a mirar hacia arriba y alabarlo. Podemos vivir cada día sabiendo que «reinará el Señor para siempre [...], de generación en generación» (v. 10).

El Señor nos levanta cuando estamos agobiados. ¡Alabado sea Dios! 🌱

DCM

Señor, levanta mis ojos para ver hoy tu poder y amor,
y para alabarte con gratitud.

La fe en la bondad de Dios pone una canción en nuestro corazón.

En alta estima

Hace años, tenía una oficina en Boston, desde donde se veía el Cementerio de Granary, donde están sepultados varios héroes norteamericanos. Aunque las lápidas mencionan sus nombres, nadie sabe realmente *dónde* está el cuerpo de cada uno de ellos, ya que esas piedras se han movido muchas veces, tanto para hacer que el lugar fuera más pintoresco como para que quienes cortaban el césped tuvieran más espacio para trabajar. Aunque en el cementerio hay unos 2.300 epitafios, ¡casi 5.000 personas están sepultadas! Pareciera que, aun muertas, no se sabe bien quiénes son algunas personas.

> LECTURA:
> Mateo 6:25-34
>
> *... ¿No valéis vosotros mucho más que [las aves]?* (v. 26).

A veces, nos sentimos como esos residentes anónimos de Granary: desconocidos e invisibles. La soledad puede hacernos sentir ignorados, incluso por Dios. Sin embargo, debemos recordar que, aunque pensemos que nuestro Creador se olvidó de nosotros, no es así. Dios no solo nos hizo a su imagen (GÉNESIS 1:26-27), sino que también nos tiene en alta estima, y envió a su Hijo para salvarnos (JUAN 3:16).

Aun en las horas más oscuras, podemos descansar en la certeza de que nunca estamos solos, porque nuestro Dios amoroso está con nosotros. ❦ *RKK*

Señor, gracias por saber todo de mí y no abandonarme nunca. Que pueda compartir la verdad de tu presencia permanente, para consolar a aquellos que se sienten solos.

Somos importantes porque Dios nos ama.

Repetición positiva

Un periodista tenía la peculiar costumbre de no usar bolígrafos de tinta azul. Por eso, cuando un colega le preguntó si necesitaba algo de la tienda, le pidió que le compara algunos bolígrafos, y agregó: «Pero no azules. No quiero bolígrafos azules. No me gusta el azul. El azul es demasiado deprimente. Así que, por favor, cómprame doce... ¡pero que no sean azules!».

> **LECTURA:**
> **Deut. 30:11-20**
>
> *Porque yo te mando hoy que ames al Señor tu Dios, que andes en sus caminos...* (v. 16).

Al día siguiente, su colega le llevó los bolígrafos... y eran todos azules. Cuando le pidió explicaciones, este respondió: «No dejabas de decir "azul, azul". ¡Esa fue la palabra que me quedó más grabada!». Tantas repeticiones tuvieron un efecto, pero no el esperado.

Moisés, quien dio la ley a Israel, también usó repeticiones al pedirle cosas al pueblo. Más de treinta veces, instó a los israelitas a cumplir fielmente la ley de su Dios. Sin embargo, el resultado fue lo opuesto. Les dijo que la obediencia les daría vida y prosperidad, pero que la desobediencia los llevaría a la destrucción (DEUTERONOMIO 30:15-18).

Cuando amamos al Señor, deseamos andar en sus caminos, pero no por temor a las consecuencias, sino porque nos da gozo agradar a Aquel a quien amamos. Esta es una buena palabra para recordar. ✿

PFC

*Señor, que tu Espíritu sea nuestro maestro al leer tu Palabra.
Ayúdanos a andar en el sendero de la obediencia.*

Tu amor a Dios hará que vivas para Él.

El momento de irse

Cuando mi padre se convirtió al cristianismo, siendo ya anciano, me fascinó su plan para vencer la tentación. A veces, simplemente, ¡se marchaba! Por ejemplo, cuando un desacuerdo entre él y un vecino empezaba a convertirse en una pelea, se alejaba para no ser tentado a seguir peleando.

Un día, se reunió con unos amigos, los cuales pidieron *pito*, una cerveza de fabricación local. Como él había tenido problemas con el alcohol, había decidido no tomar más bebidas alcohólicas. Entonces, simplemente, se puso de pie, se despidió de ellos y dejó la reunión con sus viejos amigos para otro día.

> **LECTURA:**
> **Génesis 39:1-12**
>
> *... Dios [...] no os dejará ser tentados más de lo que podéis resistir...*
> (1 Corintios 10:13).

En Génesis, leemos cómo tentó la esposa de Potifar a José. Él reconoció inmediatamente que, si cedía, «pecaría contra Dios» (GÉNESIS 39:9-12).

La tentación suele golpear a nuestra puerta. A veces, la generan nuestros deseos; otras, viene de situaciones o personas que encontramos. Como dijo Pablo a los corintios: «No os ha sobrevenido ninguna tentación que no sea humana; pero fiel es Dios, que no os dejará ser tentados más de lo que podéis resistir, sino que dará también juntamente con la tentación la salida, para que podáis soportar» (1 CORINTIOS 10:13).

Esta «salida» tal vez implique descartar los objetos que nos tientan o huir de ellos. Lo mejor que podemos hacer es alejarnos. 🌿

LD

Señor, dame sabiduría
y fuerzas para saber cuándo irme.

Cada tentación es una oportunidad de huir hacia Dios.

Es hora de hacer algo

No sé cómo hicieron para encontrarme, pero esta gente me envía cada vez más emails pidiéndome que asista a sus eventos para enseñarme sobre los beneficios de jubilarme. Esto comenzó hace varios años, cuando empecé a recibir invitaciones para afiliarme a una organización de ayuda a jubilados. Lo único que hacen todos estos recordatorios es decirme: «Te estás haciendo viejo. ¡Prepárate!».

> **LECTURA:**
> **Filipenses 1:27-30**
>
> *... El precepto del Señor es puro, que alumbra los ojos* (Salmo 19:8).

Hasta ahora, los he ignorado, pero pronto, tendré que rendirme e ir a una de sus reuniones. En realidad, debería hacer algo ante tales sugerencias.

A veces, la sabiduría de la Palabra de Dios presenta recordatorios similares. Sabemos que lo que dice es cierto, pero no estamos dispuestos a hacer nada. Quizá sea Romanos 14:13, que dice: «ya no nos juzguemos más los unos a los otros». O el recordatorio de 2 Corintios 9:6: «el que siembra generosamente, generosamente también segará». O Filipenses 1:27-28: «[estén] firmes en un mismo espíritu, combatiendo unánimes por la fe del evangelio, y en nada intimidados».

Cuando leemos la Biblia, encontramos recordatorios vitales. Tomémoslos seriamente, ya que proceden del corazón del Padre, que sabe qué es lo mejor para nosotros y para glorificarlo a Él. 🕊 *JDB*

> **Señor,** *gracias por tus recordatorios.*
> *Ayúdanos a obedecerlos y ponernos en acción.*

La santidad es Cristo cumpliendo en nosotros la voluntad del Padre.

El agua se puso colorada

¿Por qué** vino Jesús a la Tierra antes de que se inventaran las fotografías y los videos? ¿No podría haber alcanzado más personas si todos hubiesen podido verlo? Después de todo, una imagen vale más que mil palabras.

«No», dice Ravi Zacharias, quien afirma que una palabra puede valer mil imágenes. Para probarlo, cita la magnífica frase del poeta Richard Crashaw: «El agua, al ver a su Amo, se puso colorada». Así recoge Crashaw la esencia del primer milagro de Jesús (JUAN 2:1-11). La propia creación reconoció que Él es el Creador; no un simple carpintero que podía convertir el agua en vino.

> LECTURA:
> **Juan 1:1-14**
>
> *En el principio era el Verbo [...]. Todas las cosas por él fueron hechas...* (vv. 1, 3).

En otra ocasión, cuando calmó una tormenta, los discípulos, asombrados, preguntaron: «¿Quién es éste, que aun el viento y el mar le obedecen?» (MARCOS 4:39-41). Más tarde, Jesús les dijo a los fariseos que, si la multitud no lo alababa, «las piedras clamarían» (LUCAS 19:40). Aun las piedras saben quién es Él.

Juan afirma: «Y aquel Verbo fue hecho carne, y habitó entre nosotros...» (JUAN 1:14). Y por la experiencia de ser testigos presenciales, escribió: «Les anunciamos al que existe desde el principio, a quien hemos visto y oído. [...]. Él es la Palabra de vida (1 JUAN 1:1 NTV). Como Juan, podemos hablarles a otros de Jesús, a quien el viento y el agua obedecen. ❧ TG

Señor, hoy quiero conocerte más.

La Palabra escrita revela al Verbo viviente.

Sol directo

A **pesar de** todo, lo sigo intentando. Las instrucciones de la etiqueta son claras: «Necesita sol directo». La sombra es lo que predomina en nuestro jardín; por lo tanto, no es apropiado para la planta que a mí me gusta por su color, la forma de las hojas, el tamaño y el perfume. De todos modos, la compro, la llevo a casa, la planto y la cuido muchísimo. Pero no está contenta allí. No basta con cuidarla y atenderla... necesita la luz del sol, cosa que yo no puedo darle. Pensé que podría compensar la falta de luz con alguna otra clase de cuidado, pero no sirve. Las plantas necesitan lo que necesitan.

> **LECTURA:**
> **Efesios 5:1-16**
>
> *... andad como hijos de luz* (v. 8).

Lo mismo sucede con las personas. Aunque podemos subsistir por un tiempo en condiciones fuera de lo ideal, es imposible seguir desarrollándonos. Además de las necesidades físicas básicas, también tenemos necesidades espirituales que ningún sustituto puede satisfacer.

La Escritura afirma que los creyentes son hijos de la luz. Esto significa que, para crecer, necesitamos vivir en la luz plena de la presencia de Dios (SALMO 89:15). Vivir en la oscuridad solo produce «obras infructuosas» (VER EFESIOS 5:3-4, 11). Pero, si vivimos a la luz de Aquel que es la luz del mundo, Jesús, produciremos un fruto acorde: bueno, fiel y verdadero. 🌱 *JAL*

Señor, ayúdame a vivir como un hijo de la luz.

Los hijos de la luz andan en la luz de Dios.

Lo mejor está por venir

En nuestra familia, marzo significa algo especial, ya que comienza el torneo de baloncesto universitario. Nuestra gran afición a este deporte hace que miremos los partidos y alentemos entusiasmados a nuestros equipos favoritos. Si encendemos el televisor con tiempo, podemos escuchar a los comentaristas que hablan sobre lo que pasará y disfrutar de la sesión previa, donde los jugadores practican lanzamientos y calientan los músculos con sus compañeros de equipo.

LECTURA:
Colosenses 3:1-11

Poned la mira en las cosas de arriba, no en las de la tierra (v. 2).

Nuestra vida en la Tierra es como la práctica previa a un partido. La vida es interesante y está llena de expectativas, pero no se compara con lo que viene. Piensa en el gozo de saber que, aunque la vida sea buena, ¡lo mejor está por delante! O que cuando damos con alegría a los necesitados, estamos invirtiendo en el tesoro celestial. En momentos de tristeza y sufrimiento, obtenemos esperanza al reflexionar en la verdad de la eternidad sin lágrimas ni dolor que nos aguarda. Con razón, Pablo exhorta: «Poned la mira en las cosas de arriba» (COLOSENSES 3:2).

El futuro que Dios nos ha prometido permite que veamos la vida con una nueva perspectiva. Es un maravilloso privilegio vivir aquí a la luz de lo que será *allá*. 🌍 *JMS*

Señor, que la esperanza del cielo
me ayude a ver la vida desde tu perspectiva
y me fortalezca para servirte cada día más.

Vivir para el futuro pone el hoy en la perspectiva correcta.

Historias de una cabaña

La antigua cabaña de troncos era digna de una tapa de revista. Pero la estructura era solo la mitad del tesoro. En el interior, tenía las paredes adornadas con recuerdos de familia, y sobre la mesa había una canasta para huevos hecha a mano y una lámpara de aceite. De la puerta delantera, colgaba un desgastado sombrero de paja. El dueño dijo orgulloso: «Detrás de cada cosa, hay una historia».

LECTURA:
Hebreos 9:11-15

... estando ya presente Cristo [...] por el [...] tabernáculo, no hecho de manos... (v. 11).

Cuando Dios le dio las instrucciones a Moisés para construir el tabernáculo, también había una «historia» detrás de cada detalle (ÉXODO 25–27). Tenía una sola entrada, tal como hay un solo camino para llegar a Dios (VER HECHOS 4:12). Así como un grueso velo separaba a las personas de la presencia del Señor en el Lugar Santísimo, el pecado nos separa de Dios. El sumo sacerdote era un tipo del gran Sacerdote que vendría: Jesucristo. La sangre de los holocaustos prefiguraba el sacrificio perfecto de Cristo, quien «entró una vez para siempre en el Lugar Santísimo, habiendo obtenido eterna redención» (HEBREOS 9:12).

Todo esto narraba la historia de Cristo y de su obra a nuestro favor. Todo lo hizo para que «los llamados reciban la promesa de la herencia eterna» (v. 15). Jesús nos invita a ser parte de su historia. ❧

TG

*¿**Qué** parte de la historia de Cristo
tiene un significado especial para ti?*

Jesús quitó nuestro pecado para que pudiéramos ser salvos.

Prensa de aceitunas

Si visitas la aldea de Capernaum, junto al Mar de Galilea, verás muestras de antiguas prensas de aceitunas. Hechas de roca de basalto, tienen dos partes: una base y una rueda para moler. La base es grande, redonda y con una depresión circular. Las aceitunas se colocaban en esa depresión y se hacía girar la rueda, también hecha de roca pesada, para machacarlas y extraer el aceite.

La noche antes de su muerte, Jesús fue al monte de los Olivos, frente a la ciudad de Jerusalén. Allí, en el huerto de Getsemaní, clamó al Padre, sabiendo lo que le esperaba.

> **LECTURA:**
> **Marcos 14:32-39**
>
> *Vinieron, pues, a un lugar que se llama Getsemaní...* (v. 32).

Getsemaní significa «lugar de la prensa de aceitunas», lo cual describe perfectamente esas primeras horas aplastantes del sufrimiento de Cristo a nuestro favor: «Y estando en agonía, oraba [...]; y era su sudor como grandes gotas de sangre que caían hasta la tierra (LUCAS 22:44).

Jesucristo sufrió y murió para quitar «el pecado del mundo» (JUAN 1:29) y restaurar nuestra comunión con el Padre. «Ciertamente llevó él nuestras enfermedades, y sufrió nuestros dolores [...]. Mas él herido fue por nuestras rebeliones, molido por nuestros pecados; el castigo de nuestra paz fue sobre él, y por su llaga fuimos nosotros curados» (ISAÍAS 53:4-5).

Nuestros corazones rebosan de gratitud y adoración. 🌱 *WEC*

*Padre, ayúdame a apreciar
la profundidad del amor de Cristo por mí.*

*«Quitadas mis transgresiones, ahora soy libre;
todo porque Jesús fue herido por mí».* W. G. OVENS

Sorprendido por la gracia

Una mujer se quedó dormida en el sofá después de que su esposo se fue a acostar. Al rato, un intruso entró a hurtadillas en la casa por una puerta que habían dejado abierta; fue a la habitación donde dormía el hombre y cargó el televisor. En ese momento, el hombre se despertó y, al ver una figura, susurró: «Querida, ven a acostarte». El ladrón, asustado, dejó el televisor, tomó un montón de dinero del tocador y salió corriendo.

> **LECTURA:**
> **Hechos 9:1-19**
>
> *... fui hecho ministro por el don de la gracia de Dios...* (Efesios 3:7).

Seguramente, el ladrón se sorprendió cuando descubrió que el supuesto dinero era una pila de folletos evangelísticos, con la foto de un billete de veinte dólares de un lado y el mensaje del amor y el perdón de Dios del otro. En lugar de efectivo, el intruso se llevó la historia de la obra de Cristo por él.

Me preguntó qué pensó Saulo cuando Jesús se le apareció en el camino a Damasco, ya que perseguía e, incluso, mataba a sus seguidores (HECHOS 9:1-9). Es probable que la gracia de Dios lo haya sorprendido porque, más tarde, siendo ya Pablo, lo definió como un «don»: «fui hecho ministro por el don de la gracia de Dios que me ha sido dado según la operación de su poder» (EFESIOS 3:7).

¿El don de la gracia de Dios te ha sorprendido en algún momento con su amor y perdón? 🌿

AMC

Señor, gracias porque, a pesar de mi pecado, me brindas tu amor.

Nunca midas el poder ilimitado de Dios con tus limitadas expectativas.

Jamás olvidado

El **escritor** ruso Fyodor Dostoyevsky dijo: «El nivel de civilización de una sociedad puede determinarse al entrar en las cárceles». Con esto en mente, leí un artículo en línea que describía «Las ocho cárceles más temibles del mundo». En una de ellas, todos los presos están en confinamiento solitario.

Fuimos creados para vivir y relacionarnos con personas y comunidades, no para estar aislados. Esto es lo que hace que el confinamiento solitario sea un castigo tan terrible.

El aislamiento fue la agonía que sufrió Cristo cuando su relación eterna con el Padre se rompió en la cruz. Su clamor se transmite en Mateo 27:46: «Cerca de las tres de la tarde, Jesús clamó a gran voz. Decía: "Elí, Elí, ¿lema sabactani?", es decir, "Dios mío, Dios mío, ¿por qué me has desamparado?"» (RVC). Mientras sufría y moría bajo el peso de nuestro pecado, quedó repentinamente solo, abandonado, aislado, despojado de la relación con su Padre. No obstante, su sufrimiento nos aseguró la promesa de Dios: «No te desampararé, ni te dejaré» (HEBREOS 13:5).

> **LECTURA:**
> **Salmo 22:1-10**
>
> *... Jesús clamó [...] Dios mío, Dios mío, ¿por qué me has desamparado?*
> (Mateo 27:46).

Cristo soportó el abandono de la cruz para que Dios nunca nos dejara solos ni desamparados. ¡Jamás! 🌿　　　*WEC*

Padre, gracias por haberme permitido ser tu hijo
a través del precio que Jesús pagó, y por la promesa
de que nunca me abandonarás.

Los que conocen a Jesús nunca están solos.

La galería de Dios

El **Salmo 100** es como una obra de arte que nos ayuda a honrar a nuestro Dios invisible. Aunque el objeto de la adoración no puede verse, su pueblo lo da a conocer.

Imagina al artista, con paleta y pinceles, plasmando las coloridas palabras de este salmo sobre su tela, y lo que se devela ante nuestro ojos es un mundo, «habitantes de toda la tierra», que cantan gozosos al Señor (v. 1). Gozosos porque Dios se deleita en redimirnos de la muerte. Por eso, Jesús soportó la cruz: «por el gozo puesto delante de él» (HEBREOS 12:2).

> LECTURA:
> **Salmo 100**
>
> *Porque el Señor es bueno; para siempre es su misericordia...* (v. 5).

Mientras nuestros ojos recorren la tela, podemos ver un coro mundial innumerable que canta «con alegría» y «con regocijo» (SALMO 100:2). El corazón de nuestro Padre celestial se siente complacido cuando su pueblo lo adora por lo que Él es y lo que ha hecho.

Luego, nos vemos nosotros, su pueblo, como polvo en las manos de nuestro Creador y ovejas en pastos verdes (v. 3). Tenemos un Pastor que nos ama.

Por último, vemos la maravillosa morada del Señor y las puertas a través de las cuales entran en su presencia los redimidos, mientras le dan gracias y lo alaban (v. 4).

¡Qué gran cuadro inspirado por un Dios bueno, amoroso y fiel! ¡Es lógico que lleve una eternidad disfrutar de su grandeza! 🌱

JDB

Dios *del cielo,*
ayúdanos a vivir pensando siempre en tu grandeza.

Nada es más asombroso que conocer a Dios.

¡Sorprendido!

El **artista** italiano Miguel Ángel era conocido por su temperamento exaltado y su técnica heterodoxa. Usaba obreros comunes y corrientes como modelos para sus santos, y lograba que quienes miraban sus cuadros se sintieran parte de la escena. La *Cena en Emaús* muestra a un posadero de pie entre Jesús y sus dos seguidores. Estos estaban sentados a la mesa cuando reconocieron que el Señor resucitado era quien estaba con ellos (LUCAS 24:31). Uno de ellos va a ponerse de pie, mientras que la mano abierta del otro expresa su asombro.

> **LECTURA:**
> **Lucas 24:13-35**
>
> *Entonces les fueron abiertos los ojos, y le reconocieron...*
> (v. 31).

Lucas, quien registra estos sucesos en su Evangelio, relata que los dos hombres volvieron de inmediato a Jerusalén, donde se encontraron con los once discípulos y otras personas, que decían: «Ha resucitado el Señor verdaderamente, y ha aparecido a Simón. Entonces ellos contaban las cosas que les habían acontecido en el camino, y cómo le habían reconocido al partir el pan» (vv. 33-35).

Oswald Chambers escribió: «Jesús viene pocas veces cuando lo esperamos; suele aparecer cuando menos lo pensamos y siempre en las situaciones más ilógicas. La única manera en que un siervo puede permanecer fiel a Dios es estar listo para las visitas por sorpresa del Señor».

Dondequiera que estemos hoy, Jesús puede manifestarse de manera sorprendente. 🌿 *DCM*

Señor, abre mis ojos para verte hoy obrando.

Para encontrar al Señor Jesucristo, debemos estar dispuestos a buscarlo.

Dios es mi fortaleza

Los antiguos soldados babilonios no tenían nada de caballeros. Eran despiadados, fuertes y feroces, y atacaban como un águila atrapa su presa. No solo eran poderosos, sino que también estaban orgullosos de serlo. Podría decirse que adoraban sus habilidades para el combate. Como dice la Biblia: «[hacían] de su poder su dios» (HABACUC 1:11 LBLA).

> **LECTURA:**
> **Jueces 7:1-8**
>
> *... yo soy tu Dios que te esfuerzo; siempre te ayudaré...*
> (Isaías 41:10).

Dios no quería que la autosuficiencia contaminara a los soldados de Israel mientras se preparaban para luchar contra los madianitas. Por eso, le dijo a Gedeón: «El pueblo que está contigo es mucho para que yo entregue a los madianitas en su mano, no sea que se alabe Israel contra mí, diciendo: Mi mano me ha salvado» (JUECES 7:2). Entonces, Gedeón descartó a los miedosos: 22.000 hombres se volvieron a su casa y quedaron 10.000. Dios siguió reduciendo el ejército hasta quedar solo 300 (vv. 3-7).

De este modo, Israel estaba tremendamente en desventaja, ya que sus enemigos eran «como langostas en multitud» (v. 12). Aun así, Dios le dio la victoria al ejército de Gedeón.

A veces, el Señor limita los recursos para que dependamos de Él, pero también promete: «Yo soy tu Dios que te esfuerzo; siempre te ayudaré, siempre te sustentaré con la diestra de mi justicia» (ISAÍAS 41:10). 🌿

JBS

*Señor, ayúdame a atribuirte todos
los logros de mi vida.*

Dios quiere que dependamos de su fuerza, no de la nuestra.

Obituario de dos palabras

Antes de que Stig Kernell muriera, le dijo a la empresa fúnebre local que no quería un obituario tradicional. Este sueco, en cambio, indicó que solo publicaran una nota de dos palabras sobre su fallecimiento: «Estoy muerto». Entonces, cuando murió a los 92 años, eso fue lo que pusieron. La osadía y la sencillez de este aviso poco común captaron la atención de periódicos en todo el mundo. Con un giro extraño, la curiosidad internacional por el obituario de dos palabras de este hombre atrajo más atención sobre su muerte de lo que cabría esperar.

> **LECTURA:**
> **Romanos 8:28-39**
>
> *... Cristo es el que murió; más aun, el que también resucitó...* (v. 34).

Cuando Jesús fue crucificado, su obituario podría haber dicho: «Está muerto». Sin embargo, tres días después, habrían cambiado el título de la noticia de primera plana: ¡Ha resucitado!». Gran parte del Nuevo Testamento está dedicada a proclamar y explicar los resultados de la resurrección de Cristo: «Cristo es el que murió; más aun, el que también resucitó, el que además está a la diestra de Dios, el que también intercede por nosotros. ¿Quién nos separará del amor de Cristo? [...]. Antes, en todas estas cosas somos más que vencedores por medio de aquel que nos amó» (ROMANOS 8:34-37).

El obituario de Jesús se ha transformado en un himno eterno de alabanza a nuestro Salvador: «¡Ha resucitado!». 🌱　　　*DCM*

> *Señor, que vivamos diariamente*
> *a la luz de tu resurrección.*

Jesús sacrificó su vida por nosotros.

Sígueme

os gimnasios ofrecen diferentes programas para quienes desean adelgazar o mantenerse saludables. Hay uno que solo se ocupa de personas que quieren perder, como mínimo, unos veinte kilos y desarrollar una vida sana. Una mujer que asistía a uno de esos gimnasios dijo que no iba más porque sentía que algunos la mira-ban y criticaban su cuerpo fuera de forma. Ahora hace ejercicio cinco días por semana y está logrando sus objetivos en un entorno positivo y acogedor.

> **LECTURA:**
> **Marcos 2:13-17**
>
> *... Los sanos no tienen necesidad de médico, sino los enfermos...* (v. 17).

Hace 2.000 años, Jesús vino a invitar a que lo siguieran aquellos que estaban espiritualmente fuera de forma. Leví fue uno de ellos. Jesús lo vio en el lugar donde cobraba impuestos, y le dijo: «Sígueme» (MARCOS 2:14). Sus palabras lo cautivaron, y Leví lo siguió. Los cobradores de impuestos solían ser codiciosos y deshonestos, y se los conside-raba ritualmente impuros. Cuando los líderes religiosos vieron que Jesús comía en su casa, preguntaron: «¿Qué es esto, que él come y bebe con los publicanos y pecadores?» (v. 16). Jesús res-pondió: «No he venido a llamar a justos, sino a pecadores» (v. 17).

Jesús vino a salvar a los pecadores, incluidos tú y yo. Nos ama, nos recibe con agrado y nos llama a seguirlo. A medida que caminamos con Él, nuestra condición espiritual mejora cada vez más. 🌱

MLW

Señor, *quiero ayudar a otros a mejorar espiritualmente.*

Los brazos de Jesús están siempre abiertos para recibir a todos.

Comienzo pascual

Siempre me ha intrigado un detalle de la historia de la Pascua. ¿Por qué Jesús mantenía las cicatrices de su crucifixión? Se supone que podría haber tenido el cuerpo resucitado que quisiera, pero escogió uno que podía identificarse; especialmente, por las marcas que era posible ver y tocar. ¿Por qué?

Creo que la historia de la Pascua habría estado incompleta sin esas cicatrices en las manos, los pies y el costado de Jesús (JUAN 20:27). Los seres humanos sueñan con dientes nacarados y parejos, piel sin arrugas y cuerpos bien formados. El cuerpo perfecto es un estado antinatural. Pero, para Jesús, lo antinatural *era* estar

> LECTURA:
> **Juan 20:24-31**
>
> *... acerca tu mano, y métela en mi costado; y no seas incrédulo, sino creyente* (v. 27).

limitado a un esqueleto y piel humanos. Las cicatrices son un recordatorio permanente de su estadía en nuestro planeta.

Desde la perspectiva celestial, esas cicatrices representan el suceso más terrible de la historia del universo. Pero, aun así, ahora son solo un recuerdo. La Semana Santa hace que las lágrimas, las luchas, las angustias y las pérdidas queden en el pasado, como las cicatrices de Jesús. Nunca desaparecen por completo, pero ya no duelen. Un día, tendremos cuerpos nuevos, y cielo y tierra también nuevos (APOCALIPSIS 21:4). Tendremos un nuevo comienzo... un comienzo pascual. 🍃

PY

> **Señor,** gracias por la esperanza que brinda
> la resurrección de Jesús. Hoy pongo mi fe en ti.

La resurrección de Cristo garantiza la nuestra.

Demasiado cerca

Donde nací, el clima severo es habitual desde principios de la primavera hasta finales del verano. Recuerdo una noche cuando el cielo relampagueaba con nubes oscuras y el pronóstico del tiempo advertía que se acercaba un tornado, y quedamos sin luz. De inmediato, con mis padres y mi hermana, bajamos la escalera de madera para guarecernos en un cuarto detrás de la casa, donde solíamos quedarnos hasta que pasaba la tormenta.

> **LECTURA:**
> **Proverbios 3:1-8**
>
> *Reconócelo en todos tus caminos, y él enderezará tus veredas* (v. 6).

Actualmente, «perseguir tormentas» se ha convertido en un entretenimiento para algunos y un negocio rentable para otros. El objetivo es acercarse todo lo posible a un tornado, pero sin sufrir ningún daño. Creo que, por el momento, no voy a participar en ninguna de esas aventuras…

Sin embargo, en algunos aspectos morales y espirituales de mi vida, puedo, de manera insensata y creyendo que no me perjudicarán, perseguir cosas peligrosas que Dios, en su amor, me dice que evite. Ante esto, es sabio leer Proverbios, ya que contiene muchos métodos positivos para evitar esas trampas de la vida.

«Fíate del Señor de todo tu corazón, y no te apoyes en tu propia prudencia. Reconócelo en todos tus caminos, y él enderezará tus veredas» (PROVERBIOS 3:5-6), escribió Salomón.

Nuestro Señor es experto en la aventura de vivir, y aplicar su sabiduría nos hace sentir plenos. 🌿   DCM

Padre, ayúdanos hoy a seguir tus caminos.

Cada tentación es una oportunidad de confiar en Dios.

El herrero y el rey

En 1878, cuando el escocés Alexander Mackay llegó como misionero a la actual Uganda, abrió una herrería en una tribu liderada por el rey Mutesa. Los aldeanos observaban extrañados a este extranjero, ya que todos «sabían» que ese era trabajo de mujeres. En aquella época, los hombres de aquel país jamás trabajaban con las manos; solo capturaban esclavos y los vendían. Sin embargo, allí estaba ese extraño fabricando herramientas agrícolas.

LECTURA:
Éxodo 31:1-11

Y todo lo que hagáis, hacedlo de corazón, como para el Señor...

(Colosenses 3:23).

La vida y la ética laboral de Mackay le permitieron relacionarse con los aldeanos y conseguir una audiencia con el rey. Allí lo desafió a terminar con el comercio de esclavos, y lo convenció.

La Biblia nos habla de Bezaleel y Aholiab, quienes fueron escogidos y dotados por Dios para trabajar con sus manos en el diseño del tabernáculo y todo el mobiliario para la adoración (ÉXODO 31:1-11). Como Mackay, honraron y sirvieron al Señor con sus habilidades y su trabajo.

Nuestra tendencia es categorizar el trabajo en eclesial o secular, cuando, en realidad, no hay diferencia. Dios nos diseña de modo que contribuyamos a su obra de manera particular y significativa. Aunque, a veces, no podamos elegir dónde ni cómo trabajar, Él nos mostrará cómo servirlo dondequiera que estemos ahora. 🌾

RKK

***Señor,** que pueda verte obrar en mi entorno.*

***El Señor nos mostrará cómo servirlo...
dondequiera que estemos.***

Sabiduría y gracia

El 4 de **abril de 1968**, Martin Luther King Jr., líder de los derechos humanos en Norteamérica, fue asesinado, lo que dejó a millones de personas indignadas y sin esperanza. En otra ciudad, Robert Kennedy hablaba ante una multitud de afroamericanos. Como muchos no se habían enterado de la muerte de King, tuvo que darles la trágica noticia. Los instó a mantener la calma, reconociendo el dolor de ellos y el suyo propio tras la muerte de su hermano, el presidente John F. Kennedy.

> LECTURA:
> **Santiago 1:1-8**
>
> *Y si alguno de vosotros tiene falta de sabiduría, pídala a Dios...* (v. 5).

Luego, citó una variante de un antiguo poema de Esquilo (526-456 A.C.): «Incluso en nuestros sueños hay dolores que no se pueden olvidar, caen gota a gota sobre el corazón, hasta que, en nuestra propia desesperación, en contra de nuestra voluntad, viene la sabiduría por la tremenda gracia de Dios».

«La sabiduría por la tremenda gracia de Dios» es una frase extraordinaria. Significa que la gracia del Señor nos asombra y nos da la oportunidad de crecer en sabiduría durante los momentos más difíciles de la vida.

Santiago escribió: «Y si alguno de vosotros tiene falta de sabiduría, pídala a Dios, el cual da a todos abundantemente y sin reproche, y le será dada» (1:5). En el terreno de las dificultades (vv. 2-4), aprendemos de la sabiduría de Dios y descansamos en su gracia (2 CORINTIOS 12:9). 🌱

WEC

Señor, instrúyenos a través de nuestras pruebas.

**La oscuridad de las pruebas
solo hace que brille más la gracia de Dios.**

No desistas

En 1986, John **Piper** casi deja de ser pastor de una iglesia numerosa. En aquel momento, admitió: «Estoy tan desanimado, tan vacío. Siento como si hubiera enemigos por todas partes». Pero no desistió, y Dios lo utilizó para liderar un ministerio floreciente que, con el tiempo, se extendería más allá de su congregación.

Aunque es fácil malinterpretar la palabra éxito, a Piper podríamos llamarlo exitoso. Pero ¿y si su ministerio no hubiera florecido?

> LECTURA:
> **Jeremías 1:4-9**
>
> *Antes que te formase en el vientre te conocí...* (v. 5).

Dios llamó al profeta Jeremías de manera directa y lo alentó a no temer a sus enemigos: «Antes que te formase en el vientre te conocí, y antes que nacieses te santifiqué. [...] contigo estoy para librarte» (JEREMÍAS 1:5, 8).

Aunque, posteriormente, el profeta se lamentó de su llamado, el Señor lo protegió, pero su ministerio nunca tuvo éxito. El pueblo no se arrepintió, y Jeremías fue testigo de su martirio, esclavitud y dispersión. Sin embargo, a pesar de toda una vida de desánimo y rechazo, no desistió, ya que sabía que Dios no lo había llamado a tener éxito, sino a ser fiel. Confiaba en el Señor que lo había llamado. La profunda compasión del profeta nos revela el corazón del Padre, quien anhela que todos vuelvan a Él. ✍ *TG*

¿Sientes el llamado de Dios? ¿Dónde te has sentido desanimado?
¿Cómo defines el éxito y cómo reaccionas cuando lo experimentas?

«Cuidado con desistir demasiado pronto.
Nuestras emociones no son una guía confiable». —JOHN PIPER

La cruz y Hollywood

Una de las imágenes más conocidas de los Estados Unidos es el cartel en California que dice «HOLLYWOOD». Gente de todo el mundo visita esa ciudad para ver en el cemento las huellas de estrellas y observar a celebridades que pasen por allí. Es difícil que los turistas no vean el letrero sobre la colina.

LECTURA:
1 Corintios 1:18-31

... lejos esté de mí gloriarme, sino en la cruz de nuestro Señor Jesucristo...
(Gálatas 6:14).

Sin embargo, en ese lugar, hay otro símbolo menos famoso, pero fácilmente reconocible y de significado eterno: una cruz de casi diez metros que mira hacia la ciudad. Se colocó allí en memoria de una acaudalada heredera, quien fundó el Teatro Pilgrimage en 1920, donde se presentaba una obra sobre Cristo: *The Pilgrimage Play*.

Los dos íconos proyectan un contraste interesante. Las películas buenas y malas van y vienen. Su capacidad para entretener, sus contribuciones artísticas y su importancia son, a lo sumo, temporales.

Sin embargo, la cruz nos recuerda una historia de proyección eterna. La obra de Cristo habla de un Dios amoroso que nos busca e invita a aceptar su ofrecimiento de perdón total. El centro del drama es la muerte de Jesús, y su resurrección que conquistó el sepulcro y tiene connotaciones eternas para todos nosotros. La cruz nunca perderá su significado ni su poder. 🌸 *HDF*

Padre, gracias porque tu Hijo fue a la cruz por nosotros. Ayúdanos a entender su significado y a valorar tu amor.

Para saber el significado de la cruz, debemos conocer a Aquel que murió en ella.

¿Sus planes o los nuestros?

Cuando mi esposo tenía 18 años, abrió un lavadero de vehículos. Alquiló un garaje, contrató ayudantes e imprimió folletos publicitarios. El negocio prosperó. Su intención era venderlo y usar las ganancias para pagarse los estudios; por eso, se entusiasmó cuando apareció un comprador. Tras algunas negociaciones, parecía que harían la transacción, pero, justo antes de concretarse, la venta se frustró. Pasaron varios meses antes de que su plan tuviera éxito.

> **LECTURA:**
> **1 Crónicas 17:1-20**
>
> *... Señor Dios, ¿quién soy yo [...] para que me hayas traído hasta este lugar?* (v. 16).

Es normal decepcionarse cuando el tiempo y el plan de Dios para nuestra vida no coinciden con nuestras expectativas. Cuando David quiso edificar el templo, tenía la motivación correcta, la capacidad de liderazgo y los recursos, pero el Señor le dijo que no podría llevar a cabo el proyecto porque había matado a demasiadas personas en guerras (1 CRÓNICAS 22:8).

David podría haberse rebelado y enojado contra el cielo, y haber seguido con sus planes. Sin embargo, declaró con humildad: «Señor Dios, ¿quién soy yo [...] para que me hayas traído hasta este lugar?» (1 CRÓNICAS 17:16). Entonces, continuó alabando a Dios y reafirmando su devoción a Él. Su relación con el Señor era más importante que su ambición.

¿Qué nos importa más: lograr nuestros sueños o amar a Dios? ❧

JBS

***Señor,** te entrego todos mis planes.*

**Encontramos satisfacción verdadera cuando
nos sometemos a la voluntad de Dios.**

En transición

En Ghana, es costumbre que la gente ponga avisos fúnebres en carteleras o paredes de cemento. Frases como *Partió demasiado pronto, Celebración de vida* y *¡Qué golpe duro!* anuncian la muerte de seres queridos y sus funerales. Uno decía: *En transición*, indicando que hay vida después de la muerte.

Cuando un pariente o amigo cercano muere, nos entristecemos, como les sucedió a María y Marta tras la muerte de su hermano Lázaro (JUAN 11:17-27). Extrañamos tanto al que partió que se nos rompe el corazón y lloramos, como lloró Jesús por su amigo (v. 35).

> **LECTURA:**
> **Juan 11:17-27**
>
> *... estaremos siempre con el Señor*
>
> (1 Tesalonicenses 4:17).

No obstante, fue entonces que el Señor hizo una declaración maravillosa: «Yo soy la resurrección y la vida; el que cree en mí, aunque esté muerto, vivirá» (v. 25).

Por esta razón, a los creyentes solo los despedimos temporalmente, porque, como señala Pablo, «estaremos siempre con el Señor» (1 TESALONICENSES 4:17). Duele despedirlos, pero podemos descansar tranquilos porque están en las manos del Señor.

En transición sugiere que estamos pasando de una situación a otra. Aunque dejemos este mundo, viviremos mejor y para siempre con Jesús en la próxima vida. Por eso, alentémonos «los unos a los otros con estas palabras» (v. 18). ◆   LD

*Por ti, Jesús, tenemos esperanza
y seguridad de una vida para siempre. Gracias.*

Cristo es la razón de que podamos vivir para siempre.

¡Ánimo!

Me encanta ver las aves cuando juegan; por eso, hace años, construí un pequeño refugio en mi patio trasero para atraerlas. Durante meses, disfruté de mis amigos emplumados mientras se alimentaban y revoloteaban... hasta que un halcón convirtió mi refugio en su reserva privada de caza.

LECTURA:
2 Corintios 4:8-18

... En el mundo tendréis aflicción; pero confiad, yo he vencido al mundo
(Juan 16:33).

Así es la vida: cuando estamos a punto de ponernos cómodos para descansar, algo o alguien aparece para perturbar nuestro nido. Entonces, nos preguntamos: *¿Por qué la vida es un valle de lágrimas casi constante?*

He escuchado muchas respuestas para esta antigua pregunta, pero, últimamente, esta me satisface: «Toda la disciplina del mundo es para [hacernos] niños, para que Dios se [nos] revele» (George MacDonald, *Life Essential*). Al volvernos como niños, empezamos a confiar, a descansar en el amor de nuestro Padre celestial y a procurar conocerlo y ser como Él.

Tal vez las preocupaciones y las tristezas nos sigan permanentemente, pero «no desmayamos [...]. Porque esta leve tribulación momentánea produce en nosotros un cada vez más excelente y eterno peso de gloria; no mirando nosotros las cosas que se ven, sino las que no se ven; pues las cosas que se ven son temporales, pero las que no se ven son eternas» (2 CORINTIOS 4:16-18).

¿Es posible, entonces, no regocijarse ante semejante expectativa? 🔊

DHR

Señor, te amamos y confiamos en ti.

Los deleites del cielo superan ilimitadamente las dificultades de este mundo.

Dulces recordatorios

Cuando se descubrió la tumba del rey egipcio Tutankamón, en 1992, estaba llena de cosas que los antiguos egipcios consideraban necesarias para la vida en el más allá. Entre altares de oro, joyas, ropa, muebles y armas, se encontró un recipiente con miel que, ¡después de 3.200 años, todavía se podía comer!

Para nosotros, la función principal de la miel es endulzar, pero en el mundo antiguo tenía diversos usos. Está entre los únicos alimentos con todos los nutrientes vitales. Además, tiene propiedades medicinales, ya que es uno de los ungüentos más antiguos que se aplicaban en las heridas, para prevenir infecciones.

> **LECTURA:**
> **Éxodo 3:7-17**
>
> *Panal de miel son los dichos suaves; suavidad al alma y medicina para los huesos* (Proverbios 16:24).

Cuando Dios rescató a los israelitas del cautiverio en Egipto, prometió guiarlos a una «tierra que fluye leche y miel» (ÉXODO 3:8, 17), metáfora de la abundancia. Cuando el viaje se prolongó debido al pecado, Dios los alimentó con maná, un alimento que sabía a miel (16:31). Ellos se quejaron de tener que comer lo mismo durante tanto tiempo, pero es probable que el Señor estuviera anticipándoles lo que disfrutarían en la tierra prometida.

Dios aún nos recuerda que sus caminos y palabras son más dulces que la miel (SALMO 19:10). Por eso, nuestras palabras también deberían ser como la miel que comemos: dulces y sanadoras. 🌱

JAL

Señor, endulza hoy mis palabras.

**Dedícate a dar gracias por tus bendiciones
y no a vociferar tus quejas.**

¿Para quién trabajo?

Enrique trabajaba 70 horas por semana. Le encantaba su trabajo y llevaba a casa un sueldo considerable para proveer cosas buenas a su familia. Siempre planeaba trabajar menos, pero no lo hacía. Una noche, llegó con una noticia excelente: lo habían ascendido a la posición más importante de la compañía... pero no había nadie en la casa. Sus hijos ya eran adultos y vivían en otra parte, su esposa estaba dedicada a su propia profesión, y, ahora, la casa estaba vacía. No tenía con quién compartir su buena noticia.

> **LECTURA:**
> **Eclesiastés 4:4-16**
>
> *... ¿Para quién trabajo yo, y defraudo mi alma del bien?...* (v. 8).

Salomón escribió sobre la necesidad de mantener un equilibrio entre la vida y el trabajo: «El necio se cruza de brazos, y acaba por destruirse a sí mismo» (ECLESIASTÉS 4:5 RVC). No queremos llegar al extremo de ser holgazanes, pero tampoco deseamos caer en la trampa de ser un *trabajólico*. «Más vale un puño lleno con descanso, que ambos puños llenos con trabajo y aflicción de espíritu» (v. 6); en otras palabras, es mejor tener menos y disfrutar más. Es necio sacrificar las relaciones interpersonales en el altar del éxito. Los logros son efímeros, pero las personas son las que hacen la vida significativa, gratificante y placentera (vv. 7-12).

Si administramos el tiempo sabiamente, podemos aprender a trabajar para vivir en lugar de vivir para trabajar. ✤ *PFC*

***Señor,** muéstrame qué debo cambiar.*

Para emplear bien el tiempo, inviértelo en la eternidad.

Resistir la trampa

Algunas plantas carnívoras pueden digerir un insecto en unos diez días. El proceso comienza cuando un bichito desprevenido huele el néctar en las hojas que forman la trampa. El insecto investiga y camina hacia el interior de las fauces de la planta. Entonces, las hojas se cierran repentinamente y los jugos digestivos lo disuelven.

Esas plantas me recuerdan la forma en que el pecado puede devorarnos si dejamos que nos seduzca, ansioso de comernos. Génesis 4:7 declara: «si no haces bien, el pecado yace a la puerta y te codicia» (LBLA). Dios le dijo esto a Caín justo antes de que este matara a su hermano Abel.

LECTURA:
Génesis 4:1-8

... el pecado yace a la puerta y te codicia, pero tú debes dominarlo... (v. 7).

El pecado puede tratar de engañarnos tentándonos con una nueva experiencia, convenciéndonos de que vivir rectamente no vale de nada o apelando a nuestros sentidos. Sin embargo, hay una manera de ejercer dominio sobre el pecado, en vez de permitir que consuma nuestra vida. La Biblia dice: «Andad en el Espíritu, y no satisfagáis los deseos de la carne» (GÁLATAS 5:16). Cuando enfrentamos la tentación, no estamos solos. Tenemos una ayuda sobrenatural: el Espíritu de Dios nos da poder para vivir para Él y para los demás. ❧

JBS

Querido Dios, a veces bajo la guardia
y cedo al pecado. Ayúdame a escuchar tus advertencias
y obedecer tu Palabra. Gracias por obrar en mí.

Caemos en la tentación cuando no huimos de ella.

Estudio cardiológico

Cuando viajaba diariamente en tren mientras vivía en Chicago, siempre cumplía el «código de conducta implícito», como no conversar con un desconocido sentado a tu lado. Para alguien como yo para quien nadie es extraño, esto era difícil. ¡Me encanta hablar con desconocidos!

Aunque cumplía con lo establecido, me di cuenta de que pueden descubrirse cosas sobre la gente por la sección que lee en el periódico. Entonces, observaba para ver dónde lo abría primero: ¿negocios, deportes, política, actualidad? La elección revelaba su interés.

> **LECTURA:**
> **Lucas 12:22-34**
>
> *Porque donde está vuestro tesoro, allí estará también vuestro corazón* (v. 34).

Nuestras elecciones son siempre reveladoras. Sin duda, Dios no necesita ver qué escogemos para saber lo que hay en nuestro corazón, pero lo que ocupa nuestro tiempo y atención lo manifiesta. Como dijo Jesús: «Porque donde está vuestro tesoro, allí estará también vuestro corazón» (LUCAS 12:34). Al margen de lo que queramos que el Señor piense de nosotros, la verdadera condición de nuestro corazón se evidencia en cómo usamos nuestro tiempo, dinero y talentos. Cuando los invertimos en cosas que a Él le importan, demostramos que estamos a tono con su corazón.

El corazón de Dios está con las necesidades de la gente y en la extensión de su reino. ¿Qué les dicen tus elecciones al Señor y a los demás? ❧ *JMS*

Señor, quiero que mi corazón esté a tono con el tuyo.

¿Dónde está tu tesoro?

Este es el día

En 1940, a los 27 años de edad, la Dra. Virginia Connally enfrentó oposición y crítica al convertirse en la primera médica en una ciudad de Texas, Estados Unidos. Pocos meses antes de que cumpliera 100 años, en 2012, la Asociación Médica de aquel lugar la premió con el máximo galardón a su profesión. Entre ambos sucesos destacados, la Dra. Connally se dedicó con entusiasmo a llevar el evangelio a todo el mundo en sus numerosos viajes misioneros, sirviendo a Dios y a los demás día tras día.

> **LECTURA:**
> **Salmo 118:19-29**
>
> *Este es el día que hizo el Señor; nos gozaremos y alegraremos en él* (v. 24).

El pastor de su iglesia dijo que, para Virginia, cada día era un regalo, y recordó una carta en la que ella escribió: «Me pregunto si cada gira, viaje o esfuerzo será el último y el mejor. Solo Dios lo sabe… y eso basta».

El salmista escribió: «Este es el día que hizo el Señor; nos gozaremos y alegraremos en él» (SALMO 118:24). Muchas veces, nos concentramos en las desilusiones del ayer y en las incertidumbres del mañana, y nos perdemos el regalo inigualable de Dios: ¡el hoy!

La Dra. Connally describió así su travesía con Cristo: «Cuando vives una vida de fe, no buscas resultados. Yo hacía simplemente lo que Dios ponía en mi vida y en mi corazón».

Dios hizo el hoy. Disfrutémoslo y aprovechemos al máximo cada oportunidad de servir a los demás en nombre del Señor. ✍

DCM

Señor, *que viva este día plenamente para ti.*

Despertar cada día es un regalo de Dios.

Un gran sacrificio

W. **T. Stead,** un periodista inglés de comienzos del siglo XX, era famoso por escribir sobre temas sociales controversiales. Dos de sus artículos trataban del peligro de los barcos que navegaban con una cantidad insuficiente de botes salvavidas. Irónicamente, Stead viajaba en el *Titanic* cuando el barco chocó contra un iceberg en el Atlántico Norte el 15 de abril de 1912. Según un informe, después de ayudar a mujeres y niños a subir a los botes salvavidas, Stead entregó su chaleco inflable y su lugar en los botes para que otros se salvaran.

El sacrificio personal tiene algo sumamente conmovedor, y no hay mayor ejemplo que el de Jesús. El escritor de

> **LECTURA:**
> **Hebreos 10:5-18**
>
> *... nuestro Señor Jesucristo [...] se dio a sí mismo por nuestros pecados para librarnos...*
> (Gálatas 1:3-4).

Hebreos afirma: «Cristo, habiendo ofrecido una vez para siempre un solo sacrificio por los pecados, se ha sentado a la diestra de Dios. Porque con una sola ofrenda hizo perfectos para siempre a los santificados» (HEBREOS 10:12, 14). Pablo comienza su carta a los gálatas describiendo este gran sacrificio: «nuestro Señor Jesucristo, el cual se dio a sí mismo por nuestros pecados para librarnos del presente siglo malo» (GÁLATAS 1:3-4).

La medida del amor de Jesús por nosotros es su sacrificio a nuestro favor, que aún sigue rescatando personas y ofreciendo seguridad eterna. 🖂

WEC

Señor, que pueda captar la maravilla del sacrificio de Cristo por mí.

Jesús entregó su vida para mostrarnos su amor.

La niña de su ojo

Cuando el bebé de una amiga mía tuvo convulsiones, fueron rápidamente hacia el hospital en una ambulancia, mientras su corazón palpitaba a toda velocidad al orar por su hijita. Al acariciar sus deditos, su profundo amor por su hijita la conmovió y le hizo recordar cuánto más nos ama el Señor, ya que somos «la niña de su ojo».

LECTURA:
Zacarías 2

... el que os toca, toca a la niña de su ojo (v. 8).

El profeta Zacarías emplea esta frase al hablarle al pueblo de Dios que había regresado a Jerusalén después del cautiverio babilónico. Lo llama a arrepentirse, reconstruir el templo y renovar su amor al Dios verdadero. Como el Señor ama profundamente a los suyos, estos son la niña de su ojo.

Algunos eruditos en hebreo sugieren que esta expresión alude al reflejo de una persona en la pupila del ojo de otra. Como los ojos son valiosos y frágiles, necesitan protección, y así es como Dios quiere amar y proteger a su pueblo: sosteniéndolo cerca de su corazón.

El Señor que mora entre nosotros derrama su amor en nuestra vida, y lo hace de una manera asombrosa; un amor mucho mayor que el de una madre que hace todo lo que puede por su hijita enferma. Somos la niña de su ojo, sus amados. 🕊️ *ABP*

Padre *Dios, gracias por amarnos y entregar a tu Hijo*
para morir y darnos vida. Hoy lo recibo como mi Salvador.
Quiero vivir en tu amor.

El amor de un padre por su hijo refleja
el de nuestro Padre celestial por nosotros.

El andar del camaleón

Cuando pensamos en el camaleón, quizá nos viene a la mente su capacidad para cambiar de color según el entorno. Pero también tiene otra característica interesante. En ocasiones, los he observado caminar y me he preguntado cómo llegan a destino: de mala gana, estiran una pata, parecen cambiar de idea, lo intentan otra vez; entonces, apoyan vacilantes la pata, como si temieran que el suelo fuera a hundirse. Por eso, me causó gracia cuando escuché decir: «No seas como un miembro camaleón en la iglesia, que se excusa: "Hoy voy a la iglesia; no, voy la semana que viene; no, ¡mejor espero un poco!"».

LECTURA:
Hechos 2:42-47

Día tras día continuaban unánimes... (v. 46 LBLA).

«La casa del Señor» en Jerusalén era el lugar donde adoraba el rey David, quien estaba muy lejos de ser un adorador «camaleón». Él se regocijaba con los que decían: «A la casa del Señor iremos» (SALMO 122:1). Lo mismo sucedía con los creyentes de la iglesia primitiva: «Y perseveraban en la doctrina de los apóstoles, en la comunión unos con otros, en el partimiento del pan y en las oraciones. [...] unánimes cada día en el templo» (HECHOS 2:42, 46).

¡Qué gozo unirse con otros en adoración y comunión! Orar, adorar y estudiar las Escrituras juntos, y ayudarnos mutuamente es vital para el crecimiento espiritual y la unidad entre los creyentes. 🌿

LD

«**Delante** del trono de nuestro padre,
derramamos nuestras ardientes oraciones...» —John Fawcett

La adoración conjunta fortalece y da gozo.

Tácticas no convencionales

En 1980, en la Maratón de Boston, una mujer subió al metro. No tenía nada de raro, excepto por un pequeño detalle: ¡se suponía que estaba *corriendo* la carrera! Más tarde, algunos la vieron volver a correr cuando faltaba menos de un kilómetro para la llegada. Terminó delante de todas las otras mujeres y, extrañamente, ni siquiera estaba cansada ni muy transpirada. Por un rato, pareció ser la ganadora.

LECTURA:
2 Crónicas 20:1-13

... no sabemos qué hacer, y a ti volvemos nuestros ojos (v. 12).

Hace mucho, un pueblo que perdía una batalla encontró una manera más honrosa de ganar. Cuando algunos mensajeros le dijeron al rey Josafat: «Contra ti viene una gran multitud» (2 CRÓNICAS 20:2-3), se aterrorizó; pero, en vez de recurrir a sus habituales tácticas militares, buscó a Dios. Reconoció su supremacía, y le confesó su miedo y confusión: «no sabemos qué hacer, y a ti volvemos nuestros ojos» (v. 12). El resultado fue asombroso. Sus enemigos se pelearon entre sí (vv. 22-24) y, al final: «el reino de Josafat tuvo paz, porque su Dios le dio paz por todas partes» (v. 30).

La vida puede tendernos una emboscada mediante desafíos asombrosos. Sin embargo, los miedos e incertidumbres nos dan la oportunidad de recurrir a nuestro Dios todopoderoso. Él se especializa en lo no convencional. 🌳 *TG*

> ***Señor,*** *tú no eres fuente de confusión y miedo,*
> *sino de fortaleza y paz. Que tus respuestas asombrosas*
> *aplaquen nuestro pánico.*

**Nuestro Dios es impredecible,
pero es perfectamente confiable.**

El Dios que pinta

Nezahualcoyotl (1402-1472) tal vez haya tenido un nombre difícil de pronunciar, pero su significado es sumamente importante: «coyote hambriento»; y sus escritos revelan su hambre espiritual. Como poeta y gobernante de México, antes de la llegada de los europeos, escribió: «Verdaderamente, los dioses que yo adoro son ídolos de piedra que no hablan ni sienten [...]. Algún poderoso, escondido y desconocido dios es el creador de todo el universo. Es el único que puede consolarme en mi aflicción y ayudarme con la tremenda angustia de mi corazón. Quiero que él sea mi ayuda y protección».

> **LECTURA:**
> **Salmo 42**
>
> *Mi alma tiene sed de Dios, del Dios vivo...* (v. 2).

No sabemos si Nezahualcoyotl encontró al Dador de la vida, pero, durante su reinado, construyó una pirámide al «Dios que pinta las cosas con belleza» y prohibió los sacrificios humanos en su territorio.

Los escritores del Salmo 42 exclamaron: «Mi alma tiene sed de Dios, del Dios vivo» (v. 2). Todo ser humano anhela al Dios verdadero, así como «el ciervo brama por las corrientes de las aguas» (v. 1).

Hoy hay muchos «coyotes hambrientos» que saben que los ídolos de la fama, el dinero y las relaciones interpersonales no pueden llenar el vacío de su alma. El Dios vivo es el único que da sentido y satisface. ¡Qué buena noticia para los que tienen hambre del Dios que pinta las cosas con belleza! 🌿

KO

Señor, solo tú me satisfaces.

Nuestro anhelo más profundo es Dios.

El método de Dios

Necesitábamos que Dios nos hablara. Nos habían pedido que acogiéramos en casa por tres meses a dos niños preescolares, y debíamos decidir qué hacer con ellos. Con tres hijos propios, adoptarlos parecía no encajar en nuestros planes. Además, ya había sido difícil casi duplicar la familia.

Nuestra lectura devocional diaria, escrita por Amy Carmichael, nos llevó a unos versículos desconocidos de Números 7.

Amy decía: «Me pregunto cómo se habrán sentido los coatitas. Todos los otros sacerdotes tenían carros para transportar las partes del tabernáculo por el desierto, pero ellos debían atravesar senderos rocosos y arena ardiente con "las

> **LECTURA:**
> **Números 7:1-9**
>
> *... la responsabilidad de ellos era llevar las cosas sagradas sobre sus propios hombros* (v. 9 NVI).

cosas sagradas sobre sus propios hombros". ¿Se quejaron interiormente [...]? Es probable. Pero Dios sabe que algunas cosas son demasiado sagradas para transportar en carros; por eso, nos pide que las llevemos en los hombros».

Con mi esposo, supimos que esa era la respuesta. Muchas veces, habíamos pensado en ayudar a un niño de otro país. Eso habría sido más fácil, algo parecido al carro, pero ahora teníamos en casa a dos niños necesitados para llevar sobre nuestros hombros, porque eran preciosos para el Señor.

Los planes de Dios son diferentes para cada persona. Nunca digamos: «¡No puedo hacerlo!». 🌿

MS

Señor, quiero obedecerte, aunque la tarea no sea fácil.

*Dios utiliza personas comunes y corrientes
para llevar a cabo sus planes extraordinarios.*

Jesús lloró

Estaba **ensimismada** en un libro, cuando una amiga se inclinó para ver qué leía. Casi al instante, retrocedió y, mirándome, dijo: «¡Qué título más tenebroso!».

Estaba leyendo *El féretro de cristal*, un cuento de los Grimm, y la palabra «féretro» la perturbó. A casi nadie le gusta que le recuerden que es mortal, pero lo cierto es que, de mil personas, mil morirán.

> **LECTURA:**
> **Juan 11:1-4, 38-44**
>
> *... Dios [...] da la victoria por medio de nuestro Señor Jesucristo...*
> (1 Corintios 15:57).

La muerte siempre genera una respuesta emocional intensa. Jesús mostró emociones profundas en el funeral de un querido amigo. Cuando vio a María, cuyo hermano acababa de morir, «se estremeció en espíritu y se conmovió» (JUAN 11:33).

¿Qué fue lo que conmovió a Jesús? Probablemente, el pecado y sus consecuencias. Dios no creó un mundo lleno de enfermedad, sufrimiento y muerte, pero el pecado entró en el mundo y arruinó el hermoso plan divino.

El Señor Jesucristo nos acompaña en nuestro dolor, llora con nosotros cuando estamos tristes (v. 35). Pero, además, Él derrotó el pecado y la muerte al morir en nuestro lugar y resucitar de los muertos (1 CORINTIOS 15:56-57).

Jesús promete: «el que cree en mí, aunque esté muerto, vivirá» (JUAN 11:25). Los que creemos en Cristo disfrutamos de comunión con Él ahora y aguardamos con ansias la eternidad a su lado, donde no habrá lágrimas, dolor, enfermedad ni muerte. 🕮

PFC

***Señor** Jesús, ¡ven pronto!*

**La tumba vacía de Cristo
garantiza nuestra victoria sobre la muerte.**

El Espíritu entrega

Hasta hace poco, muchos pueblos en la zona rural de Irlanda no usaban números en las casas ni códigos postales. Así que, si había tres Patrick Murphy en un pueblo, el residente más nuevo no recibía su correo hasta que se les entregara primero a los otros dos, quienes habían vivido allí más tiempo. «Mis vecinos lo reciben primero —decía el último residente Murphy—. Leen un poco y dicen: "Tal vez no sea para nosotros"». Para terminar con esta confusión, el gobierno irlandés instituyó recientemente su primer sistema de códigos postales, para asegurar que el correo se entregue de manera correcta.

> **LECTURA:**
> **Romanos 8:19-27**
>
> *... el Espíritu mismo intercede por nosotros con gemidos indecibles* (v. 26).

A veces, cuando oramos, sentimos que necesitamos ayuda para entregarle a Dios lo que tenemos en el corazón. Quizá no tengamos las palabras correctas ni sepamos cómo expresar nuestros profundos anhelos. En Romanos 8, el apóstol Pablo afirma que el Espíritu Santo nos ayuda e intercede por nosotros, tomando nuestros «gemidos» indecibles y presentándoselos al Padre: «qué hemos de pedir como conviene, no lo sabemos, pero el Espíritu mismo intercede por nosotros» (v. 26). El Espíritu ora siempre conforme a la voluntad de Dios, y el Padre conoce la mente del Espíritu.

Cobra ánimo, sabiendo que Dios nos oye cuando oramos y conoce nuestras necesidades más profundas. 🌿 *MLW*

Padre, *gracias por escuchar mis oraciones.*

Cuando no puedes expresar tus oraciones con palabras,
Dios escucha tu corazón.

La Palabra eterna de Dios

Al **principio** de la Segunda Guerra Mundial, los bombardeos aéreos destruyeron gran parte de Varsovia, en Polonia. La ciudad estaba cubierta de bloques de cemento, caños rotos y trozos de vidrio. Sin embargo, en el centro de la ciudad, gran parte de uno de los edificios dañados permanecía obstinadamente en pie. Era la sede polaca de la Sociedad Bíblica Británica e Internacional. Estas palabras todavía se leían sobre una pared: «El cielo y la tierra pasarán, pero mis palabras no pasarán» (MATEO 24:35).

> **LECTURA:**
> **Salmo 119:89-96**
>
> *El cielo y la tierra pasarán, pero mis palabras no pasarán* (Mateo 24:35).

Jesús hizo esa declaración para alentar a sus discípulos, cuando estos le preguntaron sobre el «fin del siglo» (v. 3). Pero esas palabras también nos alientan hoy en medio de nuestras batallas diarias. De pie entre los escombros de nuestros sueños rotos, aún podemos confiar en el carácter indestructible de Dios, su soberanía y sus promesas.

El salmista escribió: «Para siempre, oh Señor, permanece tu palabra en los cielos» (SALMO 119:89). Pero es más que su palabra; es su propia esencia. Por eso, también podía decir: «De generación en generación es tu fidelidad» (v. 90).

Al atravesar experiencias devastadoras, podemos enfrentarlas con desesperación o con esperanza. Como Dios no nos abandonará, la esperanza es nuestra confiada elección. Su Palabra nos confirma su amor inalterable. 🌸   HDF

Señor, ayúdanos a confiar en lo que dices.

Podemos confiar en la Palabra inalterable de Dios.

Alivio para el atribulado

Una de mis escenas favoritas de la literatura tiene lugar cuando una tía enérgica confronta a un padrastro malvado por haber abusado de su autoridad con su sobrino, David Copperfield, nombre del personaje principal y título de esa novela de Charles Dickens.

Cuando David aparece en la casa de su tía, su padrino está por llegar. A la tía Betsy Trotwood no le agrada ver al malvado Sr. Murdstone; entonces, le menciona una lista de sus errores e impide que él se desligue de su responsabilidad por cada acto de crueldad. Lo acusa con tanta energía y veracidad que este hombre, normalmente agresivo, se va sin pronunciar palabra. Por la fortaleza y bondad de carácter de la tía Betsy, David es finalmente reivindicado.

> **LECTURA:**
> **2 Tes. 1:3-12**
>
> *Y a vosotros que sois atribulados, [Dios dará] reposo...* (v. 7).

Hay Alguien que es fuerte y bueno, y que, un día, arreglará todo lo malo de nuestro mundo. Cuando Jesús vuelva, descenderá del cielo con un grupo de ángeles poderosos. Entonces, dará reposo a los afligidos y no ignorará a quienes les han causado problemas a sus hijos (2 TESALONICENSES 1:6-7). Hasta ese día, el Señor quiere que permanezcamos firmes y seamos valientes. Independientemente de lo que tengamos que soportar en la Tierra, estamos seguros para la eternidad. 🌑 *JBS*

*Señor, ayúdanos a ser justos en todo lo que hacemos,
para que te representemos de la mejor manera.*

Un día, Dios lo arreglará todo.

Más grande que el lío

Un tema importante de Segunda Samuel, un libro del Antiguo Testamento, podría fácilmente titularse: *¡La vida es un lío!* Tiene todos los elementos de una mini-serie de televisión. Mientras David procuraba estable-cerse como rey de Israel, enfrentó desafíos militares, intrigas políticas y traiciones de familiares y ami-gos. Incluso él mismo arrastraba culpas, tal como lo demuestra claramente su relación con Betsabé (CAPS. 11–12).

> **LECTURA:**
> **2 Samuel 22:26-37**
>
> *Tú eres mi lámpara, oh Señor; mi Dios alumbrará mis tinieblas* (v. 29).

No obstante, cerca del final del libro, encontramos un cántico de David donde alaba a Dios por su misericordia, amor y liberación: «Tú eres mi lámpara, oh Señor; mi Dios alumbrará mis tinieblas» (22:29). En muchas de sus dificultades, David acudió al Señor: «Contigo desbarataré ejércitos, y con mi Dios asaltaré muros» (v. 30).

Quizá nos identifiquemos con las luchas de David, ya que, como nosotros, estaba lejos de ser perfecto. Sin embargo, sabía que el Señor era más grande que las partes más caóticas de su vida.

Con él, podemos decir: «En cuanto a Dios, perfecto es su camino, y acrisolada la palabra del Señor. Escudo es a todos los que en él esperan» (v. 31). ¡Y esto nos incluye!

Dios es más grande que el lío de nuestra vida. 🌱   *DCM*

> ***Leer** sobre los errores y las dificultades de otros nos hace pensar en nosotros mismos. Señor, con tu poder, queremos empezar de nuevo.*

Nunca es demasiado tarde para volver a empezar con Dios.

Para que se entienda

Me encanta visitar museos como la Galería Nacional de Londres y la Galería Estatal Tretyakov de Moscú. Algunas obras de arte me dejan sin palabras, mientras que otras me desconciertan. Observo las pinceladas de color, aplicadas aparentemente al azar sobre la tela, y me doy cuenta de que no entiendo nada... aunque el artista sea un maestro en su oficio.

LECTURA:
Romanos 15:1-6

Porque las cosas que se escribieron antes, para nuestra enseñanza se escribieron... (v. 4).

A veces, podemos sentirnos igual con la Palabra de Dios. Nos preguntamos: *¿Es posible entenderla? ¿Por dónde empezamos?* Tal vez las palabras de Pablo puedan ayudarnos: «Porque las cosas que se escribieron antes, para nuestra enseñanza se escribieron, a fin de que por la paciencia y la consolación de las Escrituras, tengamos esperanza» (ROMANOS 15:4).

Dios nos dio las Escrituras para instruirnos y alentarnos. También nos ha dado su Espíritu para ayudarnos a entender sus pensamientos. Jesús dijo que enviaría el Espíritu Santo a fin de que nos guiara a toda la verdad (JUAN 16:13). Pablo lo reafirma en 1 Corintios 2:12: «no hemos recibido el espíritu del mundo, sino el Espíritu que proviene de Dios, para que sepamos lo que Dios nos ha concedido».

Con su ayuda, podemos abordar la Biblia con confianza, sabiendo que, a través de sus páginas, Dios quiere que lo conozcamos a Él y sus caminos. 🕮   *WEC*

Señor, gracias por dejarnos la Escritura para conocerte.

Lee la Biblia para conocer a su Autor.

Tormentas en el horizonte

Uno de nuestros hijos tiene un negocio de pesca de salmones en Kodiak, Alaska. Hace un tiempo, me mandó una fotografía de una pequeña embarcación, algunos cientos de metros delante de su barco, que atravesaba un estrecho canal. En el horizonte, asomaban unas amenazadoras nubes de tormenta. Pero un arcoíris, la señal de la providencia y el cuidado de Dios, se extendía de un extremo al otro del canal, rodeando aquella embarcación.

Esa foto refleja nuestra travesía terrenal: navegamos hacia un futuro incierto, ¡pero estamos rodeados de la fidelidad de Dios!

> **LECTURA:**
> **Mateo 8:23-28**
>
> *... ¿Qué hombre es éste, que aun los vientos y el mar le obedecen?* (v. 27).

Los discípulos de Jesús estaban rodeados de una tormenta, pero Él utilizó esa experiencia para enseñarles sobre el poder y la fidelidad de Dios (MATEO 8:23-27). Nosotros buscamos respuestas para las incertidumbres de la vida. Vemos que el futuro se acerca y nos preguntamos qué pasará. John Keble, un poeta puritano, plasmó este sentir en una de sus poesías; pero, mientras observaba, «aguardaba ver lo que Dios haría».

Jóvenes o viejos, todos enfrentamos un futuro incierto. El cielo nos responde: el amor y la bondad de Dios nos rodean, no importa lo que esté por delante. Entonces, ¡esperamos y observamos lo que el Señor hará! ✪

DHR

¿En qué área de tu vida necesitas hoy confiar en Dios?

*¡Navegamos hacia el futuro incierto
rodeados de la fidelidad de Dios!*

Un amor asombroso

Los últimos hechos históricos más importantes del Antiguo Testamento se describen en Esdras y Nehemías, cuando Dios permitió que los israelitas volvieran del exilio y se establecieran nuevamente en Jerusalén. La ciudad de David volvió a poblarse de familias hebreas, un nuevo templo se construyó y el muro fue reparado.

Tras eso, llegamos a Malaquías. Este profeta —tal vez contemporáneo de Nehemías— cierra los escritos del Antiguo Testamento. Observa lo primero que le dijo al pueblo de Israel: «Yo os he amado, dice el Señor», a lo que ellos respondieron: «¿En qué nos amaste?» (1:2).

> **LECTURA:**
> **Mal. 1:1-10; 4:5-6**
>
> *Yo os he amado, dice el Señor...* (1:2).

Asombroso, ¿no? La historia de los israelitas había demostrado que Dios es fiel; sin embargo, después de cientos de años en los que Él les había provisto, tanto de forma milagrosa como terrenal, todo lo que ellos necesitaban, se preguntaban cómo les había mostrado su amor. Entonces, Malaquías les recuerda cuán infieles habían sido (VER VV. 6-8). El largo patrón histórico había sido: provisión de Dios, desobediencia del pueblo, disciplina de Dios.

Necesitaban cambiar de inmediato, y el profeta lo da a entender en Malaquías 4:5-6: vendría el Mesías, el Salvador que nos mostraría su amor y pagaría la pena de nuestro pecado una vez y para siempre: Jesús. 🌿 *JDB*

Padre, *gracias por amarnos tanto que enviaste a tu Hijo Jesús.*

Los que ponen su fe en Jesús tienen vida eterna.

La fragancia de Cristo

¿**C**uál de los cinco sentidos te trae más rápidamente cosas a la memoria? Para mí, es indudablemente el olfato. Una determinada clase de bronceador me lleva de inmediato a una playa francesa. El olor a alimento para pollos me recuerda mi niñez y las visitas a mi abuela. El aroma del pino susurra «Navidad», y cierto tipo de loción para después de afeitar me trae a la mente cuando mi hijo era joven.

> LECTURA:
> **2 Corintios 2:14-17**
>
> *Porque para Dios somos grato olor de Cristo...* (v. 15).

Pablo les recordó a los corintios que ellos eran la fragancia de Cristo: «Porque para Dios somos grato olor de Cristo» (2 CORINTIOS 2:15). Tal vez se refería a los desfiles de victoria romanos, ya que estos quemaban incienso en los altares de la ciudad para asegurarse de que todos supieran que habían triunfado. Para los vencedores, el aroma era agradable; para los prisioneros, significaba esclavitud o muerte. Como creyentes, nosotros somos soldados victoriosos, y cuando predicamos el evangelio de Cristo, somos un aroma agradable para Dios.

¿Qué perfume se siente cuando un creyente entra en una habitación? No es algo que pueda comprarse en un frasco. Si pasamos mucho tiempo con alguien, empezamos a pensar y a actuar como esa persona. Pasar tiempo con Jesús nos ayudará a propagar un aroma agradable a quienes nos rodean. 🌐 *MS*

Señor, que mis acciones reflejen que he estado contigo.

Cuando andamos con Dios, la gente se da cuenta.

Hacer lo correcto a los ojos de Dios

«**C**onstructores vaqueros» es un término que muchos británicos usan para referirse a obreros que hacen trabajos de construcción de mala calidad. El término implica temor o pesar, como resultado de malas experiencias.

Es indudable que había carpinteros, herreros y talladores deshonestos en los tiempos bíblicos, pero, en la historia del rey Joás y su tarea de reconstruir el templo, aparece una frase acerca de la total honestidad de aquellos que supervisaban la obra y de los que trabajaban en ella (2 REYES 12:15).

LECTURA:
2 Reyes 12:1-15

Y Joás hizo lo recto ante los ojos del Señor todo el tiempo que le dirigió el sacerdote Joiada (v. 2).

No obstante, el rey Joás «hizo lo recto ante los ojos del Señor» (v. 2) *solamente* mientras el sacerdote Joiada lo instruyó. Tal como vemos en 2 Crónicas 24:17-27, cuando Joiada murió, Joás se alejó del Señor y fue persuadido a adorar a otros dioses.

El legado mixto de un rey que disfrutó de un período productivo solamente cuando estuvo bajo el consejo espiritual de un sacerdote piadoso hace que me detenga a pensar. ¿Cuál será nuestro legado? ¿Seguiremos creciendo y desarrollando nuestra fe durante toda la vida y produciendo buen fruto? ¿O las cosas de este mundo nos distraerán para que recurramos a los ídolos actuales, tales como el confort, el materialismo y el éxito personal? 🌿

ABP

¿Cómo se compara este pasaje a la carta de Jesús a la iglesia de Éfeso en Apocalipsis 2? ¿Cómo se aplica a tu vida?

Hacer lo correcto en la vida requiere constancia y guía espiritual.

Restaurar desechos

En su libro, *Junkyard Planet* [El planeta chatarra], Adam Minter habla de la industria multimillonaria del reciclado de desechos. Señala que hay empresarios en todo el mundo que se dedican a buscar materiales descartados, como alambres de cobre, trapos sucios y artículos plásticos, para rediseñarlos y convertirlos en cosas nuevas y útiles.

LECTURA:
Filipenses 3:1-8

... Cristo Jesús, mi Señor, por amor del cual lo he perdido todo, y lo tengo por basura, para ganar a Cristo (v. 8).

Cuando el apóstol Pablo le entregó su vida al Salvador, se dio cuenta de que sus logros y habilidades eran como basura, y escribió: «Pero cuantas cosas eran para mí ganancia, las he estimado como pérdida por amor de Cristo. Y ciertamente, aun estimo todas las cosas como pérdida por la excelencia del conocimiento de Cristo Jesús, mi Señor, por amor del cual lo he perdido todo, y lo tengo por basura, para ganar a Cristo» (FILIPENSES 3:7-8). Tras haber sido capacitado en la ley religiosa judía, había actuado con enojo y violencia contra los seguidores de Cristo (HECHOS 9:1-2). Pero Jesús transformó todo en algo nuevo y productivo; tomó los restos enmarañados de su ira y los convirtió en amor de Dios para con los demás (2 CORINTIOS 5:14-17).

Si sientes que tu vida es una acumulación de desechos, recuerda que Dios se dedica a restauraciones. Cuando le entregamos nuestra vida, nos convierte en algo nuevo y útil para Él y los demás. 🌐

HDF

Señor, *toma mi vida y transfórmala.*

Cristo hace todo nuevo.

Nuestro brillo

Una niña pequeña se preguntaba cómo sería un santo. Un día, su madre la llevó a una gran catedral para que viera los bellísimos vitrales de escenas bíblicas. Ante tal belleza, la niña exclamó: «Ahora sé cómo son los santos: ¡personas que dejan que la luz brille a través de ellas!».

Tal vez, algunos pensemos que los santos son personas del pasado que tuvieron vidas perfectas e hicieron milagros como los de Jesús. Sin embargo, la palabra que se traduce *santo* en las Escrituras se refiere en realidad a todo aquel que pertenece a Dios por la fe en Cristo. En otras palabras, los santos son

> LECTURA:
> **Mateo 5:13-16**
>
> *Así alumbre vuestra luz delante de los hombres...* (v. 16).

personas como nosotros, que hemos sido llamados a servir a Dios y reflejar nuestra relación con Él dondequiera que estemos y en todo lo que hagamos. Por eso, el apóstol Pablo oraba para que los ojos y el entendimiento de sus lectores se abrieran para que se consideraran la preciosa herencia de Cristo y los santos de Dios (EFESIOS 1:18).

Entonces, ¿qué vemos en el espejo? No son halos ni vitrales. Pero, si estamos cumpliendo con nuestro llamado, tendremos el aspecto de personas que, ya sea que nos demos cuenta o no, permiten que los intensos colores divinos del amor, gozo, paz, paciencia, benignidad, bondad, fe, mansedumbre y templanza brillen a través de ellas. 🌿 *KO*

Señor, brilla hoy a través de mí.

La luz de Dios brilla a través de los santos.

Justo lo que necesito

Mientras escuchaba el coro que dirigía mi hija Lisa, que cantaba en un centro para personas de la tercera edad, me preguntaba por qué había elegido el himno *Está bien con mi alma*, ya que lo habían interpretado en el funeral de su hermana Melissa, y sabía que solía conmoverme.

Las palabras de un hombre sentado a mi lado interrumpieron mis pensamientos: «Es justo lo que necesitaba escuchar». Entonces, me presenté y le pregunté por qué necesitaba esa canción. «La semana pasada perdí a mi hijo en un accidente de motocicleta», respondió.

> LECTURA:
> **2 Corintios 1:3-7**
>
> *... que podamos también nosotros consolar a los que están en cualquier tribulación...* (v. 4).

¡Vaya! Estaba tan concentrado en mí mismo que nunca pensé en las necesidades de los demás, y Dios estaba usando esa canción exactamente donde Él quería. Llevé aparte a mi nuevo amigo, un empleado del centro, y le hablé del cuidado de Dios en ese tan momento difícil de su vida.

Estamos rodeados de personas necesitadas, y, a veces, debemos dejar nuestros sentimientos de lado y ocuparnos de ellas. Una manera de hacerlo es recordar cómo nos consoló el Señor «para que podamos también nosotros consolar a los que están en cualquier tribulación» (2 CORINTIOS 1:4). Es fácil olvidar que alguien cercano puede necesitar una oración, una palabra de consuelo, un abrazo o una muestra de misericordia en el nombre de Jesús. ✿   JDB

*Señor, ayúdame a ver las necesidades
y transmitir el consuelo que recibí de ti.*

Debemos compartir el consuelo que recibimos.

De las ruinas

En el barrio judío de Jerusalén, se encuentra la sinagoga Tiferet Yisrael. Se construyó en el siglo XIX, pero fue dinamitada por comandos durante la guerra árabe-israelí en 1948.

Por años, el lugar estuvo en ruinas, pero, en 2014, comenzó la reconstrucción. Cuando los funcionarios de la ciudad colocaron un trozo de escombro como su piedra angular, uno de ellos citó Lamentaciones 5:21: «Vuélvenos, oh Señor, a ti, y nos volveremos; renueva nuestros días como al principio».

Jeremías escribió en Lamentaciones este canto fúnebre por Jerusalén. De manera gráfica, el profeta relató el impacto de la guerra sobre la ciudad. El versículo 21 refleja su sentida oración por la intervención divina. Aun así, se pregunta si sería posible. Entonces, con esta temerosa advertencia, concluyó su angustioso lamento: «a no ser que nos hayas desechado totalmente, y estés enojado en gran manera contra nosotros» (v. 22). Décadas más tarde, el Señor respondió esa oración cuando los exiliados volvieron a Jerusalén.

> LECTURA:
> **Lamentaciones 5:8-22**
>
> *... Dios [...] nos diese vida para levantar la casa de nuestro Dios y restaurar sus ruinas...* (Esdras 9:9).

Quizá nuestra vida también parezca estar en ruinas. Quedamos devastados por problemas generados por nosotros mismos o conflictos que no podemos evitar. Pero tenemos un Padre comprensivo, quien, con bondad y paciencia, quita los escombros y construye algo mejor. Lleva tiempo, pero podemos confiar en Él. 🌼

TG

__Señor,__ gracias por el perdón y la unidad en ti.

Un día, Dios restaurará toda la belleza perdida.

Maratón de oración

¿**L**uchas para** hacer de la oración un hábito? Nos pasa a muchos. Sabemos que la oración es importante, pero también sumamente difícil. Pasamos de momentos de profunda comunión con Dios a sentir como que solo cumplimos con una rutina. ¿Por qué cuesta tanto orar?

La vida de fe es una maratón. Los vaivenes en nuestra vida de oración lo reflejan; y, así como en ese tipo de carrera no hay que dejar de correr, también debemos seguir orando. La clave es: ¡*No abandones!*

LECTURA:
1 Tes. 5:16-28

Orad sin cesar (v. 17).

El estímulo de Dios llega a través del apóstol Pablo: «Orad sin cesar» (1 TESALONICENSES 5:17), «constantes en la oración» (ROMANOS 12:12) y «perseverad en la oración» (COLOSENSES 4:2). Todas estas declaraciones implican permanecer firmes y continuar con la tarea de orar.

Como nuestro Padre celestial es una Persona, podemos desarrollar un tiempo de comunión íntima con Él, al igual que lo hacemos con otros seres humanos. A. W. Tozer escribe que, con la práctica, nuestra vida de oración «deja de ser un encuentro casual y se convierte en la comunión más íntima y plena de la que es capaz el alma humana». Y esto es lo que realmente deseamos: una comunión profunda con Dios. Solo se logra si seguimos orando. 🌿

PFC

Querido Padre, ayúdanos a encontrar tiempo para estar contigo, y a experimentar tu bondad y tu presencia.

No hay día en que no necesitemos orar.

El mayor gozo

La vida de Bob y Evon Potter, una pareja amante de la diversión, y las de sus tres hijos tuvo un vuelco maravilloso en 1956, cuando, durante una campaña de evangelización de Billy Graham, aceptaron a Cristo como Salvador. Al poco tiempo, con el deseo de compartir su fe y alcanzar a otros, abrieron su casa los sábados por la noche para estudiantes de secundaria y universitarios que querían estudiar la Biblia. Un amigo me invitó y me convertí en un asistente habitual.

**LECTURA:
3 Juan 1-8**

No tengo yo mayor gozo que este, el oír que mis hijos andan en la verdad (v. 4).

La preparación de lecciones, la memorización y un estudio serio de las Escrituras se conjugaban con una atmósfera de amistad, gozo y risas, mientras nos desafiábamos mutuamente y el Señor transformaba nuestras vidas.

Seguí en contacto con los Potter durante años, y muchas tarjetas y cartas de Bob terminaban siempre con estas palabras: «No tengo yo mayor gozo que este, el oír que mis hijos andan en la verdad» (3 Juan 4). Como Juan le escribió «a Gayo, el amado» (v. 1), así alentaba Bob a todos los que conocía, para que siguieran caminando con el Señor.

Hace unos años, asistí a su funeral, una ocasión gozosa y repleta de personas que continuaban en el sendero de la fe; todo porque una joven pareja abrió su casa y sus corazones para ayudar a otros a encontrar al Señor. 🟢

DCM

Señor, *gracias por aquellos que me alentaron a andar en tu verdad.*
Que pueda yo alentar a otros.

Hoy, anima a alguien en su andar de fe.

El Espíritu prometido

Tenacidad y audacia; a Eliseo le sobraban. Estando con Elías, fue testigo de la obra del Señor a través del profeta, quien hizo milagros y habló la verdad en una época de mentiras.

Había llegado la hora de la temida separación, cuando Elías sería alzado «al cielo» (2 REYES 2:1), y Eliseo no quería que lo dejara. Como sabía que, para continuar con éxito el ministerio, necesitaba lo que tenía su maestro, se atrevió a decir: «Te ruego que una doble porción de tu espíritu sea sobre mí» (v. 9); una referencia al derecho legal de un heredero (DEUTERONOMIO 21:17). Y Dios le concedió a Eliseo su deseo de ser reconocido como el heredero de Elías.

> **LECTURA**
> **2 Reyes 2:5-12**
>
> *... Te ruego que una doble porción de tu espíritu sea sobre mí* (v. 9).

Hace poco, murió una de mis mentoras espirituales. Tras luchar por años con una enfermedad, estaba lista para disfrutar su fiesta eterna con el Señor. Quienes la queríamos estábamos agradecidos de que estuviera en la presencia de Dios y ya no sufriera más, pero lamentábamos no seguir teniendo su amor y su ejemplo. Sin embargo, aunque se fue, no nos dejó solos, ya que la presencia del Señor siguió a nuestro lado.

Eliseo recibió una doble porción del espíritu de Elías; un tremendo privilegio y bendición. Nosotros, quienes vivimos después de la vida, muerte y resurrección de Jesús, tenemos la promesa del Espíritu Santo. ¡El Dios trino mora en nosotros! 🌱 *ABP*

> **Señor,** ayúdame a dar testimonio
> de que tu Espíritu mora en mí.

Cuando Jesús ascendió al cielo, envió a su Espíritu.

Nunca se olvida

Durante la celebración de los 50 años de su madre, ante la presencia de cientos de personas, Kukua, la hija primogénita, relató lo que su progenitora había hecho por ella. Recordaba que habían sido tiempos difíciles y los recursos en el hogar escaseaban. No obstante, su madre soltera se privó de comodidades personales, y vendió sus joyas y otros bienes para que ella pudiera estudiar. Con lágrimas en los ojos, declaró que su madre nunca la había abandonado, ni a ella ni a sus hermanos, a pesar de lo difícil que era todo.

LECTURA:
Isaías 49:13-21

... yo nunca me olvidaré de ti (v. 15).

Dios comparó su amor por su pueblo con el de una madre por sus hijos. Cuando Israel sintió que el Señor lo había abandonado durante el exilio, se quejó: «Me dejó el Señor, y el Señor se olvidó de mí» (ISAÍAS 49:14). Pero Dios afirmó: «¿Se olvidará la mujer de lo que dio a luz, para dejar de compadecerse del hijo de su vientre? Aunque olvide ella, yo nunca me olvidaré de ti» (v. 15).

Cuando estamos angustiados o decepcionados, tal vez nos sintamos abandonados por la sociedad, la familia y los amigos, pero Dios no nos abandona. Las palabras del Señor son un gran aliento: «He aquí que en las palmas de las manos te tengo esculpida» (v. 16), con lo que indica cuánto sabe y nos protege. Aunque la gente nos dé la espalda, Dios nunca abandona a los suyos. 🌿

LD

Señor, *gracias por acompañarme siempre.*

Dios nunca se olvida de nosotros.

¡Sigue escalando!

Ricardo necesitaba un impulso, y lo recibió. Estaba escalando una pared rocosa con su amigo Carlos, quien estaba encargado de asegurar la soga. Exhausto y a punto de rendirse, le pidió a su compañero que lo bajara; sin embargo, Carlos lo instó a seguir, diciéndole que había llegado demasiado lejos como para abandonar. Colgando en el aire, Ricardo decidió seguir intentado. De manera asombrosa, el estímulo de su amigo había hecho que volviera a pisar la roca y completara el ascenso.

> **LECTURA:**
> **1 Tes. 4:1-12**
>
> *... exhortaos los unos a los otros cada día...*
> (Hebreos 3:13).

En la iglesia primitiva, los seguidores de Cristo se alentaban mutuamente a seguir al Señor y mostrar compasión. En una cultura plagada de inmoralidad, los creyentes se incentivaban apasionadamente a vivir en pureza (ROMANOS 12:1; 1 TESALONICENSES 4:1), interceder por el cuerpo de Cristo (ROMANOS 15:30), ayudar a las personas a mantenerse conectadas con la iglesia (HEBREOS 10:25) y amar cada día más (1 TESALONICENSES 4:10). Se alentaban unos a otros, como Dios los incentivaba a hacerlo (HECHOS 13:15).

Mediante su muerte y resurrección, Jesucristo nos ha vinculado a unos con otros. Por lo tanto, con la ayuda de Dios, tenemos la responsabilidad y el privilegio de alentar a los demás creyentes a completar el ascenso a la confianza y la obediencia a Él. 🖋

MRW

¿Cuándo fue la última vez que alentaste a alguien a seguir a Cristo?

«... animaos unos a otros, y edificaos unos a otros...»
1 TESALONICENSES 5:11

Nuestra defensa divina

Supervisados por Nehemías, los obreros israelitas reedificaban los muros de Jerusalén. Sin embargo, cuando estaban cerca de la mitad de la obra, se enteraron de que sus enemigos planeaban atacar la ciudad, y la noticia desmoralizó a estos trabajadores ya exhaustos.

Nehemías tenía que hacer algo. Entonces, primero, oró y puso varios guardias en lugares estratégicos. Después, les dio armas a sus trabajadores: «Los que edificaban en el muro, los que acarreaban, y los que cargaban, con una mano trabajaban en la obra, y en la otra tenían la espada. Porque los que edificaban, cada uno tenía su espada ceñida a sus lomos, y así edificaban» (NEHEMÍAS 4:17-18).

> **LECTURA:**
> **Nehemías 4:7-18**
>
> *... tomad [...] la espada del Espíritu, que es la palabra de Dios*
> (Efesios 6:17).

Nosotros, constructores del reino de Dios, necesitamos armarnos contra los ataques de Satanás, nuestro enemigo espiritual. La Palabra de Dios, la espada del Espíritu, nos protege. Memorizarla y meditar en ella nos permite «estar firmes contra las asechanzas del diablo» (EFESIOS 6:11). Nos recuerda la promesa de que lo que hacemos para Dios durará eternamente (1 CORINTIOS 3:11-15), que hemos sido perdonados por el poder de la sangre de Cristo (MATEO 26:28) y que llevaremos frutos en la medida en que el Señor habite en nosotros (JUAN 15:5).

¡La Palabra de Dios es nuestra defensa divina! ❧ *JBS*

*Señor, ayúdame a recordar
tu Palabra en mis preocupaciones y temores.*

**La Palabra de Dios es la defensa divina
ante los ataques del enemigo.**

Comenzar de nuevo

Cuando era niña, uno de mis libros favoritos era *Anne, la de Tejados Verdes*, de Lucy M. Montgomery. Un entretenido pasaje relata que Anne, por error, pone un medicamento para la piel en lugar de vainilla en una torta. Entonces, esperanzada, le exclama a Marilla, su guardiana que la miraba enojada: «¿No es agradable pensar que mañana es un nuevo día, en el que todavía no se han cometido errores?».

Me encanta la idea: mañana es un nuevo día... un día cuando podemos empezar de nuevo. Todos cometemos errores; pero, cuando se trata del pecado, el perdón de Dios es lo que nos permite comenzar cada mañana con un borrón y cuenta nueva. Cuando nos arrepentimos, Él decide no acordarse más de nuestros pecados (JEREMÍAS 31:34; HEBREOS 8:12).

> LECTURA:
> Salmo 86:5-15
>
> *... nunca decayeron sus misericordias. Nuevas son cada mañana; grande es tu fidelidad*
> (Lamentaciones 3:22-23).

Algunos hemos tomado decisiones equivocadas, pero lo dicho y hecho en el pasado no tiene por qué determinar nuestro futuro a los ojos de Dios. Siempre hay un nuevo comienzo. Pedir perdón es el primer paso para restaurar nuestra relación con el Señor y con los demás. «Si confesamos nuestros pecados, él es fiel y justo para perdonar nuestros pecados, y limpiarnos de toda maldad» (1 JUAN 1:9).

La misericordia y la fidelidad de Dios son nuevas cada mañana (LAMENTACIONES 3:23); por eso, podemos empezar de nuevo cada día. 🌱

CHK

Señor, coloca hoy mis pies en tu sendero de rectitud.

**Cada nuevo día nos da buenas razones
para alabar al Señor.**

Embajador de amor

En mi trabajo como capellán, algunos me preguntan si estoy dispuesto a ayudarlos espiritualmente. Si bien me encanta dedicar tiempo a esto, con frecuencia, descubro que aprendo mucho más de lo que enseño. Esto fue particularmente cierto cuando un apesadumbrado y sincero creyente nuevo me dijo resignado: «No me parece buena idea leer la Biblia. Cuanto más leo lo que Dios espera de mí, más juzgo a los que no están haciendo lo que ella dice».

> **LECTURA:**
> **Juan 3:9-21**
>
> *Porque no envió Dios a su Hijo al mundo para condenar al mundo, sino para que el mundo sea salvo por él* (v. 17).

Cuando lo dijo, me di cuenta de que, en parte, yo era responsable de haberle inculcado ese espíritu crítico. En esa época, una de las primeras cosas que hacía con los cristianos nuevos era indicarles lo que debían dejar de hacer. En otras palabras, en lugar de mostrarles el amor de Dios y dejar que el Espíritu Santo los transformara, los instaba a «comportarse como un creyente».

Entonces, comprendí mejor Juan 3:16-17. A la invitación de Jesús de creer en Él, en el versículo 16, le siguen estas palabras: «Porque no envió Dios a su Hijo al mundo para condenar al mundo, sino para que el mundo sea salvo por él».

Jesús no vino a condenarnos. Por lo tanto, nosotros, en vez de ser agentes de condenación, debemos ser embajadores de la misericordia y el amor de Dios. ✪ RKK

*Padre, ayúdame a aprender
a ser más como tú y a no juzgar a los demás.*

**Si Jesús no vino a condenar al mundo,
¡nosotros tampoco debemos hacerlo!**

Invisible, pero amado

Como otros en la comunidad de blogueros, nunca había conocido al hombre que se identificaba como BruceC. Sin embargo, cuando su esposa publicó una nota en el grupo informándonos que su esposo había fallecido, un torrente de respuestas de lugares distantes reveló que todos sabíamos que habíamos perdido a un amigo.

A menudo, BruceC nos había abierto su corazón, contándonos sobre las cosas que le importaban y su interés por los demás. Muchos sentíamos que lo conocíamos, y extrañaríamos la delicada sabiduría que había obtenido tras años de ser agente de policía y de confiar en Cristo.

LECTURA:
1 Pedro 1:1-9

A quien amáis sin haberle visto... (v. 8).

Recordar nuestras conversaciones en línea me hizo renovar mi aprecio por las palabras de un testigo de Jesús en el siglo I. En su primera carta del Nuevo Testamento, el apóstol Pedro escribió refiriéndose a Jesús: «a quien amáis sin haberle visto» (1 PEDRO 1:8).

Pedro, como amigo personal de Jesús, les escribía a personas que solo habían escuchado sobre Aquel que les había dado tanta esperanza en medio de sus dificultades. Estos, como miembros de una comunidad mayor de creyentes, también lo amaban. Sabían que, con su propia vida, había pagado el precio para incorporarlos en la familia eterna de Dios. ❧

MRD

Señor, aunque nunca te vimos, creemos en ti.
Haznos una comunidad de amor entre hermanos en Cristo.

Nuestro amor al prójimo
es la medida de nuestro amor a Dios.

Descansar y esperar

Era ya el mediodía. Jesús, cansado del largo viaje, descansaba junto al pozo de Jacob. Sus discípulos habían ido a Sicar a comprar comida. Una mujer salió de la ciudad a buscar agua... y encontró al Mesías. El relato nos dice que, de inmediato, ella se volvió para invitar a otros a ir y escuchar a un hombre que le había dicho todo lo que ella había hecho (JUAN 4:29).

Los discípulos regresaron y, cuando instaron a Jesús para que comiera, Él les dijo: «Mi comida es que haga la voluntad del que me envió, y que acabe su obra» (v. 34).

Ahora, mi pregunta es esta: ¿Qué obra había estado haciendo Jesús? Solamente había estado descansando y esperando junto al pozo.

LECTURA:
Juan 4:4-14

Jesús les dijo: Mi comida es que haga la voluntad del que me envió, y que acabe su obra (v. 34).

Esta historia me anima enormemente porque sufro de limitaciones físicas. Este pasaje me dice que no tengo que andar apurado por todas partes, preocupándome por descubrir y llevar a cabo la obra del Señor para mí. En esta etapa de mi vida, puedo descansar y esperar que Él traiga su trabajo adonde yo estoy.

Del mismo modo, tu pequeño apartamento, tu cubículo en el trabajo, tu celda en la cárcel o tu cama de hospital pueden convertirse en un «pozo de Jacob», donde descansas y esperas que el Señor te utilice. Me pregunto a quién pondrá hoy delante de ti. ●

DHR

*Señor, ayúdame a verte en cada
área de mi vida y a servirte donde estoy ahora.*

Si quieres un campo para servir, mira a tu alrededor.

Nos cuida siempre

El veterano periodista Scott Pelley nunca emprende un viaje de trabajo sin los artículos esenciales: radio de onda corta, cámara, maleta indestructible, computadora portátil, teléfono y baliza localizadora de emergencia que funciona en cualquier parte. «Extiendes la antena, presionas dos botones y envía una señal a un satélite conectado a la Administración Nacional Atmosférica y Oceánica —declara Pelley—, lo cual les dice quién soy y dónde estoy. Según el país donde estés, envían un equipo de rescate... o no» (*AARP The Magazine*). En realidad, nunca ha tenido que usar la baliza, pero jamás viaja sin ella.

> LECTURA:
> **Salmo 139:1-18**
>
> *Tú has conocido mi sentarme y mi levantarme; has entendido desde lejos mis pensamientos* (v. 2).

Sin embargo, cuando se trata de nuestra relación con Dios, no necesitamos radios, teléfonos ni balizas de emergencia. Por más precarias que sean nuestras circunstancias, el Señor ya sabe quiénes somos y dónde estamos. El salmista celebró esta verdad, escribiendo: «Señor, tú me has examinado y conocido. [...] todos mis caminos te son conocidos» (SALMO 139:1-3). Dios siempre está al tanto de nuestras necesidades y nos cuida.

Hoy podemos decir con confianza: «Si tomare las alas del alba y habitare en el extremo del mar, aun allí me guiará tu mano, y me asirá tu diestra» (vv. 9-10).

El Señor sabe quiénes somos, dónde estamos y qué necesitamos. Nos cuida siempre. 🌿

DCM

Señor, te alabo porque siempre te ocupas de mí.

El Señor nos cuida siempre.

¿Dios es bueno?

«**N**o creo que Dios sea bueno», me dijo una amiga que había estado orando durante años por cuestiones difíciles sin que nada mejorara. Su enojo y amargura ante el silencio divino crecían. Como la conozco bien, percibía que, en lo profundo de su ser, creía que Dios era bueno, pero su dolor incesante y la aparente falta de interés del Señor la hacían dudar. Para ella, era más fácil enojarse que soportar la tristeza.

> **LECTURA:**
> **Génesis 3:1-8**
>
> *... la serpiente [...] dijo a la mujer: ¿Conque Dios os ha dicho...?* (v. 1).

Dudar de la bondad de Dios viene de la época de Adán y Eva (GÉNESIS 3). La serpiente puso esa idea en la mente de Eva cuando le sugirió sobre el fruto prohibido: «sabe Dios que el día que comáis de él, serán abiertos vuestros ojos, y seréis como Dios, sabiendo el bien y el mal» (v. 5). La soberbia de Adán y Eva los llevó a decidir que ellos, no Dios, determinarían qué era lo bueno.

Años después de la muerte de su hija, James B. Smith descubrió que podía afirmar que el Señor es bueno, y lo escribió en su libro *Un Dios bueno y hermoso*: «La bondad de Dios no es algo que yo decido. Soy un ser humano con entendimiento limitado». El asombroso comentario de Smith no es ingenuo, sino que surge de años de procesar su tristeza y buscar el corazón del Señor.

Cuando estemos desanimados, ayudémonos mutuamente a ver que Dios es bueno. 🕊

AMC

Señor, *ayúdame a ver tu bondad en las dificultades.*

**«Bueno es el Señor para con todos,
y sus misericordias sobre todas sus obras».** SALMO 145:9

Tiempo para crecer

En su casa nueva, Débora encontró una planta abandonada en un rincón oscuro de la cocina. Las hojas arrugadas y polvorientas parecían de una orquídea enmohecida, y se imaginó lo hermosa que luciría la planta cuando brotara de nuevo. Movió la maceta a un lugar cerca de la ventana, le cortó las hojas y la regó. Compró fertilizante y lo puso en las raíces. Durante semanas, inspeccionó la planta, pero los brotes no aparecían. «Le daré un mes más —le dijo a su esposo—. Si no pasa nada para entonces, la tiro».

> **LECTURA:**
> **Gálatas 6:1-10**
>
> *... a su tiempo segaremos, si no desmayamos* (v. 9).

Cuando llegó el día de decidir, no podía creer lo que veía: ¡dos pequeños brotes estaban asomando entre las hojas! La planta que estuvo a punto de descartar seguía viva.

A veces, ¿te desanima tu aparente falta de crecimiento espiritual? Quizá te descontrolas con frecuencia o disfrutas de ese chisme malicioso que no puedes evitar contarle a alguien. O tal vez te levantes demasiado tarde como para orar o leer tu Biblia, aunque habías decidido poner la alarma más temprano.

¿Por qué no le cuentas a un amigo confiable sobre las áreas de tu vida en las que deseas crecer espiritualmente, y le pides que ore por ti y te aliente a ser responsable? Ten paciencia. Crecerás en la medida en que permitas que el Espíritu Santo obre en ti. ❧

MS

Señor, dame paciencia conmigo mismo y con los demás.

**Cada pequeño paso de fe
es un escalón gigante de crecimiento.**

El pan que satisface

Memoricé el Padrenuestro cuando iba a la escuela primaria. Cada vez que decía la frase «el pan nuestro de cada día, dánoslo hoy» (MATEO 6:11), no podía evitar pensar en el pan que pocas veces teníamos en mi casa. Solo cuando mi padre volvía de viajar a la ciudad, había pan. Por eso, orar a Dios por pan para todos los días era muy importante para mí.

> LECTURA:
> **Lucas 10:38–11:4**
>
> *El pan nuestro de cada día, dánoslo hoy* (11:3).

¡Qué interesante me resultó encontrar años después el librito *Nuestro Pan Diario*! Sabía que el título venía del Padrenuestro, pero que no podía referirse al pan de la panadería. Al leerlo con regularidad, descubrí que este «pan», lleno de pasajes de la Palabra de Dios y de comentarios útiles, era alimento espiritual para el alma.

Fue alimento espiritual lo que María prefirió cuando se sentó a los pies de Jesús a escuchar atentamente sus palabras (LUCAS 10:39). Mientras Marta se preocupaba de la comida material, su hermana dedicó tiempo para estar cerca de su invitado, el Señor Jesús, y escucharlo. Que nosotros también apartemos tiempo para esto. Él es el pan de vida (JUAN 6:35) y nutre nuestra alma con alimento espiritual. Él es el pan que satisface. 🌀 *LD*

Señor, me siento a tus pies porque quiero aprender de ti.
Mi corazón está abierto para escuchar lo que me dices en tu Palabra.

«Yo soy el pan de vida». JESÚS

Grandes obras de la literatura

Hace poco, leí un artículo sobre qué es una gran obra de la literatura, que decía: «Te cambia. Cuando terminas de leer, eres una persona diferente».

Según esta definición, la Palabra de Dios siempre entrará en la categoría de las grandes obras de la literatura. Su lectura nos desafía a ser mejores. Las historias de sus héroes nos estimulan a ser valientes y perseverantes. Los libros sapienciales y proféticos nos advierten del peligro de seguir nuestros instintos pecaminosos. Dios inspiró a diversos autores para que escribieran salmos transformadores para nuestro beneficio. Las enseñanzas de Jesús modelan nues-

> **LECTURA:**
> **Salmo 119:97-104**
>
> *¡Cuán dulces son a mi paladar tus palabras! Más que la miel a mi boca* (v. 103).

tro carácter para parecernos más a Él. Los escritos de Pablo orientan nuestra mente para una vida santa. El Espíritu Santo nos recuerda la Escritura para que se convierta en un poderoso agente de cambio.

El escritor del Salmo 119 amaba la Palabra de Dios por la influencia transformadora en su vida. Reconocía que lo hacía más sabio y entendido que sus maestros (v. 99) y lo guardaba del mal (v. 101). Con razón, exclamó: «¡Oh, cuánto amo yo tu ley! Todo el día es ella mi meditación» y «¡Cuán dulces son a mi paladar tus palabras! Más que la miel a mi boca» (vv. 97, 103).

Disfrutemos de las grandes obras de la literatura; en especial, ¡la Palabra de Dios que transforma vidas! ❦ *JMS*

Señor, ayúdame a poner en práctica tu Palabra.

**El Espíritu de Dios utiliza la Palabra de Dios
para transformar al pueblo de Dios.**

Pimientos picantes

«Mi madre** nos daba pimientos picantes antes de acostarnos —dijo Samuel, recordando su niñez difícil en África—. Luego, bebíamos agua para refrescarnos la boca y sentirnos satisfechos». Pero agregó: «No funcionaba».

Una revolución había forzado a su padre a huir, lo cual dejó a su madre como único sustento de la familia. Al tiempo, su hermano se enfermó, y no podían costear la atención médica. La madre los llevaba a la iglesia, pero no tenía mucho sentido para él, ya que se preguntaba: *¿Cómo puede Dios permitir que nuestra familia sufra así?*

LECTURA:
Santiago 1:22-27

La religión pura y sin mácula [...] es esta: Visitar a los huérfanos y a las viudas en sus tribulaciones... (v. 27).

Un día, un hombre se enteró de sus dificultades, consiguió los medicamentos y se los llevó. «El domingo iremos a la iglesia de este hombre», dijo la madre. De inmediato, Samuel se dio cuenta de que allí había algo distinto: disfrutaban de su relación con Jesús demostrando su amor en forma práctica.

Eso fue hace 30 años. Hoy, en esa parte del mundo, Samuel ha comenzado más de 20 iglesias, una escuela y un orfanato, continuando con el legado de la religión verdadera de la que habló Santiago, el hermano de Jesús: «sed hacedores de la palabra, y no tan solamente oidores» (SANTIAGO 1:22). «La religión pura y sin mácula delante de Dios el Padre es esta: Visitar a los huérfanos y a las viudas en sus tribulaciones» (v. 27). ❧ TG

Padre, *ayúdanos a no ignorar las necesidades de otros.*

A veces, el mejor testimonio es la amabilidad.

La morada de Dios

James Oglethorpe (1696-1785), general británico y miembro del Parlamento, tenía sumo interés en establecer el estado de Georgia, en los Estados Unidos, y la visión de fundar una gran ciudad: Savannah. Planificó una serie de manzanas, con espacio verde y zonas para iglesias y tiendas, y el resto para viviendas. Esa visión se refleja en la organización y belleza de lo que hoy se considera una joya del sur norteamericano.

LECTURA:
Apocalipsis 21:1-7

... ya no habrá muerte, ni habrá más llanto, ni clamor, ni dolor... (v. 4).

En Apocalipsis 21, Juan recibió la visión de una ciudad diferente: la nueva Jerusalén, pero no dijo tanto sobre su diseño, sino sobre la Persona que estaba allí. Así describe nuestro hogar eterno: «Y oí una gran voz del cielo que decía: He aquí el tabernáculo de Dios con los hombres, y él morará con ellos» (v. 3). Debido a *quien* estaba, Dios mismo, esa morada se destacaría por lo que no habría. Citando Isaías 25:8, Juan escribió: «Enjugará Dios toda lágrima de los ojos de ellos; y ya no habrá muerte» (v. 4).

¡Y no habrá muerte! Tampoco «habrá más llanto, ni clamor, ni dolor». Toda nuestra tristeza será reemplazada por la maravillosa y sanadora presencia del Dios del universo. Este es el hogar que Jesús está preparando para todos los que acuden a Él en busca del perdón de sus pecados. 🕊 *WEC*

*Padre, lo más hermoso del cielo
es que viviremos para siempre contigo.*

*Señor, mientras preparas un lugar para nosotros,
prepáranos para ese lugar.*

Remar hasta casa

Me encanta Reepicheep, el firme ratoncito que habla en *Las Crónicas de Narnia*, de C. S. Lewis. Decidido a llegar hasta el «extremo este» y unirse al gran león Aslan (símbolo de Cristo), Reepicheep declara: «Mientras pueda, navegaré hacia el este en el Viajero del Alba. Cuando me falle, voy a remar hacia el este en mi barquilla [que es un barco pequeño], y cuando ella se hunda, nadaré al este con mis cuatro patas. Y cuando ya no pueda nadar, si no he llegado al país de Aslan, me hundiré apuntando con mi nariz hacia la salida del sol».

> LECTURA:
> **Filipenses 3:12-16**
>
> *... una cosa hago: olvidando ciertamente lo que queda atrás, y extendiéndome a lo que está delante...* (v. 13).

Pablo lo expresó de otro modo: «prosigo a la meta» (FILIPENSES 3:14). Su meta era ser como Jesús. No le importaba otra cosa. Admitía que tenía mucho terreno que recorrer, pero que no abandonaría hasta que lograr aquello para lo que Jesús lo había llamado.

Nadie es lo que debería ser, pero, como el apóstol Pablo, podemos seguir esforzándonos y orando por alcanzar la meta. Como él, siempre diremos: «No que lo haya alcanzado ya»; sin embargo, a pesar de las debilidades, los fracasos y el agotamiento, debemos seguir avanzando (v. 12). Pero todo depende de Dios: ¡sin Él, no podemos hacer nada!

El Señor está contigo y te llama a avanzar. ¡Sigue remando! ✒

DHR

Señor, que entendamos que llegar a la meta no depende de nuestro esfuerzo, sino de la oración y la guía del Espíritu Santo.

Dios provee el poder que necesitamos para perseverar.

¿Por qué yo?

Rut era extranjera, viuda y pobre. En muchas partes del mundo actual, se la consideraría alguien insignificante; sin futuro ni esperanza.

Sin embargo, esta mujer halló favor a los ojos de un pariente de su esposo fallecido. Ante la bondad de aquel hombre, Rut preguntó: «¿Por qué he hallado gracia en tus ojos para que me reconozcas, siendo yo extranjera?» (RUT 2:10).

> **LECTURA:**
> **Rut 2:1-11**
>
> *... ¿Por qué he hallado gracia en tus ojos...?* (v. 10).

Booz, ese ser bondadoso y compasivo hacia Rut, contestó sin rodeos que se había enterado de su decisión de dejar su tierra para seguir al Dios de su suegra Noemí y las cosas buenas que había hecho por ella. Entonces, oró para que la bendijera el Dios bajo cuyas alas Rut se había refugiado (1:16; 2:11-12; VER SALMO 91:4). Al ser su pariente redentor (RUT 3:9), cuando se casaron, Booz se convirtió en el protector de Rut y en parte de la respuesta a su propia oración.

Como Rut, nosotros somos extranjeros y estamos alejados de Dios. Quizá nos preguntemos por qué decidió amarnos, ya que no lo merecemos. Él mismo es la respuesta: «Mas Dios muestra su amor para con nosotros, en que siendo aún pecadores, Cristo murió por nosotros» (ROMANOS 5:8). Cristo es el Redentor. Cuando acudimos a Él para que nos salve, estamos bajo sus alas protectoras. 🌀 *KO*

> ***Señor,*** *no sé por qué me amas,*
> *pero no dudo de tu amor. ¡Te doy gracias y te alabo!*

La gratitud es la respuesta de corazón al inmerecido amor de Dios.

No te inquietes

En medio de un agradable viaje en avión, la voz del capitán interrumpió el servicio a bordo y pidió a los pasajeros que se colocaran los cinturones de seguridad. Al momento, el avión comenzó a sacudirse como un barco en un océano azotado por el viento. Mientras los pasajeros hacían lo que podían para enfrentar las turbulencias, una niña seguía sentada leyendo su libro. Cuando aterrizamos, le preguntaron por qué había permanecido tan tranquila, y ella respondió: «Mi papá es el piloto, y me estaba llevando a casa».

LECTURA:
Marcos 4:35–5:1

... Pasemos al otro lado (4:35).

Aunque los discípulos de Jesús eran pescadores experimentados, estaban aterrorizados cuando una tormenta amenazaba con hundir su barca. Ellos estaban siguiendo las indicaciones del Señor; entonces, ¿por qué pasaba eso? (MARCOS 4:35-38). Aquel día, aprendieron que hacer las cosas como el Señor dice no significa que uno no tenga que enfrentar tormentas en la vida. Pero, como Él estaba con ellos, también entendieron que las tormentas no impiden que lleguemos adonde Dios quiere que vayamos (5:1).

No importa si la tormenta es resultado de un accidente trágico, la pérdida de un empleo o alguna otra prueba, podemos confiar en que no todo está perdido. Nuestro Piloto puede manejar la tormenta y hará que lleguemos a casa. 🕊 *CPH*

Señor, fortalece hoy mi fe en medio de las dificultades.

**Cuando Jesús es nuestra ancla,
las tormentas no deben atemorizarnos.**

Los bosques se despiertan

En medio de los inviernos helados y con nieve, la esperanza de la llegada de la primavera sostiene a quienes viven en regiones muy frías del mundo. El primer mes de primavera, esa esperanza tiene su recompensa, ya que los cambios son notorios. Los tallos que parecían inertes se convierten en ramas con hojas verdes que, poco después, saludan ondulantes. Aunque el cambio diario es imperceptible, para finales del primer mes, los paisajes grises se llenan de verde.

> **LECTURA:**
> **Juan 11:14-27**
>
> *... Yo soy la resurrección y la vida; el que cree en mí, aunque esté muerto, vivirá* (v. 25).

Dios creó las cosas con un ciclo de descanso y renovación. Lo que para nosotros es muerte, para Dios es descanso. Y, así como el descanso es la preparación para la renovación, la muerte es la preparación para la resurrección.

Me encanta ver brotar los bosques cada primavera, porque me recuerda que la muerte es un estado temporal, cuyo propósito es preparar para una nueva vida, para un nuevo comienzo, para algo aun mejor. «Si el grano de trigo no cae en la tierra y muere, queda solo; pero si muere, lleva mucho fruto» (JUAN 12:24).

Aunque el polen de primavera es una molestia cuando nos hace estornudar, me recuerda que Dios está dedicado a mantener vivas las cosas. Él prometió que, después del dolor de la muerte, los que creen en su Hijo resucitarán con cuerpos gloriosos. 🌸   JAL

***Señor,** gracias por la esperanza de la resurrección.*

*Cada hoja que brota es un recordatorio
de la resurrección prometida.*

Como las ovejas

Una de mis tareas diarias, cuando vivía con mi abuelo en Ghana, era cuidar ovejas. Las llevaba a pastar todas las mañanas, y volvía al anochecer. Allí noté por primera vez lo tercas que pueden ser las ovejas. Por ejemplo, cuando veían una granja, el instinto las llevaba hacia allí, lo cual me ocasionó varios problemas con los granjeros.

A veces, mientras descansaba bajo un árbol, agotado por el calor, las observaba irse entre los arbustos hacia las colinas. Entonces, tenía que perseguirlas, y raspaba mis delgadas piernas en los matorrales. Era difícil alejarlas del peligro; en especial, cuando aparecían ladrones que querían robarlas.

> LECTURA:
> **Isaías 53:1-6**
>
> *Todos nosotros nos descarriamos como ovejas, cada cual se apartó por su camino...* (v. 6).

Por eso, entiendo bien cuando Isaías dice: «Todos nosotros nos descarriamos como ovejas, cada cual se apartó por su camino» (53:6). Nos descarriamos de muchas maneras: deseando y haciendo lo que a Dios le desagrada, perjudicando a otros con nuestra conducta, y dejando de pasar tiempo con Él y su Palabra porque estamos demasiado ocupados o no nos interesa. Nos comportamos como las ovejas en el campo.

Gracias a Dios que tenemos al buen Pastor que entregó su vida por nosotros (JUAN 10:11), llevando nuestros dolores y pecados (ISAÍAS 53:4-6). Además, nos llama a pastos seguros, para que lo sigamos más de cerca. 🍃   LD

Pastor de mi alma,
gracias por buscarme y acercarme a ti.

Si quieres que Dios te guíe,
debes estar dispuesto a seguirlo.

Paz abundante

«No me sorprende que lideres retiros —dijo alguien en mi clase de gimnasia—. Tienes un aura positiva». Su comentario me sorprendió, pero también me agradó, ya que me di cuenta de que lo que ella veía como un «aura» en mí, yo lo consideraba la paz de Cristo. Cuando seguimos a Jesús, Él nos da una paz que supera todo entendimiento (FILIPENSES 4:7) y que brota de nuestro interior... aunque quizá no nos demos cuenta.

> LECTURA:
> **Juan 14:16-27**
>
> *La paz os dejo, mi paz os doy...* (v. 27).

Después de la última cena, cuando Jesús preparaba a sus seguidores para su muerte y resurrección, prometió darles paz. Les dijo que, aunque tuvieran problemas, el Padre enviaría el Espíritu de verdad para que viviera con ellos y en ellos (JUAN 14:16-17). El Espíritu les enseñaría al recordarles su verdad y los consolaría al concederles su paz. Aunque pronto enfrentarían pruebas, que incluirían una feroz oposición de los líderes religiosos y la ejecución de Jesús, les dijo que no tuvieran miedo. El Espíritu Santo nunca los abandonaría.

Si bien experimentamos dificultades como hijos de Dios, también tenemos el Espíritu Santo que mora en nuestro interior y fluye desde nuestro ser. La paz de Dios puede ser un testimonio de Él ante aquellos con quienes nos encontramos, ya sea en el mercado local, la escuela, el trabajo o el gimnasio. ✿ *ABP*

*Señor, que comparta tu paz
hoy con alguien de mi entorno.*

**Cuando mantenemos la mente concentrada en Dios,
su Espíritu la mantiene en paz.**

Él se puso en nuestro lugar

Para ayudar a su equipo de arquitectos jóvenes a entender las necesidades de sus clientes, David Dillard los envía a «pijamadas». Se ponen sus pijamas y pasan 24 horas en un centro para personas de la tercera edad, en las mismas condiciones que ellos: con audífonos para simular pérdida de audición, dedos pegados con cintas para limitar la destreza manual y gafas para representar problemas visuales. Dillars declara: «Lo más beneficioso es que, cuando envío jóvenes de 27 años, vuelven con un corazón diez veces más grande. Conocen a las personas y entienden sus dificultades».

LECTURA:
Hebreos 2:10-18

Pues en cuanto él mismo padeció siendo tentado, es poderoso para socorrer a los que son tentados (v. 18).

Jesús vivió 33 años en esta Tierra como un ser humano. Fue hecho como nosotros, «en todo semejante a sus hermanos» (HEBREOS 2:17), para saber cómo se vive con un cuerpo humano en este mundo. Por eso, entiende las luchas que enfrentamos y se pone a nuestro lado para comprendernos y alentarnos.

«Pues en cuanto [Jesús] mismo padeció siendo tentado, es poderoso para socorrer a los que son tentados» (v. 18). El Señor podría haber evitado la cruz, pero obedeció a su Padre. Con su muerte, destruyó el poder de Satanás y nos libró del temor a la muerte (vv. 14-15).

En toda tentación, Jesús camina a nuestro lado para alentarnos, fortalecernos y darnos esperanza. 🕊 *DCM*

Señor, gracias por «ponerte en nuestro lugar».

Jesús comprende.

Solo se muere una vez

Nacida en la esclavitud y maltratada de niña, Harriet Tubman (aprox. 1822-1913) encontró un rayo de esperanza en las historias bíblicas que le narraba su madre. El relato de la liberación de la esclavitud en Egipto le mostró un Dios que deseaba que su pueblo fuera libre.

Aunque logró su libertad, no podía estar contenta al saber que tantas personas seguían atrapadas y cautivas. Entonces, encabezó más de una decena de misiones de rescate para liberar a los que continuaban esclavos, sin importarle el peligro. «Solo puedo morirme una vez», decía.

> **LECTURA:**
> **Mateo 10:26-32**
>
> *Y no temáis a los que matan el cuerpo, mas el alma no pueden matar...* (v. 28).

Harriet entendía esta verdad: «no temáis a los que matan el cuerpo, mas el alma no pueden matar» (MATEO 10:28). Jesús dijo esto al enviar a sus discípulos en su primera misión. Sabía que enfrentarían peligros y que no todos los recibirían con calidez. Entonces, ¿para qué arriesgarlos? La respuesta está en el capítulo anterior: «al ver las multitudes, [Jesús] tuvo compasión de ellas; porque estaban desamparadas y dispersas como ovejas que no tienen pastor (9:36).

Que esta mujer no pudiera olvidar a los que continuaban esclavos nos muestra un cuadro de Cristo, quien no se olvidó de nosotros cuando estábamos atrapados en nuestros pecados. Su ejemplo nos inspira a buscar a los que no tienen esperanza. 🌐 *TG*

Señor, ayúdame a hablarles de ti a otros.

Conocer y servir a Cristo es la libertad verdadera.

Alabanza de corazones puros

Una amiga mía viajó a otro país y visitó una iglesia. Allí observó que, cuando la gente entraba, se arrodillaba y oraba, de espalda a la parte delantera de la iglesia. Luego, se enteró de que los miembros de esa iglesia confesaban sus pecados a Dios antes de empezar la reunión.

Este acto de humildad es, para mí, un cuadro de lo que dijo David en el Salmo 51: «Los sacrificios de Dios son el espíritu quebrantado; al corazón contrito y humillado no despreciarás tú, oh Dios» (v. 17). Estaba describiendo su remordimiento y su arrepentimiento por su pecado de adulterio con Betsabé. La tristeza verdadera por el pecado implica adoptar la perspectiva de Dios sobre lo que hicimos: considerarlo claramente malo, rechazarlo y no querer volver a hacerlo.

> LECTURA:
> **Salmo 51:7-17**
>
> *Los sacrificios de Dios son el espíritu quebrantado; al corazón contrito y humillado no despreciarás tú, oh Dios* (v. 17).

Si somos sinceros, Dios nos restaura en su amor: «Si confesamos nuestros pecados, él es fiel y justo para perdonar nuestros pecados, y limpiarnos de toda maldad» (1 JUAN 1:9). Este perdón renueva nuestra comunión con Él y nos impulsa a alabarlo. Después de arrepentirse, confesar y ser perdonado por Dios, David exclama: «Señor, abre mis labios, y publicará mi boca tu alabanza» (SALMO 51:15).

La respuesta correcta ante la santidad de Dios es la humildad. Y la alabanza es la reacción del corazón ante su perdón. 🌾 *JBS*

***Señor,** que nunca minimice mis pecados ni deje de alabarte.*

La alabanza es la canción de un alma liberada.

Saber y hacer

El **filósofo** chino Han Feizi hizo esta observación sobre la vida: «Saber verdades es fácil. Saber cómo actuar en función de esas verdades es difícil».

Una vez, un hombre rico que tenía este problema se acercó a Jesús. Conocía bien la ley de Moisés y creía que había cumplido los mandamientos desde joven (MARCOS 10:20). Sin embargo, parece que necesitaba averiguar algunas cosas más. Entonces, preguntó: «Maestro bueno, ¿qué haré para heredar la vida eterna?» (v. 17).

La respuesta de Jesús lo decepcionó: le dijo que vendiera sus bienes, que diera el dinero a los pobres y que lo siguiera (v. 21). Con pocas palabras, reveló una verdad que el hombre no quería oír, ya que este amaba sus riquezas y dependía

> LECTURA:
> **Marcos 10:17-27**
>
> *... Para los hombres es imposible, mas para Dios, no; porque todas las cosas son posibles para Dios* (v. 27).

de ellas más de lo que confiaba en Jesús. Como el riesgo de dejar la seguridad de su dinero era demasiado grande, se fue triste (v. 22).

¿En qué pensaba el Maestro? Sus discípulos estaban preocupados y preguntaron: «¿Quién, pues, podrá ser salvo?» (v. 26). Él respondió: «Para los hombres es imposible, mas para Dios, no; porque todas las cosas son posibles para Dios» (v. 27). Se requiere valentía y fe: «si confesares con tu boca que Jesús es el Señor, y creyeres en tu corazón que Dios le levantó de los muertos, serás salvo» (ROMANOS 10:9). 🌱

PFC

Señor, danos la valentía para actuar según tus verdades.

«... Cree en el Señor Jesucristo, y serás salvo...» HECHOS 16:31

No es tan simple

Según el Antiguo Testamento, la vida parece fácil: obedeces a Dios y recibes bendiciones; lo desobedeces y aparecerán problemas. Es una teología gratificante, pero ¿es así de simple?

La historia de Asa parece adecuarse a la regla. Guió al pueblo a dejar los dioses falsos y su reino prosperó (2 CRÓNICAS 15:1-19). Luego, dependió de sí mismo en lugar de depender de Dios (16:2-7) y el resto de su reinado estuvo marcado por guerras y enfermedad (v. 12).

Sin embargo, la conclusión no es tan sencilla. El profeta Hanani advirtió a Asa de que Dios muestra «su poder a favor de los que tienen corazón perfecto» (16:9). ¿Por qué necesita fortaleza nuestro corazón? Porque hacer lo correcto puede requerir coraje y perseverancia.

> LECTURA:
> **2 Crónicas 16:7-14**
>
> *... los ojos del Señor contemplan toda la tierra, para mostrar su poder a favor de los que tienen corazón perfecto* (v. 9).

Job fue el personaje principal de una tragedia cósmica. ¿Su delito? Ser «perfecto y recto» (JOB 1:8). José languideció en la cárcel durante años... para los buenos propósitos de Dios (GÉNESIS 39:19-41:1). ¿Y la transgresión del profeta Jeremías para que lo azotaran y lo encadenaran (JEREMÍAS 20:2)? Decirle la verdad al pueblo rebelde (26:15).

La vida no es fácil, y los caminos del Señor no son los nuestros. Decidir lo correcto quizá exija que paguemos un precio. Pero, en el plan eterno de Dios, sus bendiciones llegan en el momento apropiado. 🌾

TG

Señor, ayúdanos a tomar las decisiones correctas.

Dios ayuda a los que dependen de Él.

¡Señor, ayúdame!

Cuando mi amiga me contó que sería mamá, ¡me puse feliz! Juntas, contamos los días hasta el nacimiento. Pero, cuando el bebé sufrió daño cerebral durante el parto, me sentí desolada y no sabía *cómo* orar. Lo que sí sabía era a *quién* debía hacerlo: a Dios. Él es nuestro Padre, y siempre nos escucha.

Estaba segura de que Dios puede hacer milagros. Le devolvió la vida a la hija de Jairo (LUCAS 8:49-55) y, al hacerlo, la sanó de la enfermedad que le había robado la vida. Así que, le pedí que también sanara al bebé de mi amiga.

> **LECTURA:**
> **Hebreos 4:14-16**
>
> *Acerquémonos, pues, confiadamente al trono de la gracia, [...] para el oportuno socorro.* (v. 16).

Sin embargo, me pregunté: *¿Y si Dios no lo sana? Poder no le falta, pero ¿podría acaso no interesarle?* Pensé en el sufrimiento de Jesús en la cruz y en la explicación de que «Dios muestra su amor para con nosotros, en que siendo aún pecadores, Cristo murió por nosotros» (ROMANOS 5:8). Después, recordé las preguntas de Job y cómo aprendió a ver la sabiduría de Dios revelada en la creación (JOB 38-39).

Poco a poco, fui entendiendo cómo Dios nos llama con los pequeños detalles de nuestra vida, para que nos acerquemos a Él. Por la gracia divina, mi amiga y yo aprendimos lo que significa acudir al Señor y confiar en Él... sin importar cuál sea el resultado. 🌿

PFC

Señor, gracias por escucharme siempre.
Te confío mi vida y la de mis seres queridos.

Cuando la vida te golpea y te derriba,
¡estás en la posición perfecta para orar!

Fortaleza para el cansado

Un hermoso día soleado, iba caminando por un parque con el corazón fatigado y desanimado. No era una sola cosa lo que me agobiaba... todo parecía andar mal. Me senté en un banco y observé que tenía una placa para recordar a un «esposo, padre, hermano y amigo devoto». Además, decía: «Pero los que esperan al Señor tendrán nuevas fuerzas; levantarán alas como las águilas; correrán, y no se cansarán; caminarán, y no se fatigarán» (ISAÍAS 40:31).

> LECTURA:
> **Isaías 40:27-31**
>
> *... los que esperan al Señor tendrán nuevas fuerzas...* (v. 31).

Esas conocidas palabras fueron para mí un toque personal del Señor. Todos experimentamos cansancio... ya sea físico, emocional o espiritual. Isaías nos recuerda que, aunque nos fatiguemos, el Señor, el Dios eterno y Creador de toda la Tierra, «no desfallece, ni se fatiga con cansancio» (v. 28). ¡Con qué facilidad había olvidado que, en toda situación, «[el Señor] da esfuerzo al cansado, y multiplica las fuerzas al que no tiene ningunas» (v. 29)!

¿Cómo te sientes hoy? Si la fatiga te ha llevado a olvidar la presencia y el poder de Dios, podrías hacer una pausa y recordar su promesa: «Los que esperan al Señor tendrán nuevas fuerzas» (v. 31). Aquí. Ahora. Exactamente donde estamos. 🌿   DCM

Señor, ¡qué bueno que no te fatigas!
Dame la fuerza que necesito para enfrentar hoy cualquier situación.

Cuando te sientas cansado por las luchas de la vida,
encuentra fuerzas en el Señor.

Tienes propósito

Un día de mucho calor, mi sobrina vio a una mujer de pie junto a un semáforo, sosteniendo un cartel. Cuando se acercó con el auto, intentó leerlo, suponiendo que sería algún pedido de alimento o dinero. En cambio, se sorprendió al ver estas dos palabras:

«Tienes propósito».

Dios nos creó a cada uno con un propósito específico. Fundamentalmente, ese propósito es honrar al Señor, y una manera de hacerlo es supliendo las necesidades de los demás (1 PEDRO 4:10-11).

Una madre de hijos pequeños puede encontrar propósito al limpiar narices congestionadas y hablarles a sus niños sobre Jesús. Un empleado con un trabajo que no le agrada mucho puede encontrar propósito haciendo su tarea a conciencia y recordando que sirve al Señor (COLOSENSES 3:23-24). Una mujer que ha perdido la vista puede encontrar propósito orando por sus hijos y nietos, y alentándolos a confiar en Dios.

LECTURA:
1 Pedro 4:7-11

... cuando alguno sirva, hágalo según el poder que Dios le haya dado... (v. 11).

El Salmo 139 afirma que, antes de que naciéramos, «todos los días de [nuestra] vida ya estaban en [su] libro» (v. 16 RVC). Fuimos hechos «asombrosa y maravillosamente» (v. 14 LBLA), para glorificar a nuestro Creador.

¡Nunca olvides que tienes propósito! 🕊️

CHK

Señor, *ayúdanos a verte en medio de nuestras circunstancias y a vislumbrar el propósito que infundes a cada situación.*

*Aunque todo parezca sin sentido,
Dios sigue teniendo un propósito para tu vida.*

La belleza de Roma

La **gloria** del Imperio romano proporcionó el telón de fondo para el nacimiento de Jesús. En 27 a.C., Augusto César, el primer emperador romano, dio fin a 200 años de guerra civil y empezó a llenar los vecindarios destruidos con monumentos, templos, plazas y complejos gubernamentales. Según el historiador romano Plinio el Viejo, eran «los edificios más hermosos que el mundo ha visto».

> **LECTURA:**
> **Juan 17:1-5**
>
> *Y ésta es la vida eterna: que te conozcan a ti, el único Dios verdadero...* (v. 3).

Pero, a pesar de su belleza, la ciudad eterna y su imperio tuvieron una historia de brutalidad que se extendió hasta la caída de Roma. Miles de esclavos, extranjeros, insurrectos y desertores del ejército eran crucificados junto a los caminos como advertencia para cualquiera que se atreviese a desafiar el poder de Roma.

¡Qué ironía que la muerte de Jesús en una cruz romana haya revelado una gloria eterna que hizo que el orgullo de Roma se pareciera a la belleza efímera de un atardecer!

¿Quién habría imaginado que, en la maldición y la agonía públicas de la cruz, encontraríamos la gloria eterna del amor, la presencia y el reino de Dios?

¿Quién podría haber anticipado que, un día, cielo y Tierra cantarían: «El Cordero que fue inmolado digno es de recibir el poder, las riquezas, la sabiduría, la fortaleza, el honor, la gloria y la alabanza» (APOCALIPSIS 5:12)? 🌾

MRD

Padre, *ayúdanos a mostrar tu sacrificio al mundo.*

¡El Cordero que murió es el Señor que vive!

Romper para restaurar

Durante la Segunda Guerra Mundial, mi padre sirvió en el ejército estadounidense en el Pacífico Sur. En esa época, rechazaba cualquier idea religiosa, declarando: «No necesito ninguna muleta». Sin embargo, llegó el día en que su actitud hacia las cuestiones espirituales cambiaría para siempre. Mi madre estaba por dar a luz a su tercer hijo, y mi hermano y yo nos fuimos a acostar entusiasmados por conocer a un nuevo hermanito. Cuando me levanté a la mañana siguiente, le pregunté ansioso a papá: «¿Es un varón o una nena?». Me respondió: «Era una niña, pero nació muerta». Lloramos juntos y lamentamos nuestra pérdida.

> **LECTURA:**
> **Salmo 119:71-75**
>
> *Señor, yo sé [...] que por tu fidelidad me afligiste* (v. 75).

Por primera vez, mi padre le entregó su corazón roto a Jesús en oración. En ese momento, sintió una paz y un consuelo abrumadores de parte de Dios, aunque nada podría reemplazar a su hija. Al poco tiempo, empezó a interesarse en la Biblia y siguió orando a Aquel que estaba sanando su corazón destrozado. Su fe fue creciendo con los años, y se transformó en un seguidor firme de Jesús. Lo sirvió como maestro de estudios bíblicos y líder en la iglesia.

Jesús no es una muleta para los débiles. ¡Es la fuente de nueva vida espiritual! Cuando estamos deshechos, Él puede restaurarnos y sanarnos (SALMO 119:75). ❧

HDF

> ***Señor,*** *te entrego mis angustias.*
> *Restáurame una vez más.*

El quebrantamiento puede llevar a una vida plena.

¡Cuéntalo!

Era el año 1975, y me acababa de suceder algo importante. Fui a buscar a Francis, mi amigo y confidente, para contárselo. Lo encontré en su apartamento, preparándose para salir de inmediato. Él percibió que tenía algo importante que decirle, y me preguntó: «¿Qué sucede?». Entonces, se lo dije sin rodeos: «¡Ayer acepté a Jesús como mi Salvador!».

Francis me miró, dejó escapar un largo suspiro y dijo: «Hace mucho tiempo que yo quiero hacer lo mismo». Me pidió que le contara mi experiencia, y le dije que, el día anterior, alguien me había explicado el evangelio, y yo había invitado a Jesús a mi vida. Todavía recuerdo las lágrimas en sus ojos mientras él también oró para recibir el perdón de Cristo. Dejó las prisas a un lado, y nos quedamos hablando largo y tendido sobre nuestra nueva relación con Jesús.

> **LECTURA:**
> **Marcos 5:1-20**
>
> *El hombre se fue, y [...] comenzó a contar las grandes cosas que Jesús había hecho con él...* (v. 20 RVC).

Después de sanar a un hombre endemoniado, Jesús le dijo: «Vete a tu casa, a los tuyos, y cuéntales cuán grandes cosas el Señor ha hecho contigo, y cómo ha tenido misericordia de ti» (MARCOS 5:19). El hombre no necesitaba predicar ningún sermón poderoso; solamente, contar su historia.

Al margen de cuál sea nuestra experiencia de conversión, podemos hacer lo mismo que este hombre: «se fue, y [...] comenzó a contar las grandes cosas que Jesús había hecho con él». 🌀   *LD*

Señor, quiero compartir lo que hiciste por mí.

**«Díganlo los redimidos del Señor,
los que ha redimido del poder del enemigo».** SALMO 107:2

Muchísimo mejor

Al escuchar una sirena a la distancia, un niñito le preguntó a su madre qué era ese ruido. Ella le explicó que avisaba que se acercaba un tornado que podía matar a los que no se refugiaran. El niño respondió: «¿Qué tiene de malo? Si morimos, ¿no nos vamos a encontrar con Jesús?».

Los niños no siempre entienden el significado de la muerte. Sin embargo, Pablo, que tenía mucha experiencia en la vida, escribió algo similar: «[Tengo] deseo de partir y estar con Cristo, lo cual es muchísimo mejor» (FILIPENSES 1:23). El apóstol estaba bajo arresto domiciliario en ese momento, pero no lo motivaba la desesperación. Podía regocijarse porque su sufrimiento llevaba a la extensión del evangelio (vv. 12-14).

> LECTURA:
> **Filipenses 1:12-26**
>
> *... teniendo deseo de partir y estar con Cristo, lo cual es muchísimo mejor* (v. 23).

Entonces, ¿por qué Pablo estaba dividido entre su deseo de vivir y morir? Porque seguir viviendo implicaría llevar más fruto. Pero, si moría, sabía que disfrutaría de una intimidad especial con Cristo. Ausentarnos de nuestro cuerpo significa estar con el Señor (2 CORINTIOS 5:6-8).

Quienes creen en el poder salvador de la muerte y la resurrección de Jesús estarán con Él para siempre. Alguien dijo: «Bien está lo que bien acaba, si acaba en el cielo». Ya sea que vivamos o muramos, ganamos. «Porque para mí el vivir es Cristo, y el morir es ganancia» (FILIPENSES 1:21). 🌱 *JBS*

Padre, mi seguridad y mi paz están en ti.

*Creer en la muerte y la resurrección de Jesús
asegura la vida eterna con Él.*

Lo que realmente importa

Dos hombres se sentaron a evaluar un viaje de negocios y sus resultados. Para uno, había valido la pena, porque había entablado relaciones empresariales importantes. El otro declaró: «Los contactos están bien, pero lo más importante es vender». Evidentemente, tenían objetivos muy diferentes.

Ya sea en los negocios, la familia o la iglesia, lo más fácil es ver a los demás desde el punto de vista del beneficio que pueden proporcionarnos. Los valoramos por lo que podemos obtener, en lugar de concentrarnos en cómo servirlos en el nombre de Jesús. En su carta a los filipenses, Pablo escribió: «Nada hagáis por contienda o por vanagloria; antes bien con humildad, estimando cada uno a los demás como superiores a él mismo; no mirando cada uno por lo suyo propio, sino cada cual también por lo de los otros» (FILIPENSES 2:3-4).

> LECTURA:
> **Filipenses 2:1-11**
>
> *... con humildad, [...] no mirando cada uno por lo suyo propio, sino cada cual también por lo de los otros* (vv. 3-4).

No tenemos que usar a los demás para nuestro beneficio. Debemos amarnos unos a otros, como Dios nos ama. Su amor es el más grande de todos. 🌐   *WEC*

Señor, enséñame a ver a los demás como tú los ves:
hechos a tu imagen y dignos de tu amor y cuidado. Que mi corazón
se llene de tu gran amor y se derrame sobre los demás.

Poner primero las necesidades de los demás da gozo.

Nuestro nombre nuevo

Ella decía que era la reina de las preocupaciones, pero, cuando su hijo tuvo un accidente, aprendió a escapar de ese rótulo limitante. Mientras el muchacho se recuperaba, ella se reunía todas las semanas para hablar y orar con unas amigas. Pasaron los meses y, a medida que esta mujer transformaba sus temores e inquietudes en oración, se dio cuenta de que estaba dejando de ser la reina de las preocupaciones para transformarse en una guerrera de oración. Percibió que Dios estaba dándole un nuevo nombre, y que su identidad en Cristo era cada vez más profunda gracias a la lucha de un dolor imprevisto.

> LECTURA:
> **Apocalipsis 2:12-17**
>
> *... le daré una piedrecita blanca, y en la piedrecita escrito un nombre nuevo...* (v. 17).

En la carta a la iglesia en Pérgamo, el Señor promete darles a los fieles una piedra blanca con un nombre nuevo (APOCALIPSIS 2:17). La mayoría de los comentaristas bíblicos concuerdan en que esta piedrecita blanca señala nuestra libertad en Cristo. En la época bíblica, los jurados de un tribunal usaban una piedrecita blanca para el veredicto de inocente y una negra para el de culpable. Además, una persona que tenía una piedrecita blanca entraba en eventos tales como banquetes. Asimismo, los que reciben la piedrecita blanca de Dios son recibidos en la celebración celestial. La muerte de Jesús nos da libertad, una vida nueva... y un nombre nuevo.

¿Qué nombre nuevo crees que Dios te pondría? 🌐   ABP

Señor, muéstrame cómo me has transformado en una nueva criatura.

Los seguidores de Cristo tienen una nueva identidad.

Red de seguridad

Durante años, pensé que el Sermón del Monte (MATEO 5-7), como la guía para la conducta humana, era un estándar inalcanzable. ¿Cómo pude dejar de ver su verdadero significado? Las palabras de Jesús no fueron para frustrarnos, sino para mostrarnos cómo es Dios.

¿Por qué debemos amar a nuestros enemigos? Porque nuestro Padre misericordioso hace salir el sol sobre buenos y malos. ¿Para qué hacer tesoros en el cielo? Porque el Padre vive allí y nos recompensará abundantemente. ¿Por qué vivir sin temor ni preocupación? Porque el mismo Dios que viste los lirios del campo prometió ocuparse de nosotros.

> **LECTURA:**
> **Mateo 5:43-48**
>
> *Sed, pues, vosotros perfectos, como vuestro Padre que está en los cielos es perfecto* (v. 48).

¿Para qué orar? Si un padre terrenal le da a su hijo pan o pescado, ¡cuánto más el Padre celestial dará buenas dádivas a todos los que se las pidan!

Jesús dio el Sermón del Monte no solo para explicar el ideal de Dios, al que nunca deberíamos dejar de aspirar, sino también para mostrar que, en esta vida, ninguno puede alcanzarlo.

Todos compareceremos ante Dios en el mismo nivel: asesinos y descontrolados, adúlteros y lujuriosos, ladrones y codiciosos. Estamos desesperados, y este es el único estado adecuado para conocer a Dios. Al haber caído del ideal absoluto, el único lugar para aterrizar es sobre la red de seguridad de la gracia plena. 🌿

PY

Señor, gracias por pagar por mis pecados y darme tu gracia.

**Solamente Dios puede transformar
un alma pecadora en una obra maestra de la gracia.**

Lágrimas y risa

E l año pasado, volví a conectarme con unas amigas que no veía hace mucho tiempo. Nos reímos y disfrutamos del reencuentro, pero también lloré, porque las había extrañado mucho.

El último día que pasamos juntas, celebramos la Cena del Señor. ¡Más sonrisas y lágrimas! Di gracias a Dios por haberme dado vida eterna y unos días hermosos con ellas. Pero, una vez más, lloré abrumada ante la realidad de lo que le costó a Jesús librarme de mi pecado.

LECTURA:
Esdras 3:7-13

Y no podía distinguir el pueblo el clamor de los gritos de alegría, de la voz del lloro... (v. 13)

Me acordé de Esdras y de aquel maravilloso día en Jerusalén. Los exiliados habían regresado del cautiverio y acababan de poner los cimientos para la reconstrucción del templo. El pueblo cantaba con gozo, pero algunos de los sacerdotes más viejos lloraban (ESDRAS 3:10-12). Probablemente, recordaban el templo de Salomón y su antigua gloria... ¿o se lamentarían por los pecados que, originalmente, los habían llevado al cautiverio?

A veces, cuando vemos que Dios obra, experimentamos una amplia gama de sentimientos; entre ellos, alegría al ver sus maravillas, y pena, al recordar nuestros pecados y la necesidad del sacrificio de Cristo.

Los israelitas cantaban y lloraban, y el sonido se escuchaba a lo lejos (v. 13). Que nuestras emociones puedan expresar amor y adoración al Señor, e impactar a los que nos rodean. ❧ *KO*

Padre, *te adoramos hoy con todo nuestro ser.*

Tanto las lágrimas como las sonrisas alaban a Dios.

Repite después de mí

Cuando Rebeca apareció en el escenario para hablar en una conferencia, sus primeras palabras en el micrófono resonaron en toda la sala. Se estremeció al escuchar el eco de sus palabras, y tuvo que modular su voz e intentar ignorar el eco cada vez que pronunciaba una frase.

¡Imagina cómo sería escuchar la repetición de cada una de nuestras palabras! Tal vez, si dijéramos «te amo», «me equivoqué», «gracias, Señor» o «estoy orando por ti», no estaría tan mal, pero no todas nuestras palabras son agradables o bondadosas. ¿Qué piensas de los arrebatos de ira o los comentarios degradantes que nadie quiere escuchar una vez (y mucho menos dos)... esas palabras que preferiríamos no haber dicho?

> LECTURA:
> **Salmo 141**
>
> *Toma control de lo que digo, oh SEÑOR, y guarda mis labios* (v. 3 NTV).

Como el salmista David, anhelamos que el Señor controle lo que decimos. Su oración era: «Toma control de lo que digo, oh SEÑOR, y guarda mis labios» (SALMO 141:3 NTV). Lo bueno es que Dios desea lo mismo, y puede guardar nuestros labios y ayudarnos a controlar nuestra lengua.

A medida que aprendemos a ajustar nuestro sistema de sonido, prestando atención a lo que decimos y pidiéndole al Señor las palabras correctas, Él nos enseña con paciencia y nos da dominio propio. Y, lo mejor de todo, nos perdona cuando fallamos y le agrada que busquemos su ayuda. ✒ *AMC*

*Señor, no quiero ser imprudente.
Ayúdame a cuidar mis palabras.*

Parte del dominio propio es controlar la boca.

Dios de lo común y corriente

A veces, cuando escuchamos que Dios hizo algo increíble en la vida de alguien, nos gozamos, pero quizá también nos preguntemos por qué el Señor no ha obrado así en nuestra vida últimamente.

Pensamos que, si Dios se manifestara con poder en nosotros como lo hizo con Abraham, sería más fácil ser sus siervos fieles. Sin embargo, debemos recordar que el Señor habló con Abraham cada doce a catorce años, y que la mayor parte de su vida fue bastante común y corriente (VER GÉNESIS 12:1-4; 15:1-6; 16:16–17:12).

> LECTURA:
> **Génesis 12:1-4; 17:1-2**
>
> *... no os dejará ser tentados más de lo que podéis resistir...*
> (1 Corintios 10:13).

Dios suele obrar entre bambalinas, en las cosas cotidianas de la vida. Como proclama nuestro texto: «no os dejará ser tentados más de lo que podéis resistir, sino que dará también juntamente con la tentación la salida» (1 CORINTIOS 10:13). Cada día, el Señor nos protege de los ataques arrasadores de Satanás, ante los cuales, no podríamos defendernos solos. Y, cuando llega la tentación, Él proporciona salidas de emergencia para que podamos escapar.

Cuando nos vamos a la cama por la noche, deberíamos dar gracias a Dios por todas las cosas increíbles que hizo por nosotros ese día, en medio de nuestra rutina cotidiana. Así que, en lugar de anhelar que haga algo espectacular por ti, ¡dale gracias porque ya lo ha hecho! 🌻

JMS

*Señor, gracias por todas las cosas increíbles
que haces por mí aunque no me dé cuenta.*

**Dios siempre tiene el control entre bambalinas,
aun en los días «comunes y corrientes».**

Comunicación verdadera

Mientras camino por mi barrio, en la zona norte de Londres, voy captando partes de conversaciones en muchos idiomas: polaco, japonés, hindi, croata e italiano, entre otros. Esta diversidad es como vislumbrar el cielo, aunque no puedo entender lo que dicen. Cuando entro en una cafetería rusa o en el mercado polaco y escucho distintos acentos y sonidos, suelo pensar que, seguramente, habrá sido maravilloso estar en Pentecostés, donde gente de tantas naciones podía entender lo que decían los discípulos.

> **LECTURA:**
> **Hechos 2:1-12**
>
> *... estaban confusos, porque cada uno les oía hablar en su propia lengua* (v. 6).

Ese día, muchos peregrinos se reunieron en Jerusalén a celebrar la fiesta de la cosecha. El Espíritu Santo descendió sobre los creyentes y, cuando estos hablaban, personas de todo el mundo entendían lo que decían en sus propios idiomas (HECHOS 2:5-6). ¡Qué gran milagro que aquellos extranjeros pudieran entender las alabanzas a Dios en sus propias lenguas! Esto incentivó a muchos a querer saber más de Jesús.

Quizá no hablemos ni entendamos muchos idiomas, pero sí sabemos que el Espíritu Santo nos capacita para conectarnos con los demás de otras maneras. Por más increíble que parezca, somos las manos y los pies de Dios —y su boca— para llevar adelante su obra. ¿Cómo podemos hoy, con la ayuda del Espíritu, alcanzar a alguien distinto a nosotros? 🌐

ABP

***Señor,** quiero ver con tus ojos
y tener tu corazón para compartir tu amor.*

El lenguaje del amor lo entienden todos.

La importancia de las instrucciones

En casa, mis intentos de reparar lo que se rompe han generado una gran frustración (por mi parte) y risas (por parte de mi familia). Cuando me casé, intenté hacer algunas reparaciones menores... y los resultados fueron desastrosos. Mis fiascos siguieron después de tener hijos, y siempre le aseguraba a mi esposa que no necesitaba instrucciones para armar juguetes «sencillos». ¡Gran error!

LECTURA:
Jueces 2:7-19

... el Señor estaba con el juez, y los libraba de mano de los enemigos... (v. 18).

Poco a poco, aprendí la lección y comencé a prestar atención a las instrucciones, y así las cosas empezaron a encajar. Por desgracia, cuando todo salía bien, mi confianza aumentaba y empezaba a ignorar las indicaciones... y fracasaba otra vez.

Los antiguos israelitas luchaban con una tendencia similar: se olvidaban de Dios e ignoraban sus instrucciones de no seguir a Baal y los demás dioses de la región (JUECES 2:12). Esto tuvo consecuencias nefastas hasta que el Señor, en su gran misericordia, levantó jueces para rescatarlos (2:18).

Las instrucciones que el Señor nos ha dado tienen su razón de ser, y mantienen nuestro amor por Él. Solo si somos conscientes de su amorosa presencia todos los días, podemos resistir la tentación de «armar» nuestra vida como nos parece. ¡Qué regalo tan grande nos ha dado con su Palabra y su presencia! ❧

RK

Señor, *ayúdame a recordar*
y seguir tus instrucciones para la vida.

Nuestro mayor privilegio es disfrutar de la presencia de Dios.

Abba, Padre

Una graciosa tarjeta del día del padre mostraba a un papá que empujaba una cortadora de césped con una mano, mientras que, con la otra, remolcaba un carrito donde iba sentada su hijita, encantada con el ruidoso paseo por el patio. Quizá no haya sido la opción más segura, pero ¿quién dijo que los hombres no pueden hacer más de una cosa a la vez?

> **LECTURA:**
> **Romanos 8:12-17**
>
> *Padre de huérfanos y defensor de viudas es Dios en su santa morada* (Salmo 68:5).

Si tuviste un buen padre, una escena como esta evoca hermosos recuerdos. Pero, para muchos, «papá» es un concepto incompleto. ¿A quién acudimos si nuestro padre ya no está, si nos falla o, incluso, nos lastima?

Sin duda, el rey David no fue el padre perfecto, pero entendía la naturaleza paternal de Dios. Escribió: «Padre de huérfanos y defensor de viudas es Dios […]. Dios hace habitar en familia a los desamparados» (SALMO 68:5-6). El apóstol Pablo declaró: «Habéis recibido el espíritu de adopción». Después, utilizando la palabra en arameo para «papá», añadió: «por el cual clamamos: ¡*Abba*, Padre!» (ROMANOS 8:15, CURSIVA AÑADIDA). Es la misma palabra que Jesús, angustiado, usó en su oración al Padre la noche que lo traicionaron (MARCOS 14:36).

¡Qué privilegio es poder acercarnos a Dios con el mismo término íntimo para «padre» que usó Jesús! Nuestro *Abba* da la bienvenida a su familia a cualquiera que se acerque a Él. 🌿 TG

Padre celestial, gracias por poder ser parte de tu familia.

Un buen padre refleja el amor del Padre celestial.

¿Derrota o victoria?

Todos los años, el 18 de junio, se recuerda la gran Batalla de Waterloo en lo que ahora es Bélgica. Ese día, en 1815, el ejército francés de Napoleón fue vencido por la fuerza multinacional comandada por el duque de Wellington. Desde entonces, Waterloo se asocia muchas veces con la idea de sufrir una derrota a manos de alguien más fuerte o de un problema demasiado difícil.

LECTURA:
1 Juan 5:1-13

... esta es la victoria que ha vencido al mundo, nuestra fe (v. 4).

En la vida espiritual, algunos sienten que el fracaso es inevitable, y que es solo cuestión de tiempo hasta que cada uno «enfrente su Waterloo». Sin embargo, Juan refutó esta visión pesimista al escribir a los seguidores de Jesús: «Porque todo lo que es nacido de Dios vence al mundo; y esta es la victoria que ha vencido al mundo, nuestra fe» (1 JUAN 5:4).

En su primera carta, Juan entreteje el tema de la victoria espiritual, y nos anima a no amar lo que este mundo ofrece, que pronto se desvanecerá (2:15-17). En cambio, tenemos que amar y agradar a Dios, «y esta es la promesa que él nos hizo, la vida eterna» (2:25).

Sin duda, la vida tiene sus altibajos, y algunas batallas parecen terminar en derrota, pero la victoria final es nuestra en Cristo, si confiamos en su poder. 🌱   DCM

*Señor, permítenos vencer al mundo
a través de la fe y la obediencia en ti. ¡Tuya es la victoria!*

Atravesar los problemas con el Señor es la manera de resolverlos.

Lectura maratónica

Cuando salió el sol el primer día del séptimo mes en 444 a.C., Esdras empezó a leer la ley de Moisés (los cinco primeros libros de nuestra Biblia). De pie sobre una plataforma frente al pueblo en Jerusalén, la leyó entera y sin pausa durante seis horas.

En la entrada de la ciudad, conocida como la puerta de las Aguas, se habían reunido hombres, mujeres y niños a celebrar la fiesta de las trompetas: una de las festividades prescritas por Dios. Mientras escuchaban, fueron reaccionando de distintas maneras. Se pusieron de pie en reverencia por el libro de la Ley (NEHEMÍAS 8:5 LBLA). Alabaron a Dios levantando las manos y diciendo «Amén», y se inclinaron para adorar con humildad

> LECTURA:
> **Nehemías 8:1-8**
>
> *Y leían [...] la ley de Dios claramente, y ponían el sentido, de modo que entendiesen la lectura* (v. 8).

(v. 6). Después, escucharon con atención mientras les leían y explicaban las Escrituras (v. 8). ¡Fue un día maravilloso, cuando el libro que el Señor «había dado a Israel» (v. 1) se leyó en voz alta dentro de los nuevos muros de Jerusalén!

La maratónica lectura de Esdras nos recuerda que las palabras de Dios son una fuente de alabanza, adoración y enseñanza. Cuando abramos la Biblia y aprendamos más de Cristo, alabemos a Dios, adoremos su nombre y busquemos descubrir qué nos dice hoy. 🕊

JDB

Padre, *gracias por tu maravillosa Palabra, que nos permite aprender la historia de tu pueblo y recibir la buena noticia de tu amor.*

*El objetivo del estudio bíblico
no es solo aprender, sino poner en práctica.*

Un momento de *selah*

El rey David proclamó: «El Señor de los ejércitos, Él es el Rey de la gloria» (SALMO 24:10). La palabra *selah* se añadió posteriormente al final de este y muchos otros salmos. Algunos creen que hace referencia a un interludio musical porque, a menudo, se les ponía música a los salmos. Los eruditos bíblicos también sugieren otros posibles significados; entre ellos, «silencio», «pausa», «interrupción», «acentuación», «exaltación» o «fin».

> LECTURA:
> **Salmo 24:1-10**
>
> *Él es el Rey de la gloria. Selah* (v. 10).

La reflexión en estas palabras puede ayudarnos a tomar un «momento de *selah*», para hacer una pausa y adorar a Dios durante el día.

Estemos en *silencio* y escuchemos la voz de Dios (SALMO 46:10). Hagamos una *pausa* en nuestro agitado horario para darle refrigerio a nuestro espíritu (SALMO 42:1-2). *Interrumpamos* el día para hacer un inventario espiritual y pedir limpieza del alma (SALMO 51:1-10). *Acentuemos* el gozo de la provisión divina por medio de la acción de gracias (SALMO 65:9-13). *Exaltemos* el nombre de Dios por la respuesta a la oración en medio de nuestra desesperación (SALMO 40:1-3). Pongámosle *fin* al día meditando en la fidelidad del Señor (SALMO 119:148).

La reflexión de David en Dios incluía un momento de *selah*. Seguir su ejemplo nos ayudará a adorar a Dios a lo largo de todo el día. 🌾

HDF

Señor, ayúdame a hacer silencio y buscar tu rostro.

No hay día completo sin adoración.

Aprender a amar

El amor logra muchas cosas buenas, pero también nos hace vulnerables. De vez en cuando, quizá nos preguntemos: «¿Para qué amar si los demás no lo valoran?», o «¿para qué amar y exponerme a que me lastimen?». Sin embargo, el apóstol Pablo nos da una razón clara y sencilla para hacerlo: «Y ahora permanecen la fe, la esperanza y el amor, estos tres; pero el mayor de ellos es el amor. Seguid el amor» (1 CORINTIOS 13:13; 14:1).

> LECTURA:
> **1 Corintios 13**
>
> *Seguid el amor...*
> (1 Corintios 14:1).

«El amor es una actividad, la actividad esencial del mismo Dios —escribe el comentarista bíblico C. K. Barrett—, y, cuando los hombres aman a Dios o a los demás, hacen (aunque de manera imperfecta) lo que Dios hace».

Para seguir el camino del amor, piensa cómo puedes poner en práctica 1 Corintios 13:4-7. Por ejemplo, ¿cómo puedo mostrarle a mi hijo la misma paciencia que Dios tiene conmigo? ¿Cómo puedo mostrar bondad y respeto a mis padres? ¿Qué significa buscar lo mejor para los demás en el trabajo? Cuando algo bueno le sucede a un amigo, ¿me gozo con él o siento envidia?

Para amar, tenemos que volver constantemente a Dios, su fuente, y a Jesús, el mayor ejemplo de amor. Solo entonces, entenderemos plenamente el amor verdadero, y encontraremos la fuerza para amar a los demás como Dios nos ama. ✒ *PFC*

Señor, *ayúdame a amar como tú me amas.*

«... *el amor es de Dios. Todo aquel que ama, es nacido de Dios, y conoce a Dios*». 1 JUAN 4:7

Un lugar remoto

La isla Tristán de Acuña es famosa por ser una de las más aisladas y remotas del mundo, habitada por solo 288 personas. Está ubicada en el Océano Atlántico Sur, a 2.800 kilómetros de Sudáfrica... el país más cercano a ella. Todo el que quiere visitarla tiene que viajar en barco siete días, ya que no tiene pista de aterrizaje.

Jesús y sus seguidores estaban en un lugar remoto cuando el Señor multiplicó milagrosamente la comida para miles de personas hambrientas. Antes del milagro, les dijo a sus discípulos: «ya hace tres días que [estas personas] están conmigo, y no tienen qué comer; y si los enviare en ayunas a sus casas, se desmayarán en el camino» (MARCOS 8:2-3). Como estaban en el campo, donde no se conseguía alimento fácilmente, tenían que depender de Jesús. No había nadie más a quién acudir.

> **LECTURA:**
> **Marcos 8:1-13**
>
> *Mi Dios, pues, suplirá todo lo que os falta conforme a sus riquezas en gloria en Cristo Jesús* (Filipenses 4:19).

A veces, Dios permite que terminemos en lugares desolados, donde Él es nuestra única fuente de ayuda. Su capacidad para proveer no está ligada a las circunstancias. Si creó el mundo entero de la nada, puede indudablemente satisfacer nuestras necesidades, cualesquiera que sean nuestras circunstancias, conforme a sus riquezas en gloria en Cristo Jesús (FILIPENSES 4:19). 🌿 *JBS*

Señor, te entrego mis necesidades.
Gracias porque siempre puedo confiar en tu provisión.

Podemos confiar en que Dios
hará lo que nosotros no somos capaces de hacer.

Servir a Cristo

«**S**oy secretaria —me dijo una amiga—. Cuando les digo esto a los demás, algunos me miran con lástima. Pero, cuando descubren quién es mi jefe, ¡abren los ojos con admiración!». En otras palabras, a veces, la sociedad define algunos trabajos como inferiores, a menos que estén relacionados con personas ricas o famosas.

Sin embargo, los hijos de Dios pueden estar orgullosos de su trabajo, sea cual sea su jefe terrenal, porque sirven al Señor Jesús.

En Efesios 6, Pablo les habla a los siervos y a los amos. Les recuerda que servimos a un Amo en el cielo y que tenemos que hacer todo con sinceridad, integridad y respeto, porque servimos a Cristo y trabajamos para Él. El apóstol nos recuerda: «[sirvan] de buena voluntad, como al Señor y no a los hombres» (EFESIOS 6:7).

> **LECTURA:**
> Efesios 6:5-9
>
> *... obedeced a vuestros amos terrenales [...] como siervos de Cristo, de corazón haciendo la voluntad de Dios* (v. 6).

Qué privilegio es servir a Dios en todo lo que hacemos; ya sea que atendamos el teléfono, conduzcamos un vehículo, hagamos tareas de la casa o estemos al frente de una empresa. Trabajemos hoy con una sonrisa, recordando que, sin importar lo que nos toque hacer, servimos a Dios. 🌿 *KO*

*Señor Jesús, en lo que me toque hacer hoy,
quiero servirte de todo corazón.*

El servicio demuestra nuestro amor a Dios.

Su amorosa presencia

Cuando nos enteramos de que a una amiga le habían diagnosticado cáncer, quedamos destrozados. Ella era una persona vivaz que había bendecido a todos los que se cruzaban en su camino. Mi esposa y yo nos gozamos cuando empezó a recuperarse, pero, a los pocos meses, el cáncer volvió para vengarse. Era demasiado joven para morir...

LECTURA:
Hebreos 13:1-6

... No te desampararé, ni te dejaré (v. 5).

Su esposo me contó cómo fueron sus últimas horas. Cuando ya estaba demasiado débil y casi no podía hablar, ella le susurró: «Solo quédate conmigo». Lo que más quería en esos momentos oscuros era su amorosa presencia.

El escritor de Hebreos consoló a sus lectores citando Deuteronomio 31:6, donde Dios le dijo a su pueblo: «No te desampararé, ni te dejaré» (HEBREOS 13:5). En los momentos más oscuros de la vida, la seguridad de la amorosa presencia del Señor nos garantiza que no estamos solos. Él nos da la gracia para resistir, la sabiduría para saber que está obrando, y la confianza de que Cristo puede «compadecerse de nuestras debilidades» (4:15).

Abracemos juntos la bendición de la amorosa presencia de Dios, para poder decir con confianza: «El Señor es mi ayudador; no temeré» (13:6). 🌿 *JMS*

Señor, gracias por prometerme que jamás me dejarás.
Quiero descansar en tu presencia.

En la presencia de Dios hay paz.

Lugar firme

El **histórico** paseo ribereño de Savannah, Georgia, en Estados Unidos, está pavimentado con adoquines desiguales. Los lugareños dicen que, hace siglos, estas piedras proporcionaban lastre para los barcos al cruzar el Océano Atlántico. Cuando se subía un cargamento en Georgia, ya no se necesitaban las piedras; entonces, se usaban para pavimentar las calles cercanas al muelle. Esas piedras ya habían cumplido su tarea principal: estabilizar el barco en aguas peligrosas.

> **LECTURA:**
> **Salmo 40:1-5**
>
> *... Puso mis pies sobre peña, y enderezó mis pasos* (v. 2).

Al igual que los antiguos barcos, nosotros necesitamos estabilidad para navegar a través de las tormentas de la vida. David también enfrentó peligros, y alabó a Dios por darle estabilidad después de la desesperación. Declaró: «me hizo sacar del pozo de la desesperación, del lodo cenagoso; puso mis pies sobre peña, y enderezó mis pasos» (SALMO 40:2). Había sufrido conflictos, fracaso personal y discordia familiar, pero Dios le dio un lugar donde estar firme. Por eso, David cantó «cántico nuevo, alabanza a nuestro Dios» (v. 3).

En tiempos difíciles, podemos buscar a nuestro Dios poderoso y hallar la estabilidad que tanto necesitamos. Su cuidado fiel nos inspira a proclamar juntamente con David: «Has aumentado, oh Señor Dios mío, tus maravillas; y tus pensamientos para con nosotros» (v. 5). 🌿 *WEC*

Señor, tú eres mi roca firme.

**Cuando el mundo que nos rodea se desmorona,
Cristo es la Roca estable donde podemos estar firmes.**

Sinceridad pasmosa

Cuando el pastor le pidió a uno de los ancianos que guiara a la congregación en oración, el hombre dejó a todos pasmados al contestar: «Lo siento, pastor, pero estuve discutiendo con mi esposa camino a la iglesia y no estoy en condiciones de orar». Los segundos siguientes fueron *incómodos*. El pastor oró y la reunión continuó. Más tarde, el pastor se prometió no volver a pedirle a alguien que orara en público sin primero consultarle en privado.

LECTURA:
1 Pedro 3:7-12

... vivid con ellas sabiamente [...] para que vuestras oraciones no tengan estorbo (v. 7).

Ese hombre demostró una sinceridad asombrosa en un lugar donde la hipocresía habría sido más fácil. Pero encontramos una lección mayor sobre la oración en esta historia. Si no respeto y honro a mi esposa, una hija amada de Dios, ¿cómo puedo esperar que el Padre celestial escuche mis oraciones?

El apóstol Pedro instruyó a los esposos a tratar a sus esposas con respeto y como coherederas en Cristo, y agregó: «para que vuestras oraciones no tengan estorbo» (1 PEDRO 3:7). El principio subyacente es que nuestras relaciones interpersonales afectan nuestra vida de oración.

¿Qué sucedería si cambiáramos las sonrisas dominicales y la fachada de religiosidad por una sinceridad refrescante con nuestros hermanos en Cristo? ¿Qué podría hacer Dios a través de nosotros si oramos y aprendemos a amar a los demás como a nosotros mismos? ❧

TG

Señor, *enséñame a amar y respetar a los demás.*

La oración es simplemente una conversación sincera con Dios.

No deslizarse

Al final de un semestre escolar, mi esposa y yo fuimos a buscar a nuestra hija a la escuela, que se encontraba a 100 kilómetros. A la vuelta, nos desviamos para comer algo en un restaurante sobre la playa, desde donde observamos los barcos en la costa. En general, están anclados para evitar que se vayan a la deriva, pero noté que uno estaba libre y que, lentamente, se deslizaba hacia el medio del mar.

Camino a casa, reflexioné sobre la advertencia a los creyentes en el libro de Hebreos: «Por tanto, es necesario que con más diligencia atendamos a las cosas que hemos oído, no sea que nos deslicemos» (HEBREOS 2:1). Tenemos una buena razón para mantenernos cerca. El autor explica que, aunque la ley mosaica era confiable y requería obediencia, el mensaje del Hijo de Dios es superior. Nuestra salvación es «tan grande» en Jesús que no deberíamos descuidarla (v. 3).

> **LECTURA:**
> **Hebreos 2:1-4**
>
> *... es necesario que con más diligencia atendamos a las cosas que hemos oído, no sea que nos deslicemos* (v. 1).

Al principio, no notamos que estamos deslizándonos en nuestra relación con Dios, porque sucede de manera gradual. Sin embargo, pasar tiempo con el Señor, orando y leyendo su Palabra, confesarle nuestros pecados e interactuar con otros creyentes puede ayudarnos a permanecer anclados en Él. Si permanecemos en comunión con Dios, Él nos sustentará y evitará que nos deslicemos. 🌿   LD

Señor, ayúdame a permanecer cerca de ti para no deslizarme.

**Para no alejarte de Dios,
permanece anclado a la Roca.**

Dejar atrás el pasado

Chris Baker es un artista que transforma símbolos de dolor y esclavitud en obras de arte. Muchos de sus clientes eran integrantes de pandillas y víctimas de tráfico humano, que fueron marcados con símbolos y códigos de identificación. A través de un tatuaje, Chris transforma esas marcas en obras de arte.

Jesús hace en el alma lo que Chris Baker hace en la piel: nos toma tal cual somos y nos transforma. La Biblia declara: «si alguno está en Cristo, nueva criatura es; las cosas viejas pasaron; he aquí todas son hechas nuevas» (2 CORINTIOS 5:17). Antes

> LECTURA:
> **2 Corintios 5:12-21**
>
> *... si alguno está en Cristo, nueva criatura es...* (v. 17).

de conocer a Jesús, nos dejamos llevar por nuestros deseos. Cuando nos arrepentimos y empezamos a caminar con Cristo, las pasiones y los pecados que dominaban nuestra vida quedan atrás (1 CORINTIOS 6:9-11) y se desvanecen a medida que somos transformados. «Y todo esto proviene de Dios, quien nos reconcilió consigo mismo por Cristo» (2 CORINTIOS 5:18).

De todos modos, la vida como una «nueva criatura» no siempre es fácil. Puede llevar tiempo deshacer viejos hábitos y romper con ideas que eran fundamentales para nuestra vieja vida. Pero, con el tiempo, el Espíritu obra en nosotros, nos fortalece y nos ayuda a entender el amor de Cristo. Como hermosas nuevas criaturas de Dios, tenemos la libertad de dejar atrás el pasado. 🌐 *JBS*

***Señor**, tu perdón me transforma.*

Para disfrutar el futuro, acepta que Dios perdone tu pasado.

La canción de Dios

Un organista de la iglesia practicaba una pieza de Mendelssohn y no estaba tocando muy bien. Frustrado, tomó la partitura y se dispuso a marcharse, pero no había notado que un extraño se había sentado en un banco.

Cuando se iba, el extraño se acercó y le preguntó si podía tocar la pieza. El organista respondió enojado: «Nunca dejo que nadie toque este órgano». Finalmente, después de otras dos peticiones amables, el músico gruñón accedió.

El extraño se sentó y llenó el santuario de una música hermosa e impecable. Cuando terminó, el organista preguntó: «¿Quién es usted?». El hombre contestó: «Soy Felix Mendelssohn». Aquel organista casi impide que el propio creador de la pieza tocara su música.

> **LECTURA:**
> **Efesios 2:1-10**
>
> *... creados en Cristo Jesús para buenas obras, [...] para que anduviésemos en ellas* (v. 10).

A veces, nosotros también tratamos de tocar los acordes de nuestra vida e impedimos que nuestro Creador ejecute una música hermosa. Como el obstinado organista, nos rehusamos a quitar las manos del teclado. Como pueblo de Dios, somos «creados en Cristo Jesús para buenas obras, las cuales Dios preparó de antemano» (EFESIOS 2:10). No obstante, nuestra vida no producirá una música hermosa a menos que lo dejemos obrar a través de nosotros.

Dios tiene una sinfonía escrita para cada persona. Dejemos que haga su voluntad en nosotros. 🕮   DCE

Señor, toma mi vida y conviértela en música para tu gloria.

La capacidad de Dios no está limitada por nuestra incapacidad.

Llamados por nombre

Cuando me encuentro por primera vez con los alumnos de una clase de composición que enseño en la universidad, ya conozco sus nombres. Me tomo tiempo para familiarizarme con sus nombres y sus fotografías de mi planilla, para que, cuando entren, pueda decirles: «Hola, Ana», o «bienvenido, Tomás». Lo hago porque sé que a todos nos gusta que nos llamen por nuestro nombre.

LECTURA:
Juan 10:1-11

... a sus ovejas llama por nombre... (v. 3).

Sin embargo, para conocer de verdad a alguien, necesitamos saber más que el nombre. En Juan 10, podemos percibir la calidez y el interés de Jesús, el buen Pastor, al leer que «a sus ovejas llama por nombre» (v. 3). El Señor sabe más que cómo nos llamamos; conoce nuestros pensamientos, anhelos, temores, errores y necesidades más profundas. Además, nos dio la vida —la vida eterna— entregando la suya. Como afirma el versículo 11, «el buen pastor su vida da por las ovejas».

Dado que nuestros pecados nos separan de Dios, Jesús, el buen Pastor, se transformó en Cordero y se sacrificó para cargar con ellos y ofrecernos el perdón. Cuando entregó su vida por nosotros y resucitó, nos redimió. Por eso, cuando aceptamos su regalo de salvación por medio de la fe, ya no estamos separados de Dios.

¡Dale gracias a Jesús! ¡Él conoce tu nombre y tus necesidades! 🌱

JDB

Señor, *gracias por conocerme y saber exactamente lo que necesito.*

Dios nos conoce de una manera que no tiene límites.

Dios se mueve a través de la oración

Dios ha elegido moverse a través de nuestras oraciones para hacer grandes cosas que no sucederían de ninguna otra manera. Cuando buscamos la presencia de Dios, Él nos da luz para el camino que tenemos por delante y nos revela sus propósitos.

A mucha gente, le cuesta pasar tiempo en oración porque cree que Dios quiere que haga algo. Sin embargo, la Escritura nos muestra muchas veces que orar es hacer algo. Nos cuesta entenderlo porque estamos condicionados a equiparar el quedarnos sentados (en este caso, quietos ante Dios) con la pereza y la inactividad. Entonces, ¿cuándo oras, y cuándo haces algo sobre aquello por lo que estás orando?

¿Orar o hacer?

Nuestra familia luchó con esa pregunta de una manera desgarradora. Aunque nuestra hija había recibido a Jesús de pequeña, con la adolescencia, se cernieron nubes de rebelión y problemas sobre nuestra casa. Con el tiempo, y a pesar de nuestros mejores esfuerzos, el mundo y la influencia de los amigos sin su misma fe hicieron estragos. La distancia entre nosotros y la hija que tanto amábamos se hizo tan grande que, un día, ella simplemente se fue.

La urgencia en la voz de mi esposa se abrió paso por la línea telefónica y me tomó de la garganta. «Se fue —me dijo, tratando de contener las lágrimas—. Katie se fue».

«¿Qué quieres decir con que se fue? —pregunté— ¿Qué sucedió? ¿Dónde se fue?».

Lo que siguió fue la peor pesadilla de todo padre. Día tras día, noche tras noche, Katie estaba en las calles de nuestra ciudad, un sitio conocido por sus crímenes violentos y el abuso de drogas. Dimos vuelta la ciudad buscándola. Notificamos a la policía y la oficina del alguacil, alertamos a los padres y los amigos, presentamos informes y la foto con el nombre de Katie circuló por las agencias policiales de todo el estado y el país. Miembros de nuestra iglesia se unieron a nosotros en la búsqueda, colocando el nombre de Katie en las cadenas de oración. Hasta altas horas de la noche y temprano por la mañana, íbamos en pos de cualquier pista que podíamos encontrar.

Las noches sin dormir y las largas horas de preocupación hicieron mella. Los días se transformaron en semanas. Como cualquier madre apasionada, a Cari la consumía de tal manera la necesidad de encontrar a su hija que estaba cerca de tocar fondo. Un día, me llamó desde el apartamento de un traficante de drogas armado, donde había ido sola, intentando descubrir lo que pudiera sobre Katie. Los minutos que pasé en el auto mientras trataba de abrirme paso por el tráfico fueron los más largos de mi vida.

> La Escritura nos muestra muchas veces que orar es hacer algo. Sin embargo [...] estamos condicionados a equiparar el quedarnos quietos ante Dios con la pereza y la inactividad.

Después de eso, le dije a Cari que necesitábamos calmarnos y pasar más tiempo en oración. Su respuesta fue: «Mientras busco, estoy orando». Pero algo no andaba bien. No importaba cuánto buscáramos o con qué intensidad oráramos mientras buscábamos, todo parecía un callejón sin salida.

En ese momento, habían pasado más de tres semanas desde que Katie se había ido. Una noche, uno de los amigos de nuestro hijo que estaba ayudando a buscarla la vio en una tienda. Estaba con una chica que hacía meses que se había escapado de su casa y con un joven que acababa de salir de la cárcel. El empleado de la tienda nos dijo que habían preguntado sobre pasajes de ómnibus para salir del estado.

Durante las 24 horas siguientes, casi ni dormimos. Envié folletos a todas las terminales de autobuses de la zona. Fui a sentarme a la salida de la estación, mirando y esperando. Hicimos todo lo que se nos ocurrió. Recién entonces, empezamos a darnos cuenta de que era demasiado, mucho más de lo que cualquiera puede soportar solo.

Por fin, nos dimos cuenta de la verdad. Solo Dios sabía exactamente dónde estaba Katie, y Él podía ayudarnos a encontrarla mucho mejor que cualquier otra persona.

Al final, eso fue lo que sucedió. El domingo siguiente, por más difícil que fuera, dimos un paso atrás en nuestra búsqueda desesperada. Era el Día del Padre. Esa tarde, pasamos tiempo con nuestro hijo y nos esforzamos por orar juntos por Katie. A la noche, llevé a Cari a cenar a una ciudad cercana. Sabíamos que habían visto a Katie allí, y pensamos que quizá podríamos encontrarnos con ella. Pero, cuando llegamos, descubrimos que los restaurantes ya habían cerrado. Así que emprendimos el camino de regreso.

Entonces, sonó el teléfono. Era un mozo de un comedor que frecuentábamos, a solo dos cuadras de distancia. Katie estaba allí. Dios nos había guiado directamente donde ella estaba. En dos minutos, estábamos frente a ella. Con mucho amor y esfuerzo, Katie emprendió el camino a la recuperación en casa. Y Cari y yo descubrimos la diferencia que puede marcar la oración.

Caminar al paso de Dios

Nuestro tiempo en el crisol nos enseñó una lección de vida. La oración debe preceder a la acción. Debemos aprender cómo caminar al paso de Dios si verdaderamente deseamos escuchar su voz y discernir su voluntad para nuestra vida.

Caminar al paso de Dios no excluye la acción. Actuamos según lo que Dios nos revela y no vamos más allá. Oramos y esperamos; luego, actuamos. Esto casi nunca es fácil; en especial, en medio de una crisis, cuando sentimos que tenemos que hacer algo, pero aprendemos a ser sensibles al Espíritu y a movernos según la guía de Dios. Actuamos según lo que Dios nos revela y no vamos más allá. Después, volvemos a esperar. Este ritmo de oración, espera y acción trae un nuevo plano de eficacia a nuestra vida, porque vamos al paso del Espíritu Santo (GÁLATAS 5:22-25).

Orar ES acción

Nehemías proporciona un excelente ejemplo del ritmo de la oración y la acción en un tiempo difícil. Mientras estaba exiliado con el pueblo judío en Babilonia, Nehemías se enteró de que el muro de Jerusalén estaba en ruinas. Su respuesta inmediata fue ayunar y orar (NEHEMÍAS 1:4). Entonces, Dios lo guió mediante el interés personal y la respuesta del rey persa Artajerjes.

Mientras tanto, Nehemías siguió orando (2:1-6). Cuando empezó la reconstrucción en Jerusalén, enfrentó oposición de los enemigos de Israel. De inmediato, reunió a los exiliados que habían regresado con él. ¿Qué quería que hicieran juntos? Orar (4:8-9). Entonces, Dios los dirigió a dividir al pueblo entre aquellos que trabajarían en el muro y los que protegerían a los obreros (4:16).

Ahí está el ritmo otra vez: Orar. Esperar. Actuar.

La acción sigue a la oración.

La oración descubre qué acción tomar.

La oración y la acción nunca deberían ser mutuamente excluyentes. Sin embargo, en medio de la vorágine que nos rodea, solemos vivir de esa manera y terminamos desconectados de nuestra verdadera fuente de dirección y ritmo.

La oración como prioridad

La oración no solo debería preceder a la acción, sino que es una acción de la clase más importante, porque le da a Dios la prioridad que merece. La oración debe impregnar nuestras acciones al ser una parte continua de ellas, a medida que vivimos conscientemente en la presencia de Dios. Nos distraemos fácilmente y tenemos que luchar para mantener esta perspectiva de forma constante. No es solo cuestión de «hacer tiempo» para Dios; es darnos cuenta de que todo nuestro tiempo está en sus manos, y continuamos ante Él dondequiera que estemos y sea lo que sea que hagamos. Esto es lo que implica vivir día a día en relación con Él, y comprender esto nos ayuda a orar cada vez más «sin cesar» (1 TESALONICENSES 5:17).

Aprender a priorizar la oración sobre todo lo demás lleva tiempo. Casi nunca sucede de inmediato, porque estamos inmersos en la autosuficiencia. Es necesario que desaprendamos viejos hábitos y patrones de pensamiento. Al principio del avivamiento galés, Evan Roberts oró con verdadera angustia: «¡Oh, Señor, doblégame!». Roberts era herrero, y sus palabras pintan una imagen de lo que sucede cuando se forja el metal en un yunque. Darle más tiempo a la oración puede parecerse a esto. Dios trabaja con nuestra voluntad y nos doblega para dirigirnos en otra dirección. Pero, poco a poco, encontramos en su presencia un nuevo lugar de paz y fortaleza.

> Dios desea que seamos personas que oren y actúen: que podamos orar primero y luego actuar en respuesta a su guía.

Dios desea que seamos personas que oren y actúen: que podamos orar primero y, luego, actuar en respuesta a su guía. Todos estamos en diversos grados de alcanzar este equilibrio. A veces, nos decimos: «No soy una persona que ore demasiado». Pero, como Jesús era una persona de oración, tú y yo tenemos que parecernos cada vez más a Él. Como Dios nos ama, tarde o temprano, nos llevará a estar de rodillas.

La oración y la acción son dos lados de la misma moneda en la fe madura y parecida a la de Cristo. No se puede tener una sin la otra. La acción sin oración, incluso si se hace para Dios, suele errar al blanco.

Una misionera en India, a principios del siglo XX, descubrió este equilibrio de una manera hermosa. Se sentía frustrada por la falta de resultados en su obra. Entonces, decidió que, en lugar de pedirle a Dios que bendijera lo que ya estaba haciendo, transformaría la oración en una nueva prioridad en su ministerio. Al principio, no fue fácil, porque continuamente pensaba en todo lo que «debía» estar haciendo mientras empezaba cada mañana de rodillas. A menudo, se sentía culpable, como si no estuviera trabajando lo suficiente. Pero, pronto, descubrió que su oración era trabajo. Requería un esfuerzo especial, de una manera que nunca antes había comprendido.

Quedó maravillada ante la transformación que vino a continuación. Le escribió a una amiga: «Ahora, cada área de la obra está más próspera que nunca antes. Ya no hay tensión ni presión en mi vida. El gozo de sentir que mi vida está equilibrada —la vida de comunión por un lado y la de trabajo por el otro— me trae constante descanso y paz. No podría volver a vivir como antes, y Dios quiera que siempre me resulte imposible».

Esta es la obra que cambia el mundo. La oración es el vehículo que Dios utiliza para llevarnos a nuevos lugares de gracia. Cuando oramos, nos corremos voluntariamente del asiento del conductor. Pero nuestro Padre nos acerca a Él y nos susurra su voluntad.

Él nos dirigirá en la dirección que tenemos que ir. 🌱

EXTRAÍDO Y ADAPTADO DE PRAYING TOGETHER: KINDLING PASSION FOR PRAYER
[ORAR JUNTOS: CÓMO AVIVAR LA PASIÓN POR LA ORACIÓN]
©*2009, 2016 DE JAMES BANKS. USADO CON PERMISO DE DISCOVERY HOUSE.*

Dejar helado

Desesperada, una mujer llamó al centro de asistencia al hogar, donde yo trabajaba. Un problema con la calefacción había convertido la casa que alquilaba en un congelador con muebles. Me preguntó aterrorizada qué hacer para proteger a sus hijos. Sin pensar, repetí automáticamente la respuesta establecida: «Múdense a un hotel y envíele la cuenta al dueño de la casa». Enojada, colgó el teléfono.

LECTURA:
Job 11:7-20

Con Dios está la sabiduría y el poder; suyo es el consejo y la inteligencia (Job 12:13).

Yo sabía la respuesta del manual, pero no consideré los sentimientos de la mujer. Ella quería que alguien comprendiera su miedo y desesperación. Necesitaba saber que no estaba sola. En realidad, la dejé helada...

Cuando Job perdió todo, tuvo amigos con respuestas, pero sin comprensión. Zofar le dijo que la única solución era que viviera de todo corazón para Dios; así, «la vida [le sería] más clara que el mediodía» (11:17). A Job no le gustó el consejo, y respondió con un cruel sarcasmo: «con vosotros morirá la sabiduría» (12:2). Conocía la insatisfacción que dejaban las respuestas de manual a los problemas del mundo real.

Es fácil criticar a los amigos de Job por su visión tan reducida. Pero, a veces, ¿no contestamos nosotros apresuradamente sobre cosas que no entendemos? Sin duda, las personas quieren respuestas, pero, más que eso, desean saber que las escuchamos y las comprendemos. ❧

TG

Señor, *que tu Espíritu guíe mis respuestas.*

**Para que las personas te escuchen,
tienen que ver que te importan.**

Sentarse un rato

Cuando yo era niño, todos los meses salíamos en una excursión familiar para visitar a mis abuelos maternos. Cuando llegábamos a la puerta de la granja, la abuela siempre nos saludaba diciendo: «Pasen y siéntense un rato». Era su forma de decirnos que nos pusiéramos cómodos y charláramos para «ponernos al día».

La vida puede volverse muy ajetreada. En nuestro mundo orientado hacia la acción, no es fácil llegar a conocer bien a la gente. Resulta difícil encontrar tiempo para pedirle a alguien que «se siente un rato». Podemos hacer más cosas si nos escribimos un mensaje y vamos directo al asunto.

> **LECTURA:**
> **Lucas 19:1-9**
>
> *... Zaqueo, date prisa, desciende, porque hoy es necesario que pose yo en tu casa* (v. 5).

Sin embargo, observa lo que hizo Jesús cuando quiso marcar una diferencia en la vida de Zaqueo, un recaudador de impuestos: fue a su casa y *se sentó un rato*. Sus palabras, «es necesario que pose yo en tu casa», indican que no fue una parada breve (LUCAS 19:5). Jesús pasó tiempo con él, y la vida de Zaqueo dio un vuelco.

En el porche delantero de la casa de mi abuela había varias sillas; una cálida invitación a todas las visitas a relajarse y conversar. Si deseamos conocer a alguien y marcar una diferencia en su vida —como lo hizo Jesús con Zaqueo—, tenemos que invitar a esa persona a «pasar y sentarse un rato». 🌸 *JDB*

***Señor,** ayúdame a reservar tiempo para estar con otros y marcar una diferencia en ellos.*

El mejor regalo que puedes darles a los demás es tu tiempo.

Esperar en Dios

Mientras iba en un autobús del aeropuerto, unos pasajeros le dijeron al conductor que se detuviera. Parecía que no llegaríamos a tiempo para el otro vuelo, y esto sacó de quicio a uno de los pasajeros. Explotó contra el chofer, insistiendo en que ignorara la orden o lo demandaría. Justo en ese momento, un empleado llegó a toda velocidad, con un maletín. Miró al hombre enojado y, con actitud triunfante, se lo mostró. Tras recuperar el aliento, dijo: «Olvidó su maletín. Escuché que tenía una reunión muy importante, y supuse que lo iba a necesitar».

> **LECTURA:**
> **2 Pedro 3:8-15**
>
> *El Señor [...] es paciente para con nosotros, no queriendo que ninguno perezca, sino que todos procedan al arrepentimiento* (v. 9).

A veces, me impaciento con Dios; en especial, respecto a su retorno. Me pregunto: *¿Qué está esperando?* Las tragedias que nos rodean, el sufrimiento de seres queridos e, incluso, las tensiones de la vida diaria parecen mayores que las soluciones que se vislumbran en el horizonte.

Entonces, alguien relata su historia de cómo conoció a Jesús, o yo mismo descubro que Dios sigue obrando en medio de los desastres. Eso me recuerda lo que aprendí aquel día en el autobús. Dios conoce historias y detalles que yo ignoro, y me trae a la mente que hay otras personas aparte de mí y que debo confiar en Él. Todo se trata del plan de Dios para dar tiempo a que otros conozcan a su Hijo (2 PEDRO 3:9). ✿ *RKK*

Señor, ayúdame a ser paciente, como lo eres tú.

Espera y testifica hasta que Jesús vuelva.

Únete al clamor

En mi país, un grupo de mujeres se reúne todos los meses para orar por Ghana y otras naciones africanas. Cuando les preguntaron por qué oran con tanta constancia, su líder señaló: «Miren, escuchen y vean las noticias. Guerras, tragedias, enfermedades y violencia amenazan con ocultar el amor de Dios hacia la humanidad y sus bendiciones para con nosotros. Tenemos la certeza de que Él interviene en los asuntos de las naciones; por eso, lo alabamos por sus bendiciones y clamamos para que intervenga».

La Biblia revela que Dios en verdad interviene en los asuntos de las naciones (2 CRÓNICAS 7:14) y que utiliza a personas comunes y corrientes para hacerlo. Quizá no se nos asigne una gran tarea, pero, por medio de la oración, podemos ayudar a lograr la paz y la justicia que exaltan a una nación (PROVERBIOS 14:34). El apóstol Pablo escribió: «Exhorto ante todo, a que se hagan rogativas, oraciones, peticiones y acciones de gracias, por todos los hombres; por los reyes y por todos los que están en eminencia, para que vivamos quieta y reposadamente en toda piedad y honestidad» (1 TIMOTEO 2:1-2).

Tal como el salmista exhortó a los israelitas a orar por la paz de Jerusalén (SALMO 122:6), oremos también nosotros por la paz de nuestras naciones. 🌿

LD

> LECTURA:
> **Salmo 122:6-9**
>
> *Exhorto [...] a que se hagan rogativas, oraciones, peticiones y acciones de gracias, por todos los hombres* (1 Timoteo 2:1).

Señor, te pedimos que intervengas para que vivamos en paz.

Orar por las autoridades es un deber y un privilegio.

Ponerse al lado

Los 30 compañeros de quinto grado y sus padres miraban mientras Mi'Asya caminaba nerviosa hacia la plataforma para hablar en la ceremonia de graduación. Cuando el director acomodó el micrófono a la altura de la niña, ella se puso de espaldas a la audiencia. La multitud susurraba palabras de ánimo: «Vamos, querida, puedes hacerlo». Pero Mi'Asya no se movió. Entonces, una compañera pasó al frente y se paró junto a ella. Con el director de un lado y su amiga del otro, los tres leyeron juntos el discurso. ¡Qué hermoso ejemplo de respaldo!

> **LECTURA:**
> **Éxodo 17:8-16**
>
> *... Aarón y Hur sostenían [las] manos [de Moisés], el uno de un lado y el otro de otro...* (v. 12).

Moisés necesitó ayuda y respaldo durante una batalla contra los amalecitas (ÉXODO 17:10-16): «Y sucedía que cuando alzaba Moisés su mano, Israel prevalecía; mas cuando él bajaba su mano, prevalecía Amalec» (v. 11). Cuando Aarón y Hur vieron lo que sucedía, se pararon al lado de Moisés, «el uno de un lado y el otro de otro», y le sostenían las manos cuando se cansaba. Con el respaldo de ellos, al amanecer llegó la victoria.

Todos necesitamos respaldarnos mutuamente. Como miembros de la familia de Dios, tenemos innumerables oportunidades de animarnos unos a otros en nuestro andar de fe. Además, Dios está en medio de nosotros concediéndonos su gracia para hacerlo. 🌿

AMC

*¿A quién puedes ayudar hoy? Si necesitaras ayuda,
¿a quién podrías pedírsela?*

Una chispa de ánimo puede encender la esperanza.

Fortalecer el corazón

El mes pasado, el gimnasio del vecindario donde hice ejercicios físicos durante años cerró, y tuve que inscribirme en otro. El anterior era un lugar cálido y amigable, frecuentado por personas a quienes les gustaba interactuar socialmente mientras hacían ejercicio. Casi nunca sudábamos... En cambio, el nuevo es un establecimiento estricto, lleno de hombres y mujeres que están seriamente dedicados a desarrollar cuerpos musculosos. Cuando miro a estas personas que se esfuerzan tanto, las veo fornidas, pero me pregunto si la gracia está fortaleciendo sus corazones.

> **LECTURA:**
> **1 Timoteo 4:6-11**
>
> *... buena cosa es afirmar el corazón con la gracia...*
> (Hebreos 13:9).

El corazón es un músculo; el que mantiene funcionando todos los otros. Es bueno ejercitar y tonificar todos los músculos, pero lo esencial es hacer todo lo necesario para mantener fuerte el corazón.

Lo mismo se aplica al corazón espiritual. Lo fortalecemos y tonificamos con la Palabra de verdad, recibiendo su mensaje de la bondad y la gracia de Dios. Mantenerlo fuerte y en forma debe ser nuestra mayor prioridad.

Pablo estaba de acuerdo con esto, ya que afirmó: «Ejercítate para la piedad; porque el ejercicio corporal para poco es provechoso, pero la piedad para todo aprovecha, pues tiene promesa de esta vida presente, y de la venidera» (1 TIMOTEO 4:7-8). 🌿   *JDB*

*Señor, ayúdame a fortalecerme
diariamente por medio del Espíritu.*

El propósito del entrenamiento divino es fortalecer nuestra fe.

Recordatorios importantes

El antropólogo Anthony Graesch afirma que el exterior de un refrigerador revela qué es importante para las personas. Durante una investigación que realizó con sus colegas, determinó que allí se colocaban un promedio de 52 cosas: horarios escolares, fotos familiares, dibujos de los hijos e imanes. Graesch denomina al refrigerador «un depósito de recuerdos familiares».

LECTURA:
Deuteronomio 6:1-12

Y estas palabras que yo te mando hoy, estarán sobre tu corazón (v. 6).

El Señor puede usar un elemento tangible como una foto, un *souvenir* o un versículo bíblico para que recordemos su fidelidad y el llamado a obedecer su Palabra. Cuando Moisés les habló a los israelitas justo antes de que entraran en Canaán, los instó a cumplir todos los mandamientos que Dios les había dado: «las repetirás a tus hijos, y hablarás de ellas estando en tu casa, y andando por el camino [...]. Y las escribirás en los postes de tu casa, y en tus puertas» (DEUTERONOMIO 6:7-9).

Darle a la Palabra de Dios un lugar visible y de honor en sus casas y vidas era un recordatorio diario y poderoso de cuidarse de no olvidar al Señor, quien los había sacado «de la tierra de Egipto, de casa de servidumbre» (v. 12)

El Señor nos desafía hoy a recordar que, si obedecemos su Palabra, podemos depender de su cuidado fiel para todo lo que yace por delante. 🌾

DCM

Señor, que te recordemos
y honremos con nuestra obediencia a tu Palabra.

Las bendiciones diarias son recordatorios de la fidelidad de Dios.

Nuestra tarea principal

Cuando una erudita británica convocó a las religiones del mundo a trabajar juntas para alcanzar la unidad en nuestro planeta, personas de todas partes lo celebraron. Señalando que las religiones más importantes compartían la Regla de oro, sugirió: «La tarea principal de nuestra época es construir una sociedad global donde personas de todas las creencias puedan vivir juntas en paz y armonía».

Jesús citó la *Regla de oro* en su Sermón del monte: «todas las cosas que queráis que los hombres hagan con vosotros, así también haced vosotros con ellos» (MATEO 7:12). Y poco antes: «Amad a vuestros enemigos [...] y orad por los que [...] os persiguen» (5:44). Sin duda, poner en práctica estos mandamientos cruciales contribuiría en gran medida a la paz y la armonía. No obstante, Jesús llama de inmediato a aplicar el discernimiento, y advierte: «Guardaos de los falsos profetas, que vienen a vosotros con vestidos de ovejas, pero por dentro son lobos rapaces» (7:15).

El respeto a los demás y el discernimiento de la verdad van de la mano. Nuestra responsabilidad es presentar la verdad con amor y respetar las decisiones de los demás, tal como el Señor lo hace. Ese respeto nos dará la oportunidad de comunicar la verdad de Jesús: «Yo soy el camino, y la verdad, y la vida» (JUAN 14:6). 🍃 *TG*

> LECTURA:
> **Mateo 7:12-23**
>
> *Jesús le dijo: Yo soy el camino, y la verdad, y la vida; nadie viene al Padre, sino por mí* (Juan 14:6).

Señor, muéstrate hoy a través de mí.

Ama a las personas; ama la verdad.

Todo lo que necesitamos y más

En medio de la campiña inglesa, G. K. Chesterton se puso de pie de un salto y empezó a reírse a carcajadas. Explotó tan de repente y con tanto ruido que las vacas no dejaban de mirarlo.

Minutos antes, el escritor y apologista cristiano estaba desolado. Esa tarde, había estado recorriendo las colinas y dibujando con tizas de colores sobre un papel marrón. Sin embargo, se angustió cuando descubrió que no tenía ninguna tiza blanca, color que consideraba esencial para sus ilustraciones. Pero, de pronto, comenzó a reírse cuando se dio cuenta de que estaba pisando sobre un terreno de piedra caliza porosa: ¡el equivalente en la tierra a la tiza blanca! Partió un trozo y siguió dibujando.

> **LECTURA:**
> **2 Pedro 1:1-10**
>
> *... todas las cosas que pertenecen a la vida y a la piedad nos han sido dadas por su divino poder...* (v. 3).

Como Chesterton, los creyentes tienen a su alcance los recursos espirituales ilimitados de Dios en todo momento: «todas las cosas que pertenecen a la vida y a la piedad nos han sido dadas por su divino poder, mediante el conocimiento de [Dios]» (2 PEDRO 1:3).

Quizá sientas que te faltan algunos elementos importantes y necesarios para la piedad, tales como fe, gracia y sabiduría. Pero, si conoces a Cristo, tienes todo lo que necesitas y más. Por medio de Jesús, tienes acceso al Padre, quien, en su gracia, provee de todas las cosas a los creyentes. ❀ _JBS_

Señor, gracias por darme todo lo que necesito.

El poder de Dios es ilimitado.

El lenguaje del amor

Cuando mi abuela fue a México como misionera, le resultó difícil aprender español. Un día, fue al mercado, le mostró su lista de compras a la muchacha que la atendió y le dijo: «Está en dos lenguas», queriendo explicar que la había escrito en dos «idiomas». El carnicero oyó de lejos y supuso que ella quería comprar dos lenguas de vaca. Mi abuela no se dio cuenta hasta que llegó a su casa. ¡Nunca antes había cocinado lengua de vaca!

> **LECTURA:**
> **Santiago 3:1-12**
>
> *Con ella bendecimos al Dios y Padre, y con ella maldecimos a los hombres...* (v. 9).

Los errores son inevitables cuando se aprende un idioma desconocido, incluido el lenguaje nuevo del amor de Dios. A veces, nuestro discurso parece contradictorio, ya que alabamos al Señor, pero hablamos mal de los demás. Nuestra vieja naturaleza pecaminosa se opone a nuestra nueva vida en Cristo. Lo que sale de nuestra boca revela cuánto necesitamos la ayuda de Dios.

Nuestra vieja «lengua» debe irse. La única manera de aprender el lenguaje nuevo del amor es convirtiendo a Jesús en el Señor de nuestras conversaciones. Cuando el Espíritu Santo obra en nosotros, nos da dominio propio para decir palabras que agraden al Padre. ¡Sometamos cada palabra a Él! «Pon guarda a mi boca, oh Señor; guarda la puerta de mis labios» (SALMO 141:3). 🌱

KO

Señor, controla hoy mi boca.
Que mis palabras te bendigan a ti y a los demás.

Que nuestras palabras guíen a otros a Jesús.

Aprender la lección

María era viuda y enfrentaba graves problemas de salud. Entonces, su hija la invitó a mudarse al nuevo «apartamento de la abuela», conectado con su casa. Aunque eso implicaría alejarse de sus amigos creyentes y de su iglesia, María se regocijó por la provisión del Señor.

Sin embargo, a los seis meses, ese gozo y contentamiento iniciales amenazaban con desaparecer cuando se sintió tentada a quejarse por dentro y a dudar de si ese había sido el plan perfecto de Dios.

> **LECTURA:**
> **Filipenses 4:10-19**
>
> *... he aprendido a contentarme, cualquiera que sea mi situación* (v. 11).

En ese momento, leyó un escrito de Carlos Spurgeon, el gran predicador del siglo xix: «El contentamiento es una de las flores del cielo y debe ser cultivada. Pablo afirma: "he *aprendido* a contentarme", como si anteriormente no hubiese sabido cómo hacerlo».

María entendió que, si un apasionado evangelista como Pablo, confinado en una prisión, abandonado por los amigos y condenado a muerte pudo aprender a contentarse, ella también podría. Dijo: «Me di cuenta de que, hasta que aprendiera esta lección, debía disfrutar de los planes de Dios. Entonces, confesé mis quejas al Señor y le pedí perdón. Poco después, una mujer recientemente jubilada me pidió que fuera su compañera de oración, y otros ofrecieron llevarme a la iglesia. Mis necesidades habían sido maravillosamente suplidas». 🌐   *MS*

*****Señor,** ayúdame a estar satisfecho*
cualquiera que sea mi situación.

Aunque Dios no cambie las circunstancias,
puede cambiarnos a nosotros si estamos dispuestos.

¿El camino fácil?

A **veces, el** sendero de la vida es difícil. Por eso, si esperamos que Dios siempre nos presente un camino fácil, quizá nos sintamos tentados a darle la espalda cuando el terreno se vuelve escarpado.

Si alguna vez te pasó algo así, piensa en el pueblo de Israel. Cuando fueron liberados de Egipto después de cientos de años de esclavitud, los israelitas partieron hacia la tierra prometida. Sin embargo, no fueron directamente, porque «Dios no los llevó por el camino de la tierra de los filisteos, que estaba cerca» (ÉXODO 13:17), sino que los mandó por el camino difícil a través del desierto. En lo inmediato, esto ayudó a evitar guerras (v. 17), pero, a largo plazo, tenía un propósito más importante: el

> **LECTURA:**
> **Éxodo 13:17-22**
>
> *Y luego que Faraón dejó ir al pueblo, Dios no los llevó por el camino de la tierra de los filisteos, que estaba cerca...* (v. 17).

Señor usó ese tiempo en el desierto para instruir al pueblo que Él había llamado y para que madurara. El camino fácil los habría llevado a una catástrofe. En cambio, el camino largo preparó a la nación para una entrada victoriosa en la tierra prometida.

Nuestro Dios es fiel, y podemos confiar en que nos guiará y protegerá independientemente de lo que enfrentemos. Tal vez no entendamos por qué estamos en un determinado sendero, pero sí podemos depender de la ayuda del Señor para crecer en la fe y madurar a medida que avanzamos. ❧ *JDB*

*Señor, enséñame y fortaléceme
a medida que avance en tu camino.*

**El tiempo de Dios es siempre correcto...
espera con paciencia a que Él obre.**

¿Algo que deba saber?

Una vez, le preguntaron al cantautor David Wilcox cómo componía sus canciones, y respondió que el proceso incluía tres aspectos: una habitación tranquila, una hoja en blanco y la pregunta: «¿Hay algo que deba saber?». Esto me impactó, al considerarlo un abordaje maravilloso para los seguidores de Jesús cuando buscan cada día el plan de Dios para sus vidas.

> LECTURA:
> Mateo 14:22-36
>
> *... subió al monte a orar aparte...* (v. 23).

Durante su ministerio público, Jesús dedicaba tiempo para orar a solas. Después de alimentar a 5.000 personas, envió a sus discípulos al otro lado del mar de Galilea, mientras él despedía a la gente, y «despedida la multitud, subió al monte a orar aparte; y cuando llegó la noche, estaba allí solo» (MATEO 14:23).

Si el Señor Jesús veía la necesidad de estar a solas con el Padre, ¡cuánto más necesitamos nosotros un tiempo diario a solas para abrir nuestro corazón ante el Señor, reflexionar en su Palabra y prepararnos para cumplir sus instrucciones!

Una habitación tranquila: un lugar donde podamos enfocarnos sin distracciones en el Señor.

Una hoja en blanco: una mente receptiva, un papel, disposición a escuchar.

¿Algo que deba saber?: lo que el Espíritu y la Palabra de Dios me muestren como guía.

Jesús descendió de aquella colina y supo exactamente qué hacer para enfrentar una violenta tormenta (vv. 24-27). 🌿   DCM

Señor, guía hoy mis pasos.

**Apartar tiempo para estar con Dios
es lo mejor para cobrar fuerza.**

Del lamento al festejo

«**V**amos a** prescindir de su trabajo». Hace una década, estas palabras me dejaron tambaleando cuando la compañía para la que trabajaba eliminó mi cargo. Me sentí destruida porque, en parte, mi identidad estaba sumamente entrelazada con mi papel como editora. Hace poco, sentí una tristeza similar cuando escuché que mi labor como trabajadora independiente se terminaba. Pero, esta vez, no sentí que se me movía el piso, ya que, con el tiempo, he visto la fidelidad de Dios y su manera de transformar mi tristeza en gozo.

> **LECTURA:**
> **Isaías 61:1-4**
>
> *... me ha enviado a [que...] les dé gloria en lugar de ceniza, óleo de gozo en lugar de luto...* (vv. 1, 3).

Aunque vivimos en un mundo caído donde experimentamos angustias y frustraciones, el Señor puede cambiar nuestra desesperación en gozo, como vemos en la profecía de Isaías sobre la venida del Cristo (ISAÍAS 61:1-3). El Señor nos da esperanza en la desilusión, nos ayuda a perdonar cuando pensamos que no podemos, nos enseña que nuestra identidad está en Él y no en lo que hacemos, y nos anima frente a un futuro desconocido.

Cuando enfrentamos una pérdida, es normal que lo lamentemos, pero debemos impedir que la situación nos amargue o endurezca. Cuando recordamos la fidelidad del Señor a través de los años, sabemos que su gracia es suficiente para volver a cambiar nuestra tristeza en gozo, y que Él puede hacerlo. 💙 *ABP*

*Señor, haz que mi fe sea más profunda
para enfrentar las circunstancias de la vida.*

**Dios puede convertir los momentos de angustia
en etapas de crecimiento.**

Inesperado

Durante un viaje con mi esposa, nos detuvimos a tomar un helado en el mediodía de un caluroso día de verano. Detrás del mostrador, vi un cartel que decía: «Prohibido entrar con motos para nieve». Me resultó cómico por lo inesperado de la frase.

A veces, decir algo inesperado produce mayor efecto. Piensa, por ejemplo, en lo que afirmó Jesús: «El que halla su vida, la perderá; y el que pierde su vida por causa de mí, la hallará» (MATEO 10:39). En un reino donde el Rey es siervo (MARCOS 10:45), perder la vida se convierte en la única manera de hallarla. Este sí que es un mensaje sorprendente en un mundo de personas centradas en promoverse y protegerse por encima de los demás.

> LECTURA:
> **Mateo 10:35-42**
>
> *El que halla su vida, la perderá; y el que pierde su vida por causa de mí, la hallará* (v. 39).

En términos prácticos, ¿qué implica perder la vida? La respuesta se resume en la palabra *sacrificio*. Cuando nos sacrificamos, ponemos en práctica la forma de vivir de Jesús. En vez de satisfacer nuestros deseos y necesidades personales, consideramos el bienestar y las necesidades de los demás.

Jesús no solo enseñó sobre el sacrificio, sino que también lo practicó al entregarse por nosotros. Su muerte en la cruz se convirtió en la máxima expresión del corazón del Rey que vive lo que dice: «Nadie tiene mayor amor que este, que uno ponga su vida por sus amigos» (JUAN 15:13). ● *WEC*

Señor, que esté dispuesto a sacrificarme por los demás.

«Nada se pierde de verdad con una vida de sacrificio».
HENRY LIDDON

La dádiva y el Dador

Es tan solo un llavero; cinco bloquecitos unidos con un cordón. Mi hija me lo regaló hace tiempo, cuando tenía siete años. Hoy está astillado y desgastado, pero conserva un mensaje que nunca envejecerá: «YO ♥ A MI PAPÁ».

Lo que hace que un regalo sea precioso no es el objeto en sí, sino de quién viene. Pregúntale a cualquier padre o madre que haya recibido alguna vez un ramito de flores de parte de una mano gordita... Los mejores regalos no se valoran por el precio, sino por el amor.

Zacarías entendía bien esta verdad. En su cántico profético, alabó a Dios por darle a él y a su esposa Elisabet un hijo, Juan, cuando ya no estaban en edad de

> LECTURA:
> **Lucas 1:67-79**
>
> *Por la entrañable misericordia de nuestro Dios, con que nos visitó desde lo alto la aurora* (v. 78).

procrear (LUCAS 1:67-79). Además, se regocijó porque ese hijo sería el profeta que proclamaría a todos la dádiva más maravillosa de Dios, el futuro Mesías: «por la entrañable misericordia de nuestro Dios. La aurora nos visitó desde lo alto» (v. 78 RVC). Estas palabras señalan un regalo dado con tanto amor que «[dará] luz a los que habitan en tinieblas y en sombra de muerte» (v. 79).

La dádiva más preciosa que podemos recibir es la tierna misericordia de Dios: el perdón de nuestros pecados por la obra de Jesús. Ese regalo le costó mucho en la cruz, pero Él nos lo ofrece porque nos ama profundamente. ❧ *JB*

Señor, hoy recibo tu regalo de la salvación.

Jesús es tanto la dádiva como el Dador.

Una mano abierta

En 1891, Biddy Mason fue enterrada en una tumba anónima. Aunque era lo habitual para una mujer nacida en la esclavitud, en su caso, tendría que haber sido diferente. Tras conseguir su libertad en una batalla judicial en 1856, combinó su talento como enfermera con sabias decisiones empresariales y reunió una pequeña fortuna. Luego, ante la situación de inmigrantes y prisioneros, comenzó a ayudarlos tanto que formaban fila frente a su casa para recibir ayuda. En 1872, junto con su yerno, comenzaron una iglesia para afroamericanos en Los Ángeles, Estados Unidos.

> **LECTURA:**
> **Hechos 20:22-35**
>
> *... Más bienaventurado es dar que recibir* (v. 35).

Esta mujer encarnaba las palabras del apóstol Pablo: «En todo os he enseñado que, trabajando así, se debe ayudar a los necesitados, y recordar las palabras del Señor Jesús, que dijo: Más bienaventurado es dar que recibir» (HECHOS 20:35).

En 1988, se dedicó una lápida para Biddy Mason, ante la presencia de casi 3.000 miembros de la pequeña iglesia que ella había fundado en su casa más de 100 años antes. Una vez, Biddy dijo: «La mano abierta es bendecida porque recibe con la misma abundancia con que da». Aquella mano que dio con tanta generosidad recibió un rico legado. ❖ *TG*

*¿**Hay** alguien necesitado a quien podrías ayudar?*
¿Cómo puedes mostrar hoy tu generosidad a esa persona o familia?

**«La mano abierta es bendecida porque recibe
con la misma abundancia con que da».** BIDDY MASON

Confianza desubicada

Me encanta observar las aves. Cultivé esta actividad mientras crecía en una aldea de Ghana, donde había diversas especies. En un suburbio de la ciudad donde vivo ahora, me llamó la atención el comportamiento de unos cuervos, los cuales decidieron descansar en un árbol que había perdido casi todas las hojas. En lugar de posarse en las ramas fuertes, lo hacían en las secas y débiles que se quebraban de inmediato. Ante el peligro, salían volando, pero solo para repetir ese inútil esfuerzo. Al parecer, no alcanzaban a darse cuenta de que las ramas firmes eran los lugares más confiables y seguros para descansar.

> LECTURA:
> **Salmo 20**
>
> *Estos confían en carros, y aquéllos en caballos; mas nosotros del nombre del Señor nuestro Dios tendremos memoria* (v. 7).

¿Y nosotros? ¿Dónde ponemos nuestra confianza? David lo señala en el Salmo 20:7: «Algunos confían en sus carros de guerra; otros confían en su caballería, pero nosotros confiamos en el Nombre, ¡confiamos en el Señor, nuestro Dios!» (RVC). Los carros y los caballos representan los recursos materiales y humanos. Aunque estas cosas son útiles para la vida diaria, no nos ofrecen seguridad en los momentos difíciles.

Los que confían en cosas, posesiones o riquezas «flaquean y caen», pero los que confiamos en Dios «nos levantamos, y estamos en pie» (v. 8). 🌱

LD

*Señor, a veces, he confiado en cosas y personas,
y me han decepcionado. Ayúdame a confiar solo en ti.*

**En un mundo cambiante,
podemos confiar en un Dios que no cambia.**

Marcar el paso

L a orden militar «marcar el paso» significa que hay que marchar sin avanzar. Esto indica una pausa activa durante el movimiento hacia adelante, mientras la mente sigue preparada y alerta, esperando la orden siguiente. Si bien podría parecer que mantenerse en el mismo sitio supone cierto grado de pérdida de tiempo o de espera sin sentido, la verdadera intención es estar preparado para la acción.

> LECTURA:
> **Salmo 25:1-15**
>
> *Ciertamente ninguno de cuantos esperan en ti será confundido...* (v. 3).

Esta misma idea suele implicar en la Biblia la palabra *esperar*: buscar con ansias, estar a la expectativa. Al enfrentar grandes dificultades, el salmista escribió: «Dios mío, en ti confío; no sea yo avergonzado, no se alegren de mí mis enemigos. Ciertamente ninguno de cuantos esperan en ti será confundido» (SALMO 25:2-3).

A menudo, no tenemos opción ante cosas que debemos esperar —un diagnóstico médico, el resultado de una entrevista de trabajo, el regreso de un ser querido—, pero sí podemos decidir *cómo* será esa espera. En lugar de sumirnos en el temor o la apatía, podemos «marcar el paso», atentos a la guía de Dios y buscando su fortaleza día tras día.

«Muéstrame, oh Señor, tus caminos; enséñame tus sendas. Encamíname en tu verdad, y enséñame, porque tú eres el Dios de mi salvación; en ti he esperado todo el día» (vv. 4-5). 🏵 DCM

Señor, ayúdame a estar preparado para tu próxima orden.

Esperar en Dios es confiar en Él de forma práctica.

Él entiende

Algunos niños les cuesta dormirse por la noche. Aunque esto puede deberse a muchas razones, mi hija me reveló una de ellas cuando yo estaba saliendo de su cuarto una noche: «Tengo miedo a la oscuridad». Traté de calmar su temor, pero dejé encendida una luz para que estuviera tranquila de que no había monstruos en su habitación.

No pensé en el miedo de mi hija hasta unas semanas después, cuando mi esposo estuvo fuera una noche por un viaje de negocios. Al acostarme, la oscuridad pareció agobiarme. Escuché un pequeño ruido y salté de la cama para investigar. No había nada extraño, pero, al final, entendí el sentir de mi hija cuando yo misma lo experimenté.

> LECTURA:
> **Salmo 27:1-8**
>
> *El Señor es mi luz y mi salvación...* (v. 1).

Jesús entiende nuestros miedos y problemas porque Él vivió en este mundo como un ser humano y soportó la misma clase de dificultades que nosotros: «Despreciado y desechado entre los hombres, varón de dolores, experimentado en quebranto» (ISAÍAS 53:3). Cuando le describimos nuestras luchas, no nos deja de lado, ni minimiza nuestros sentimientos ni nos dice que pensemos en otra cosa, sino que se identifica con nosotros y nuestra aflicción. Saber que Él nos comprende puede disipar la soledad que suele acompañar al sufrimiento. En nuestro momentos más oscuros, el Señor es nuestra luz y salvación. 🌿

JBS

Señor, *gracias por entender mi situación.*

Jesús es nuestra luz en la noche más oscura.

Distracciones tácticas

La primera vez que mi esposa y yo colaboramos en un proyecto literario, se volvió dolorosamente evidente que los retrasos serían un obstáculo importante. Su función era editar mi trabajo y mantenerme dentro los plazos, y el mío parecía ser sacarla de quicio. Casi siempre, su capacidad organizativa y su paciencia superaban mi oposición a las indicaciones y las fechas de entrega.

Un día, prometí tener determinada cantidad de material listo para la noche. Durante una hora, trabajé con diligencia. Luego, decidí tomar un descanso. Cuando me di cuenta, no tenía más tiempo. Seguro de que tendría problemas, pensé en alguna salida. Entonces, hice un par de tareas domésticas que a mi esposa no le agradan y que siempre me retribuye con un elogio.

> LECTURA:
> **Jonás 4**
>
> *Y el Señor le dijo:
> ¿Haces tú bien en
> enojarte tanto?* (v. 4).

Mi plan fracasó...

A veces, hago lo mismo con Dios. Él coloca personas en mi camino a quienes desea que sirva o tareas que quiere que haga. Como Jonás, que fue por otro camino cuando el Señor le asignó una tarea (JONÁS 4:2), debo dejar de lado mis sentimientos. A menudo, trato de impresionarlo con buenas acciones o actividades espirituales cuando lo que Él quiere es que le obedezca. Inevitablemente, mi plan fracasa.

¿Estás evadiendo instrucciones que Dios te muestra claramente? Créeme: la satisfacción verdadera está en cumplirlos con su poder y a su manera. 🌿

RKK

Señor, *que no me distraiga de obedecerte.*

A Dios le complace la obediencia.

La carrera de la vida

Suena el reloj despertador. Parece demasiado temprano. Sin embargo, tienes un día largo por delante: trabajo que hacer, citas que cumplir, personas a quienes atender, o todo esto y más. Bueno, no eres el único. Todos los días, muchos corremos de una actividad a otra. Bien podría decirse que «todo ser humano se ha graduado en la carrera de la vida».

**LECTURA:
Marcos 6:7-13, 30-32**

[Jesús] les dijo: Venid vosotros aparte a un lugar desierto, y descansad un poco... (v. 31).

Cuando los apóstoles volvieron de su primer viaje misionero, tenían mucho para informar. Sin embargo, Marcos no registró la evaluación de Jesús de la tarea que habían hecho, sino que señaló el interés del Señor en que descansaran: «Venid vosotros aparte a un lugar desierto, y descansad un poco» (6:31).

En última instancia, encontramos el verdadero descanso cuando reconocemos la presencia del Señor y confiamos en Él. Si bien tomamos seriamente nuestras responsabilidades, también sabemos que podemos relajarnos un poco del trabajo, la familia y el servicio a Dios, y entregarlos confiados en sus manos. Cada día, podemos dedicar tiempo para desconectarnos, dejar de lado las tensiones, y meditar agradecidos en el amor y la fidelidad del Señor.

Así que, siéntete con libertad para descansar y respira profundo. 🍃

PFC

*Señor, gracias por todo lo que me has dado para hacer.
Ayúdame a descansar en ti física, emocional y espiritualmente.*

**«No descansamos porque terminó nuestro trabajo,
sino porque Dios nos ordenó que lo hagamos y nos creó
con la necesidad de descansar».** GORDON MACDONALD

Libre de temor

El miedo me invade sin pedirme permiso. Crea una imagen de impotencia y desesperanza, y me roba la paz y la concentración. ¿A qué le temo? Me preocupa la seguridad y la salud de mi familia y seres queridos. Me aterra la pérdida del trabajo o las relaciones rotas. El miedo me lleva a mirarme a mí misma y revela un corazón al que, a veces, le cuesta confiar.

Ante estos temores y preocupaciones, ¡qué bueno es leer la oración de David en el Salmo 34!: «Busqué al Señor, y él me oyó, y me libró de todos mis temores» (v. 4). ¿Cómo nos libra? Cuando lo miramos y confiamos en que tiene el

LECTURA:
Salmo 34:1-10

Busqué al Señor, y él me oyó, y me libró de todos mis temores (v. 4).

control de todo, nuestros miedos se desvanecen (v. 5). Luego, David menciona una clase diferente de temor, que no paraliza, sino que infunde un profundo respeto y asombro ante Aquel que nos rodea y nos libra (v. 7). Podemos refugiarnos en el Señor porque Él es bueno (v. 8).

Así cambia nuestra perspectiva del temor. Al recordar quién es Dios y cuánto nos ama, podemos relajarnos en su paz. «Nada falta a los que le temen» (v. 9), concluye David. ¡Qué maravilloso es descubrir que, en el temor del Señor, podemos ser librados de nuestros temores! 🌿 *KO*

Señor, hoy pongo mis temores y preocupaciones en tus manos. Dame tu paz a medida que enfrente cada día.

Pídele a Dios que te libere de tus temores.

La herradura equivocada

La **derrota** de Napoleón hace 200 años se le atribuye al feroz invierno ruso. Un problema en particular fue que sus caballos llevaban herraduras de verano. Cuando llegó el invierno, los caballos morían porque patinaban en los caminos congelados mientras tiraban de los carros con provisiones. La ruptura en la cadena de provisiones de Napoleón redujo su poderoso ejército de 400.000 hombres a tan solo 10.000. ¡Un pequeño resbalón; un resultado desastroso!

Santiago describió el gran daño que puede producir un pequeño resbalón de la lengua. Una sola palabra equivocada puede cambiar la carrera o el destino de las personas. La lengua es tan tóxica que el apóstol escribió: «ningún hombre puede domar la lengua, que es un mal que no puede ser refrenado, llena de veneno mortal» (SANTIAGO 3:8). El problema ha aumentado en nuestro mundo moderno, ya que un email imprudente o un comentario en una red social puede dañar muchísimo. Se viraliza de inmediato y no siempre puede eliminarse.

El rey David vinculó el respeto al Señor con nuestro uso de las palabras: «El temor del Señor os enseñaré. [...] Guarda tu lengua del mal, y tus labios de hablar engaño» (SALMO 34:11, 13). Y resolvió: «Atenderé a mis caminos, para no pecar con mi lengua; guardaré mi boca con freno» (SALMO 39:1). 🌿

> **LECTURA:**
> **Salmo 34:11-18**
>
> *¿Quién es el hombre que desea vida, que desea muchos días para ver el bien? Guarda tu lengua del mal...* (vv. 12-13).

CPH

Señor, ayúdanos a tener cuidado con la lengua.

Nuestras palabras tienen poder para edificar o destruir.

Juego de las estrellas

Un juego de las estrellas en el cricket puede ser extenuante. Los competidores juegan desde las once de la mañana hasta las seis de la tarde, con dos intervalos para almorzar y tomar el té; pero los partidos pueden durar hasta cinco días. Es una prueba tanto de talento como de resistencia.

A veces, las pruebas que enfrentamos en la vida se intensifican por una razón similar: parecen interminables. La larga búsqueda de trabajo, una etapa ininterrumpida de soledad o una prolongada batalla contra el cáncer se vuelven más difíciles al preguntarnos si alguna vez terminarán.

> LECTURA:
> **Salmo 35:17-28**
>
> *Señor, ¿hasta cuándo verás esto? Rescata mi alma de sus destrucciones, mi vida de los leones* (v. 17).

Quizá por eso el salmista exclamó: «Señor, ¿hasta cuándo verás esto? Rescata mi alma de sus destrucciones, mi vida de los leones» (SALMO 35:17). Los comentaristas bíblicos dicen que esto se refería al extenso período en la vida de David cuando el rey Saúl lo perseguía y sus consejeros lo difamaban; un tiempo de prueba que duró varios años.

No obstante, al final, David cantó: «Sea exaltado el Señor, que ama la paz de su siervo» (v. 27). Su prueba lo llevó a confiar más profundamente en Dios; confianza que nosotros también podemos experimentar durante las prolongadas etapas de prueba, dificultad o pérdida. 🌢 *WEC*

Señor, cuando las respuestas parecen lejanas,
ayúdame a confiar en ti y fortalecerme en tu presencia conmigo.

Cuando tus cargas te agobian,
recuerda que Dios te sostiene con sus brazos.

La lima de Dios

Las palabras de mi amiga fueron duras. Mientras trataba de dormir, intentaba dejar de pensar en sus comentarios sobre mis opiniones intolerantes. Acostada, le pedí a Dios sabiduría y paz. Semanas después, aún preocupada por aquel asunto, oré: «Señor, estoy dolida, pero muéstrame en qué tiene razón y qué debo cambiar».

Mi amiga había actuado como la lima de Dios. Me sentía en carne viva, pero me daba cuenta de que mi reacción sería edificante para mi carácter... o no. Entonces, decidí someterme al proceso de pulido, confesando mi obstinación y testarudez. Percibía que mis imperfecciones no glorificaban al Señor.

> LECTURA:
> **Proverbios 27:5-17**
>
> *Hierro con hierro se aguza; y así el hombre aguza el rostro de su amigo* (v. 17).

El rey Salomón sabía que la vida en comunidad podía ser difícil; tema del que habló en Proverbios 27, donde vemos que aplica su sabiduría a las relaciones interpersonales: «Hierro con hierro se aguza; y así el hombre aguza el rostro de su amigo» (v. 17). Así se suavizan los bordes ásperos en el comportamiento de los demás. El proceso puede generar heridas —como las que sentí por las palabras de mi amiga (v. 6)—, pero, en definitiva, el Señor puede usar esas palabras para ayudarnos y animarnos a hacer los cambios necesarios en nuestras actitudes y conducta.

¿Está el Señor limando tus bordes ásperos para su gloria? ✪

ABP

Señor, aunque duela, me someto al proceso de cambio.

El Señor permite que la lima de la vida pula nuestras asperezas.

Vulnerabilidad manifiesta

C uando me animé a salir varias semanas después de una cirugía de hombro, tenía miedo. Me sentía cómoda con el cabestrillo, pero el cirujano y el fisioterapeuta me habían dicho que dejara de usarlo. Entonces, vi esta frase: «A partir de aquí, solo se usarán cabestrillos como una *señal visible de vulnerabilidad* en un entorno incontrolable».

¡Justo lo que necesitaba! Temía encontrarme con alguien que me abrazara como un oso o que no supiera de mi operación y me golpeara accidentalmente. Me escondía detrás de mi endeble cabestrillo celeste porque temía que me lastimaran.

> **LECTURA:**
> **Efesios 4:2-6**
>
> *... soportándoos con paciencia los unos a los otros en amor* (v. 2).

Ser vulnerables puede dar miedo. Queremos ser amados y aceptados por lo que somos, pero tememos que, si nos conocen realmente, nos rechacen y salgamos lastimados. ¿Y si descubrieran que no somos tan inteligentes... tan amables... tan buenos?

Como miembros de la familia de Dios, tenemos la responsabilidad de ayudarnos unos a otros a crecer en la fe: «animaos unos a otros, y edificaos unos a otros» (1 TESALONICENSES 5:11), «soportándoos con paciencia los unos a los otros en amor» (EFESIOS 4:2).

Si somos sinceros y vulnerables, quizá descubramos que todos luchamos contra las tentaciones o para aprender a vivir en obediencia. Pero, sobre todo, compartiremos la gracia del don de Dios en nuestra vida. 🕊

CHK

Señor, *ayúdame a ser sincero.*

**Ser sinceros respecto a nuestras luchas
permite que nos ayudemos mutuamente.**

El mejor amigo... siempre

Una de las frases más sabias que he llegado a apreciar es lo que solía decir mi padre: «Hijo, los buenos amigos son uno de los tesoros más preciosos de la vida». ¡Qué gran verdad! Con buenos amigos, nunca estás solo. Están atentos a tus necesidades y comparten alegremente los goces y las cargas de la vida.

Antes de que Jesús viniera a la Tierra, solo a dos individuos se los llama amigos de Dios: el Señor hablaba con Moisés «como habla cualquiera a su compañero» (ÉXODO 33:11), y Abraham «fue llamado amigo de Dios» (SANTIAGO 2:23; VER 2 CRÓNICAS 20:7; ISAÍAS 41:8).

LECTURA:
Santiago 2:18-26

... Abraham creyó a Dios, [...] y fue llamado amigo de Dios (v. 23).

Me asombra que Jesús llama amigos a quienes le pertenecemos: «os he llamado amigos, porque todas las cosas que oí de mi Padre, os las he dado a conocer» (JUAN 15:15). Y su amistad es tan profunda que puso su vida por nosotros. Juan afirma: «Nadie tiene mayor amor que este, que uno ponga su vida por sus amigos» (v. 13).

¡Qué privilegio y bendición es tener a Jesús de amigo! Él nunca nos dejará ni nos abandonará. Intercede por nosotros ante el Padre y suple todas nuestras necesidades. Perdona todos nuestros pecados, entiende todas nuestras penas y nos da gracia suficiente en los momentos difíciles. Sin duda, ¡es nuestro mejor amigo! 🌿

JMS

Señor, ¡qué privilegio que seamos amigos!

¡Oh, qué amigo nos es Cristo!

Ama a tu prójimo

Se cuenta que un antropólogo estaba terminando varios meses de investigación en una pequeña aldea. Mientras esperaba un transporte hacia el aeropuerto para volver a su casa, decidió organizar un juego para unos niños: tenían que correr hasta una cesta con frutas y dulces que estaba cerca de un árbol. Pero, cuando dio la orden de empezar a correr, todos se quedaron parados. Luego, se tomaron de las manos y corrieron todos juntos hacia aquel árbol.

> LECTURA:
> **Romanos 13:8-11**
>
> *Porque toda la ley en esta sola palabra se cumple: Amarás a tu prójimo como a ti mismo* (Gálatas 5:14).

Cuando les preguntó por qué prefirieron correr en grupo hacia el premio en lugar de ir por separado, una niña respondió: «¿Cómo podría uno solo estar feliz cuando todos los demás están tristes?». Como esos niños se interesaban unos por otros, querían compartir todos juntos la cesta de frutas y dulces.

Después de estudiar durante años la ley de Moisés, el apóstol Pablo descubrió que todos los mandamientos de Dios se resumen en uno solo: «Amarás a tu prójimo como a ti mismo» (GÁLATAS 5:14; VER TAMBIÉN ROMANOS 13:9). En Cristo, Pablo no solo vio la razón de animarnos, consolarnos y cuidarnos mutuamente, sino también la fuente de poder espiritual para hacerlo.

Dado que el Señor nos cuida, nosotros nos cuidamos los unos a los otros. 🌿

MRD

*Señor, abre nuestros ojos
a las necesidades de los demás y ayúdanos a suplirlas.*

**Mostramos nuestro amor
a Dios cuando nos amamos unos a otros.**

Mantener la fe

Es tentador pensar en la fe como una especie de fórmula mágica. Si reúnes bastante, tendrás riquezas y salud, vivirás satisfecho y recibirás automáticamente respuestas a todas tus oraciones. Pero la vida no funciona así. Para probarlo, el autor de Hebreos repasa la vida de algunos gigantes de la fe del Antiguo Testamento, para brindar un conmovedor recordatorio de qué es la fe verdadera (HEBREOS 11).

> **LECTURA:**
> **Hebreos 10:32–11:6**
>
> *... sin fe es imposible agradar a Dios...* (11:6).

Sin rodeos, afirma: «sin fe es imposible agradar a Dios» (11:6). Al describirla, usa la frase «se sostuvo» (v. 27). Como resultado de esa fe, algunos héroes triunfaron: destruyeron ejércitos, escaparon a la muerte, sobrevivieron a los leones. Pero otros no tuvieron finales tan felices: fueron azotados, apedreados, partidos en dos. El capítulo concluye: «Y todos éstos, aunque alcanzaron buen testimonio mediante la fe, no recibieron lo prometido» (v. 39).

Este cuadro de la fe no encaja con una fórmula fácil. A veces, lleva a la victoria, pero otras, requiere una firme determinación a «seguir cueste lo que cueste». Respecto a estas personas, «Dios no se avergüenza de llamarse Dios de ellos; porque les ha preparado una ciudad» (v. 16).

Nuestra fe descansa en la convicción de que Dios tiene el control y que cumplirá sus promesas... en esta vida o en la venidera. 🌿

PY

Señor, dame fe para confiar en ti.

**Nuestro mayor consuelo en la tristeza
es saber que Dios tiene el control.**

El precio de entrada

Todos los años, unos dos millones de personas de todo el mundo visitan la Catedral de San Pablo en Londres. Vale la pena pagar la entrada para apreciar la magnífica estructura diseñada y construida por Sir Christopher Wren a finales del siglo XVII. Sin embargo, el turismo ocupa un lugar secundario en este sitio de adoración cristiana. Una de las misiones principales de la catedral es «permitir que toda diversidad de personas se encuentre con la presencia transformadora de Dios en Jesucristo». Si quieres recorrer el edificio y admirar su arquitectura, debes pagar una entrada, pero no se cobra nada para entrar y asistir a las reuniones de adoración que se realizan diariamente.

> **LECTURA:**
> **Romanos 3:21-26**
>
> *Siendo justificados gratuitamente por su gracia, mediante la redención que es en Cristo Jesús* (v. 24).

¿Cuánto cuesta entrar en la familia de Dios? La entrada es gratuita porque Jesucristo pagó el precio por nosotros con su sangre: «por cuanto todos pecaron, y están destituidos de la gloria de Dios, siendo justificados gratuitamente por su gracia, mediante la redención que es en Cristo Jesús» (ROMANOS 3:23-24). Cuando reconocemos nuestra necesidad espiritual y aceptamos por la fe el perdón de Dios de nuestros pecados, tenemos vida nueva y eterna en Él.

¡Hoy puedes entrar en una vida nueva porque Jesús pagó el precio de la entrada! 🌿

DCM

*Señor, quiero vivir a la altura
del alto precio que pagaste para salvarme.*

**Jesús pagó el precio
para que podamos entrar en la familia de Dios.**

Lo mejor está por venir

¿Los mejores días de nuestra vida ya han pasado o están por llegar? Nuestra perspectiva de la vida —y nuestra respuesta a esta pregunta— puede cambiar. Cuando somos más jóvenes, miramos al futuro deseando crecer. Y, cuando crecemos, anhelamos el pasado, queriendo volver a ser jóvenes. Sin embargo, cuando caminamos con Dios, ¡lo mejor está por venir!

> **LECTURA:**
> **Deut. 34:1-12**
>
> *El eterno Dios es tu refugio, y acá abajo los brazos eternos...*
> (Deuteronomio 33:27).

Durante su larga vida, Moisés fue testigo de las maravillas que hizo Dios, y muchas de esas cosas sucedieron cuando ya había dejado de ser joven. A los 80 años, confrontó a Faraón y vio cómo el Señor liberaba a su pueblo de la esclavitud (ÉXODO 3–13). También vio que el Mar Rojo se abrió, que el maná descendió del cielo; incluso, habló con Dios «cara a cara» (14:21; 16:4; 33:11).

Toda su vida, Moisés vivió expectante, mirando al futuro para ver qué haría Dios (HEBREOS 11:24-27). Durante su último año de vida, cumplió 120 años, y, aun así, entendía que su vida con Dios estaba solo empezando y que nunca dejaría de ver la grandeza y el amor del Señor. Al margen de nuestra edad, «el eterno Dios es [nuestro] refugio, y acá abajo los brazos eternos» (DEUTERONOMIO 33:27), quien fielmente nos dará su gozo cada día. ❧

JB

Señor, te alabo por todo lo que hiciste en el pasado, y te agradezco por tus bendiciones hoy y por lo que harás en el futuro.

Cuando caminamos con Dios, lo mejor está aún por venir.

¡No rendirse nunca!

Joop Zoetemelk se lo conoce como el ciclista más exitoso de Holanda, y esto se debe a que nunca se rindió. Comenzó y terminó el *Tour de France* 16 veces, antes de ganarlo en 1980. ¡Eso sí que es perseverar! Muchos han logrado triunfar tras subir una escalera especial llamada «no rendirse nunca». Sin embargo, otros han perdido la oportunidad de alcanzar el éxito porque abandonaron demasiado rápido. Esto puede suceder en todas las áreas de la vida: familia, educación, amigos, trabajo, servicio. La clave para la victoria es la perseverancia.

> **LECTURA:**
> **2 Timoteo 3:10-15**
>
> *He peleado la buena batalla, he acabado la carrera, he guardado la fe*
>
> (2 Timoteo 4:7).

El apóstol Pablo perseveró a pesar de la persecución y la aflicción (2 TIMOTEO 3:10-11). Era realista y reconocía que, como seguidores de Cristo, seríamos perseguidos (vv. 12-13). No obstante, le enseñó a Timoteo que pusiera su fe en Dios y en el estímulo de las Escrituras (vv. 14-15). Eso lo ayudaría a enfrentar el desánimo y a perseverar con esperanza. Al final de su vida, Pablo afirmó: «He peleado la buena batalla, he acabado la carrera, he guardado la fe» (4:7).

Nosotros también podemos permitir que la Palabra de Dios nos fortalezca para seguir avanzando en la carrera que tenemos por delante. Nuestro Dios hace promesas y las cumple, y recompensará a aquellos que terminen la carrera fielmente (v. 8). 🌐 *JFG*

Señor, ayúdame a no desanimarme.

La fe conecta nuestra debilidad con la fortaleza de Dios.

Más de lo que podemos imaginar

¿**Cuáles son** los cinco mejores juguetes de todos los tiempos? Jonathan H. Liu sugirió los siguientes: palo, caja, cuerda, cilindro de cartón y barro. Son fáciles de conseguir, multiuso, para todas las edades, económicos, sin baterías y potenciados por la imaginación.

La imaginación juega un papel vital en nuestra vida; por eso, no es extraño que Pablo la haya mencionado en su oración por los seguidores de Cristo en Éfeso (EFESIOS 3:14-21). Después de pedirle a Dios que los fortaleciera con su poder por el Espíritu (v. 16), oró para que fueran capaces de captar y experimentar la dimensión plena del amor de Cristo (vv. 17-19). Al concluir, glorificó a «Aquel que es poderoso para hacer todas las

> **LECTURA:**
> **Efesios 3:14-21**
>
> *Y a Aquel que es poderoso para hacer todas las cosas mucho más abundantemente de lo que pedimos o entendemos...* (v. 20).

cosas mucho más abundantemente de lo que pedimos o entendemos, según el poder que actúa en nosotros» (v. 20).

A menudo, nuestra experiencia limita nuestras oraciones: situaciones que nos parecen imposibles de cambiar, hábitos destructivos que permanecen inquebrantables, actitudes antiguas que no nos sentimos capaces de modificar. A medida que pasa el tiempo, podemos empezar a sentir que nada puede cambiar. Pero Pablo dice que no es así.

El poder de Dios puede hacer en nosotros mucho más de lo que nos atrevemos a pedirle o, incluso, a soñar. 🌰　　　DCM

Señor, danos poder para vivir la nueva vida en ti.

**Nunca midas el poder ilimitado de Dios
con tus limitadas expectativas.**

Imperfectos

En su libro *Jumping Through Fires* [Saltando entre llamas], David Nasser narra la historia de su travesía espiritual. Antes de conocer a Cristo como Salvador, se hizo amigo de un grupo de jóvenes cristianos. Aunque, por lo general, sus compañeros eran generosos, encantadores y con una mente abierta, David vio que uno de ellos le mintió a su novia. Al tiempo, ese joven reconoció su error y le pidió a ella que lo perdonara. Este incidente hizo que David se acercara más a sus amigos creyentes. Comprendió que ellos necesitaban de la gracia tanto como él.

> **LECTURA:**
> **Romanos 7:14-25**
>
> *... el querer el bien está en mí, pero no el hacerlo* (v. 18).

No tenemos que actuar como si fuéramos perfectos. Está bien ser sinceros sobre nuestros errores y luchas. El apóstol Pablo se refirió explícitamente a sí mismo como el peor de los pecadores (1 TIMOTEO 1:15). Además, habló de su lucha con el pecado en Romanos 7: «el querer el bien está en mí, pero no el hacerlo» (v. 18). Por desgracia, lo opuesto también es cierto: «el mal que no quiero, eso hago» (v. 19).

Ser sinceros en cuanto a nuestras luchas nos pone al mismo nivel que el resto del género humano... ¡al que ciertamente pertenecemos! No obstante, gracias a Jesucristo, nuestro pecado no nos seguirá a la eternidad. El dicho lo confirma: «Los cristianos no son perfectos, sino solo perdonados». 🕊️ *JBS*

Señor, ayúdame a triunfar sobre el pecado.

**La única diferencia entre los creyentes
y los demás es el perdón.**

¿Quién te está mirando?

Dondequiera que iban los atletas que participaron en los Juegos Olímpicos 2016 en Río de Janeiro, podían ver a Jesús. Sobre el Corcovado, un monte de casi 700 metros de altura en esta ciudad brasileña, se eleva una estatua de unos 30 metros de altura, llamada *Cristo Redentor*. Con los brazos extendidos, esta enorme figura se ve de día y de noche desde casi toda la vasta metrópoli.

> **LECTURA:**
> **Salmo 34:15-22**
>
> *Los ojos del Señor están sobre los justos...* (v. 15).

Por más alentadora que sea esta escultura de cemento y esteatita para todos los que miren hacia arriba y la vean, mucho más reconfortante es que el Jesús vivo y verdadero nos ve a nosotros. En el Salmo 34, David lo explica así: «Los ojos del Señor están sobre los justos, y atentos sus oídos al clamor de ellos» (v. 15). Además, señaló que, cuando los justos claman a Él por ayuda, «el Señor oye, y los libra de todas sus angustias. Cercano está el Señor a los quebrantados de corazón; y salva a los contritos de espíritu» (vv. 17-18).

Pero ¿quiénes son los justos? Los que colocan su fe en Jesucristo, Aquel que es nuestra justificación (1 CORINTIOS 1:30). Dios vigila nuestra vida y escucha el clamor de quienes confiamos en Él. El Señor está cerca para ayudarnos en los momentos que más lo necesitamos.

Los ojos de Jesús están puestos sobre ti. 🌿   *JDB*

*Señor, guíame por tu Palabra y tu Espíritu
en el camino correcto.*

El Señor siempre nos mantiene a la vista.

Con la frente en alto

Emilio vivía en la calle. Pasaba todo el año mirando el pavimento, mientras iba de un lado al otro de la ciudad. Por temor a que lo reconocieran, tenía vergüenza de mirar a los ojos a los demás, ya que no siempre había vivido sin un techo. No solo eso, también estaba todo el tiempo buscando en el suelo alguna moneda o medio cigarrillo. Mirar hacia abajo se volvió un hábito que le encorvó la columna vertebral, al punto de quedar fija y hacer que le resultara difícil enderezarse.

> LECTURA:
> **2 Reyes 6:8-17**
>
> *... Te ruego, oh Señor, que abras sus ojos para que vea...* (v. 17).

El siervo del profeta Eliseo también miró en la dirección equivocada y se aterrorizó ante el enorme ejército que el rey de Siria había enviado para capturar a su amo (2 REYES 6:15). Sin embargo, Eliseo sabía que su criado estaba viendo solamente el peligro y el tamaño del enemigo. Necesitaba que se le abrieran los ojos para ver la protección divina que los rodeaba, la cual era mucho mayor que cualquier cosa que el rey sirio enviara contra Eliseo (v. 17).

Cuando la vida se hace difícil y nos sentimos presionados, es fácil ver solamente problemas. No obstante, el escritor de Hebreos sugiere una perspectiva mejor: nos recuerda que Jesús atravesó sufrimientos inimaginables por nosotros y que, si fijamos nuestros ojos en Él (12:2), nos dará su fortaleza. ❀ *MS*

Señor, ayúdame a ver tu plan perfecto para mi vida.

**Tener a Cristo en el centro
hace que la vida se enfoque correctamente.**

¿A quién defiendes?

Cuando el maestro la llamó para que pasara al frente y analizara una frase en la pizarra, Kathleen se aterrorizó. Como había cambiado de escuela hacía poco, no había aprendido esa lección de gramática. La clase se rio de ella.

De inmediato, el maestro la defendió: «¡Ella escribe mejor que cualquiera de ustedes!». Varios años después, Kathleen recordó con gratitud aquel momento: «Ese día, empecé a tratar de escribir lo mejor posible, como él había dicho». Con el tiempo, Kathleen Parker ganaría el Premio Pulitzer.

Tal como aquel maestro, Jesús se identificaba con los indefensos y los vulnerables. Cuando los discípulos impidieron que los niños se le acercaran, se indignó y les dijo: «Dejad a los niños venir a mí, y no se lo impidáis» (MARCOS 10:14). También alcanzó a un grupo étnico despreciado, al convertir al buen samaritano en el héroe de su parábola (LUCAS 10:25-37) y brindarle esperanza genuina a una insatisfecha mujer samaritana (JUAN 4:1-26). Protegió y perdonó a otra mujer descubierta en adulterio (JUAN 8:1-11). Además, aunque nosotros estábamos perdidos, Cristo dio su vida para salvarnos (ROMANOS 5:6).

Al defender a los vulnerables, los ayudamos a descubrir su potencial y reflejamos el corazón amoroso de Jesús. 🌾 *TG*

> **LECTURA:**
> **Marcos 10:13-16**
>
> *Porque Cristo, cuando aún éramos débiles, a su tiempo murió por los impíos*
> (Romanos 5:6).

Señor, *ayúdame a reconocer a quienes necesitan mi respaldo.*

Es imposible amar a Cristo sin amar a los demás.

Porque lo amo

El día antes de que mi esposo regresara de un viaje de negocios, mi hijo dijo: «¡Mamá, quiero que papá vuelva!». Le pregunté por qué quería que volviera, esperando que mencionara algo sobre los regalos que su padre solía traerle o que echara de menos jugar a la pelota con él. Sin embargo, respondió muy serio: «¡Quiero que vuelva porque lo amo!».

> **LECTURA:**
> **Apocalipsis 22:12-21**
>
> *... Amén; sí, ven, Señor Jesús* (v. 20).

Su respuesta me hizo pensar en nuestro Señor Jesús y su promesa de volver: «Ciertamente vengo en breve» (APOCALIPSIS 22:20). Yo espero con ansias su regreso, pero ¿por qué quiero que vuelva? ¿Es porque estaré en su presencia, sin enfermedades ni muerte? ¿Porque estoy cansada de vivir en un mundo complicado? ¿O se debe a que, como lo he amado tanto en la vida, hemos compartido lágrimas y risas, y ha sido más real que cualquier otra persona deseo estar con Él para siempre?

Me alegra que mi hijo extrañe a su padre cuando está lejos. Sería terrible que no le importara en absoluto que volviera o que pensara que interferiría en sus planes. ¿Cómo nos sentimos con respecto al regreso de nuestro Señor? Anhelemos apasionadamente ese día y digamos con ansias: «¡Señor, ven ya! ¡Te amamos!». 🌼 *KO*

¡Señor, por favor, vuelve pronto!

Espera con ansias la venida del Señor.

¿Quién les dirá?

La **Segunda** Guerra Mundial había terminado; se había declarado la paz. Sin embargo, el joven teniente Hiroo Onoda, del Ejército Imperial Japonés, posicionado en Filipinas, no se había enterado. Como la última orden que había recibido en 1945 era que se mantuviera firme y resistiera, consideró que los avisos y los panfletos que dejaron caer donde él estaba ubicado eran un engaño del enemigo. Onoda no se rindió hasta marzo de 1974, casi 30 años después, cuando su comandante viajó desde Japón a Filipinas, revocó su orden inicial y lo liberó oficialmente de su deber. Finalmente, Onoda creyó que la guerra había terminado.

> **LECTURA:**
> **2 Corintios 4:1-6**
>
> *... nuestro Salvador Jesucristo [...] quitó la muerte y sacó a luz la vida...*
> (2 Timoteo 1:10).

En el caso de la buena noticia de Jesucristo, muchos aún no la han oído o no creen que Él «quitó la muerte y sacó a luz la vida y la inmortalidad por el evangelio» (2 TIMOTEO 1:10). Incluso, algunos de los que oímos y creímos seguimos viviendo derrotados, tratando de sobrevivir en la jungla de esta vida.

Alguien debe comunicarles la noticia gloriosa de la victoria de Cristo sobre el pecado y la muerte. Aunque seamos escépticos o dudemos, cobremos ánimo e imaginemos la libertad que experimentarán cuando Cristo les dé a conocer que la batalla ya ha sido ganada. 🌐

PFC

*Señor, ayúdame a estar atento a las necesidades de los demás
y a contarles lo que tú has hecho.*

¿Le darás hoy a alguien la buena noticia?

Alivio del sol abrasador

Como **vivo** en Gran Bretaña, no suelo preocuparme por las quemaduras de sol. Después de todo, una espesa nube lo bloquea con frecuencia. Sin embargo, hace poco, pasé unos días en España y, rápidamente, me di cuenta de que, con mi piel blanca, solo podía estar al sol unos diez minutos, tras lo cual necesitaba volver a refugiarme debajo de la sombrilla.

> **LECTURA:**
> **Salmo 121**
>
> *El Señor es tu guardador; el Señor es tu sombra a tu mano derecha* (v. 5).

Al considerar cuán abrasador era el sol del Mediterráneo, comencé a entender con más claridad el significado de la imagen del pueblo de Dios que se refugiaba a la sombra que Él les brindaba. Los habitantes de Medio Oriente conocían el calor implacable y necesitaban protegerse de los rayos ardientes del sol. El salmista usa este cuadro del Señor como una sombra en el Salmo 121, que puede considerarse una reflexión personal, un diálogo con uno mismo sobre la bondad y la fidelidad de Dios. Cuando usamos este salmo en oración, nos da la seguridad de que el Señor nunca nos abandonará, ya que Él nos rodea con su protección.

Elevamos nuestra mirada al Dios «que hizo los cielos y la tierra» (vv. 1-2) porque, ya sea que estemos atravesando momentos de sol o de lluvia, recibimos la bendición de su protección, su alivio y su refrigerio. 🍂

ABP

Señor, protégeme de cualquier cosa que quite mi mirada de ti.

Encontramos refugio en el Señor.

Sin temor

Casi siempre que aparece un ángel en la Biblia, lo primero que les dice a quienes lo ven es que no teman (DANIEL 10:12, 19; MATEO 28:5; APOCALIPSIS 1:17). Es comprensible, ya que, cuando lo sobrenatural se pone en contacto con nuestro planeta, suele aterrorizar de tal manera a los seres humanos que estos caen postrados. Sin embargo, Lucas habla de una manifestación de Dios en la Tierra de una forma que no asusta. En Jesús, Dios halló finalmente una manera de acercarse que no debe generarnos miedo. ¿Qué podría asustar menos que un bebé que acaba de nacer?

> LECTURA:
> **Lucas 2:8-20**
>
> *Pero el ángel les dijo: No temáis...* (v. 10).

Escépticos desconcertados acosaron a Jesús durante su ministerio. ¿Cómo podía un bebé nacido en Belén, hijo de un carpintero, ser el Mesías de Dios? Pero un grupo de pastores no tuvo dudas de quién era Él porque habían escuchado directamente de un coro de ángeles la buena noticia (2:8-14).

¿Por qué Dios tomó forma humana? La Biblia da varias razones; algunas profundamente teológicas y otras bastante prácticas, pero la escena del Jesús adolescente enseñando a los rabinos nos da una pista (v. 46): por primera vez, personas comunes podían conversar con Dios cara a cara. Jesús podía hablar con todos —sus padres, un rabino, una viuda pobre— sin tener que decir: «No temas». 🌼 *PY*

***Señor,** gracias por haberte acercado a mí sin causarme miedo.*

«El Dios encarnado es el final del temor». F. B. MEYER

Moldear el pensamiento

En esta era digital, se cumple la frase acuñada por el visionario Marshall McLuhan en 1964: «El mensaje está en los medios». Cuando las computadoras y los teléfonos celulares eran aún ciencia ficción, él predijo cómo influirían las comunicaciones en nuestra manera de pensar. Nicholas Carr explica que Internet está modelando el proceso de pensamiento y reduciendo la capacidad de concentración y reflexión. La información en línea penetra lentamente como una corriente de partículas.

> **LECTURA:**
> **Romanos 12:1-8**
>
> *... transformaos por medio de la renovación de vuestro entendimiento...*
> (v. 2).

El mensaje de Pablo a los creyentes en Roma transmite un concepto sumamente práctico ante la realidad de los medios de comunicación actuales: «No os conforméis a este siglo, sino transformaos por medio de la renovación de vuestro entendimiento, para que comprobéis cuál sea la buena voluntad de Dios, agradable y perfecta» (ROMANOS 12:2). ¡Qué importante es aplicar esta verdad para procesar el material que llega de nuestro alrededor y afecta a nuestra mente y manera de pensar!

No podemos detener la carga de información que nos bombardea, pero sí podemos pedirle diariamente a Dios que nos ayude a enfocarnos en Él y a moldear nuestro pensamiento con su presencia en nuestra vida. ❧ DCM

*Señor, tranquiliza mi mente, aplaca mi corazón
y lléname de tus pensamientos durante todo este día.*

*Deja que el Espíritu de Dios,
no el mundo, moldee tu mente.*

Cuando no entendemos

Aunque dependo diariamente de la tecnología para trabajar, no entiendo mucho cómo funciona. Enciendo la computadora, abro un documento Word y me pongo a escribir. De todos modos, mi incapacidad para entender cómo trabajan los microchips, los discos duros, las conexiones de Internet y las pantallas a todo color no impide que me beneficie de los avances tecnológicos.

LECTURA:
Isaías 55:6-13

Porque mis pensamientos no son vuestros pensamientos, ni vuestros caminos mis caminos... (v. 8).

En un sentido, esto refleja nuestra relación con Dios. Isaías 55:8-9 nos recuerda que el Señor supera todo lo que podamos entender: «Porque mis pensamientos no son vuestros pensamientos, ni vuestros caminos mis caminos, dijo el Señor. Como son más altos los cielos que la tierra, así son mis caminos más altos que vuestros caminos, y mis pensamientos más que vuestros pensamientos».

Aunque no entendamos todo sobre Dios, eso no impide que confiemos en Él, ya que ha demostrado que nos ama. El apóstol Pablo escribió: «Mas Dios muestra su amor para con nosotros, en que siendo aún pecadores, Cristo murió por nosotros» (ROMANOS 5:8). Confiados en ese amor, podemos caminar con Él aun cuando la vida parezca no tener sentido. ❤   *WEC*

***Querido** Dios, gracias porque, aunque no alcanzo a comprenderte, puedo conocerte y contar siempre con tu amor y tu compañía.*

Dios no sería digno de nuestra adoración si nuestra sabiduría fuera suficiente para entenderlo.

Tu Padre sabe

Tenía solo cuatro años y estaba acostado junto a mi padre sobre una alfombra en el suelo durante una calurosa noche de verano. (En esa época, mi madre tenía su propia habitación porque había tenido un bebé). Estábamos en el norte de Ghana, donde el clima es mayormente seco. El sudor me cubría el cuerpo y el calor me secaba la garganta. Tenía tanta sed que desperté a mi padre. En medio de aquella noche seca, él se levantó y tomó agua de una jarra para darme de beber. Durante toda mi vida, tal como en aquella noche, él fue un modelo de padre protector. Siempre me proveía lo que yo necesitaba.

LECTURA:
Mateo 6:25-34

... vuestro Padre sabe de qué cosas tenéis necesidad, antes que vosotros le pidáis (v. 8).

Quizá algunas personas no tengan una imagen así de un padre, pero todos tenemos un Padre poderoso que siempre nos acompaña y nunca nos decepciona. Jesús nos enseñó a orar: «Padre nuestro que estás en los cielos» (MATEO 6:9). También nos dijo que, cuando enfrentamos necesidades diarias —alimento, ropa, refugio, protección (v. 31)—, nuestro Padre lo sabe antes de que le pidamos lo que nos hace falta (v. 8).

Tenemos un Padre que siempre está presente. Cada vez que las cosas se compliquen, podemos confiar en que Él nunca nos abandonará. Ha prometido cuidarnos y sabe mejor que nosotros lo que necesitamos. 🌱

LD

Padre, gracias porque conoces mis necesidades
antes de que te las diga y porque nunca me defraudas.

Nuestro Padre celestial amoroso nunca quita sus ojos de ti.

El legado de una vida

Mientras me hospedaba en un hotel de un pequeño pueblo, noté que había movimiento en la iglesia al otro lado de la calle. La gente estaba apretujada dentro del edificio, en tanto que otro grupo de jóvenes y ancianos llenaba la acera. Cuando vi un coche fúnebre en la esquina, me di cuenta de que era un funeral. Como había tanta gente, supuse que se trataba de algún héroe local; quizá un empresario acaudalado o alguien famoso. Por curiosidad, le dije al empleado del hotel: «¡Cuántos concurrentes para un funeral! Seguro que es alguien muy conocido del pueblo».

> **LECTURA:**
> **Proverbios 22:1-16**
>
> *De más estima es el buen nombre que las muchas riquezas...* (v. 1).

«No —respondió—. No era ni rico ni famoso; era un buen hombre».

Eso me trajo a la mente el sabio proverbio: «De más estima es el buen nombre que las muchas riquezas» (PROVERBIOS 22:1). Es una buena idea pensar en el tipo de legado que les dejaremos a nuestros familiares, amigos y vecinos. Desde la perspectiva de Dios, lo importante no es nuestro currículo ni la cantidad de dinero que hemos acumulado, sino la clase de vida que hemos llevado.

Cuando un amigo mío falleció, su hija escribió: «Este mundo ha perdido a un hombre justo; ¡en este mundo, eso no es poca cosa!». Esta clase de legado es lo que deberíamos procurar dejar para la gloria de Dios. 🌿

JMS

***Señor**, ayúdame a vivir de una manera que te agrade y que honre tu nombre.*

Vive de tal manera que el legado de tu vida glorifique a Dios.

Llevar luz a la oscuridad

En 1989, Vaclav Havel pasó de ser prisionero político a convertirse en el primer presidente electo de Checoslovaquia. Años después, en su funeral en Praga, en 2011, la ex Secretaria de Estado de los Estados Unidos, Madeleine Albright, nacida en Praga, lo describió como alguien que había «llevado la luz a sitios de profunda oscuridad».

Lo que Havel hizo generando luz en el ámbito político en lo que actualmente se conoce como República Checa, nuestro Señor Jesús lo hizo por el mundo entero. Él generó la luz cuando la creó a partir de la oscuridad en el amanecer de los tiempos (JUAN 1:2-3; COMP. GÉNESIS 1:2-3). Más tarde, al nacer, trajo luz a la esfera espiritual. Jesucristo es la vida y la luz que la oscuridad no puede derrotar (JUAN 1:5).

> **LECTURA:**
> **Juan 1:1-8**
>
> *Así alumbre vuestra luz delante de los hombres, para que [...] glorifiquen a vuestro Padre...*
> (Mateo 5:16).

Juan el Bautista salió del desierto para dar testimonio de Jesús, la luz del mundo. Nosotros podemos hacer lo mismo hoy. En realidad, es lo que el Señor nos dijo que hiciéramos: «Así alumbre vuestra luz delante de los hombres, para que vean vuestras buenas obras, y glorifiquen a vuestro Padre que está en los cielos» (MATEO 5:16).

En este mundo —donde lo bueno suele considerarse malo y lo malo bueno, y donde la verdad y el error se invierten—, la gente busca hacia dónde ir. Reflejemos la luz de Cristo en nuestro entorno. 🕊️

CPH

Señor, *ayúdame a ser una luz en este mundo oscuro.*

¡Brilla con la Luz!

Con un poco de ayuda

El verano de 2015, Hunter (de 15 años) llevó en brazos a su hermano Braden (de 8) unos 90 kilómetros para que la gente tomara conciencia de las necesidades de quienes padecen parálisis cerebral. Braden pesa 27 kilos, así que Hunter tuvo que detenerse varias veces para descansar, mientras otros lo ayudaban a estirar los músculos. Aunque usaba arneses especiales para ayudarlo a soportar el dolor físico, Hunter dice que lo más alentador era la gente en el camino: «Me dolían las piernas, pero mis amigos me levantaban y podía seguir». La madre de estos muchachos llamó la ardua caminata «El paso decidido de la parálisis cerebral».

> **LECTURA:**
> **Rom. 16:1-3, 13, 21-23**
>
> *... animaos unos a otros, y edificaos unos a otros...*
>
> (1 Tesalonicenses 5:11).

El apóstol Pablo, que se consideraba fuerte y valeroso, también necesitó que lo «levantaran». En Romanos 16, enumera a varias personas que hicieron exactamente esto. Sirvieron a su lado, lo alentaron, suplieron sus necesidades y oraron por él. Menciona a Febe; Priscila y Aquila, sus compañeros de trabajo; la madre de Rufo, que había sido como una madre para él; Gayo, quien le mostró hospitalidad; y muchos más.

Todos necesitamos amigos que nos levanten, y conocemos a otros que necesitan que los animemos. Así como Jesús nos ayuda y nos sostiene, ayudémonos unos a otros. ✒ *AMC*

*Señor, que pueda ayudar a otros
en la iglesia a la que asisto y que tú estableciste.*

**Los entusiastas levantan a otros
cuando los problemas los aplastan.**

Eso que tú haces

Cuando el convoy estaba por partir, un joven soldado golpeó apresurado la ventanilla del vehículo de su jefe de pelotón. Irritado, el sargento bajó la ventanilla y gritó: —¡¿Qué pasa?!

—Tiene que hacer esa cosa— dijo el soldado.

—¿Qué cosa?— respondió el sargento.

—Usted sabe. Eso que usted hace— dijo el soldado.

LECTURA:
2 Crónicas 13:10-18

... los hijos de Judá prevalecieron, porque se apoyaban en el Señor el Dios de sus padres (v. 18).

Entonces, el sargento se dio cuenta. Siempre oraba por la seguridad del convoy, pero esta vez no lo había hecho. Obedientemente, bajó del Humvee y oró por sus soldados. Aquel joven soldado entendía cuán importante era que su jefe orara.

En la antigua Judá, Abías no se destacó como un gran rey (1 REYES 15:3), pero, cuando su pueblo se preparaba para luchar contra Israel, que lo duplicaba en número, sabía que quedaba un remanente fiel en Judá (2 CRÓNICAS 13:10-12), mientras que Israel adoraba a dioses paganos (vv. 8-9). Entonces, clamó al Dios verdadero por ayuda.

A pesar de su mala reputación y de todo el daño que hizo, sabía a quién acudir en las crisis, y su ejército triunfó «porque se apoyaban en el Señor el Dios de sus padres» (v. 18). El Señor recibe con agrado a todos los que se acercan a Él y confían en su nombre. 🌿

TG

Señor, sé que la oración no es un amuleto de buena suerte.
Acudo a ti porque es lo mejor que puedo hacer.
Pongo todas mis circunstancias en tus manos.

Dios nunca se alejará de aquellos que se acercan a Él con fe.

Obsesión con comparar

Uno de los profesores de la Universidad de Harvard ha descubierto una tendencia preocupante entre sus alumnos y colegas: obsesión con comparar. Escribe: «Más que nunca, [...] los ejecutivos de negocios, los analistas de Wall Street, los abogados, los médicos y otros profesionales están obsesionados con comparar sus logros con los de los demás. [...] Esto es perjudicial para las personas y para las empresas. Cuando defines el éxito según parámetros externos en lugar de personales, la satisfacción y el compromiso disminuyen».

> **LECTURA:**
> **Mateo 20:1-16**
>
> *... ¿O tienes tú envidia, porque yo soy bueno?* (v. 15).

Esto no es nada nuevo. La Escritura nos advierte del peligro de compararnos con otros. Cuando lo hacemos, nos enorgullecemos y despreciamos a los demás (LUCAS 18:9-14), o nos ponemos celosos y queremos ser como ellos o tener lo que tienen (SANTIAGO 4:1). Perdemos de vista el plan de Dios para nuestra vida. Jesús explicó que la obsesión con comparar surge de creer que Dios es injusto y que no tiene derecho a ser más generoso con otros que con nosotros (MATEO 20:1-16).

Por la gracia de Dios, podemos superar este hábito concentrándonos en lo que Él nos ha dado. Al dar gracias por las bendiciones de cada día, cambiamos la perspectiva y empezamos a creer de verdad que Dios es bueno. 🖊 *MLW*

***Señor,** ayúdame a mirarte a ti y no a los demás.*

Dios expresa su bondad a sus hijos como Él prefiere.

Gigantes en la tierra

Después de acampar durante dos años al pie del monte Sinaí, los israelitas estaban a punto de entrar en Canaán, la tierra que Dios había prometido darles. El Señor les dijo que enviaran doce espías para reconocer la tierra y a sus habitantes. Al volver, diez de ellos dijeron que no podrían entrar, pero dos afirmaron que podían.

LECTURA:
Números 13:25–14:9

... más podremos nosotros que ellos

(Números 13:30).

¿Qué los diferenciaba?

Diez compararon a los gigantes con ellos mismos, pero Josué y Caleb los compararon con Dios, quien era mucho más grande que aquellos gigantes. Dijeron: «con nosotros está el Señor; no los temáis» (NÚMEROS 14:9).

La incredulidad impide que superemos las dificultades. Hace que nos preocupemos, que no pensemos en otra cosa y que lamentemos carecer humanamente de recursos para vencerlas.

En cambio, la fe, aunque nunca minimiza los peligros y las dificultades, deja de enfocarse en esas cosas, mira a Dios, y cuenta con su presencia invisible y su poder.

¿Cuáles son tus «gigantes»? ¿Un hábito imposible de dejar? ¿Una tentación irresistible? ¿Un matrimonio difícil? ¿Un familiar adicto?

No miremos las dificultades, sino, con fe, enfoquémonos en la grandeza del Dios siempre presente y todopoderoso. ❀ *DHR*

> **Señor,** *cuando los «gigantes» de mi vida*
> *comiencen a abrumarme y atemorizarme,*
> *ayúdame a confiar en ti.*

Cuando el miedo llame a la puerta, respóndele con la fe.

Unos a otros

Mientras esperaba para entrar en una de las atracciones populares de Disneyland, noté que la mayoría de la gente hablaba y sonreía, en lugar de quejarse por la larga espera. Esto hizo que me preguntara qué hacía que esperar en aquel lugar fuera una experiencia agradable. Al parecer, la clave era que casi nadie estaba allí solo, sino que amigos, familiares, grupos y parejas compartían la situación, lo cual era muy distinto a estar esperando sin compañía.

> **LECTURA:**
> **Hebreos 10:19-25**
>
> *Y considerémonos unos a otros para estimularnos al amor y a las buenas obras* (v. 24).

La vida cristiana está diseñada para vivirla en compañía de otros, no a solas. Hebreos 10:19-25 nos exhorta a tener comunión con otros seguidores de Cristo: «Acerquémonos con corazón sincero, en plena certidumbre de fe [...]. Mantengamos firme, sin fluctuar, la profesión de nuestra esperanza, porque fiel es el que prometió. Y considerémonos unos a otros para estimularnos al amor y a las buenas obras; no dejando de congregarnos» (vv. 22-25). En comunidad, nos reafirmamos y reforzamos unos a otros, «exhortándonos» (v. 25).

Aun los días más difíciles pueden convertirse en una parte significativa de nuestra travesía de fe cuando los recorremos en compañía de otros. No enfrentemos la vida solos; caminemos juntos. 🌿

DCM

Señor, *quiero cumplir hoy con tu llamado recorriendo con otros el camino de la fe y alentándonos unos a otros.*

La vida en Cristo debe ser una experiencia compartida.

Con riesgo de caerse

uando mi amiga Elaine se recuperaba tras una caída tremenda, un empleado del hospital le colocó una pulsera de color amarillo brillante que decía: Riesgo de caída. La frase quería decir que debían tratarla con cuidado, que ella quizá no tenía buen equilibrio y que la ayudaran a ir de un lugar a otro.

En 1 Corintios 10, encontramos una advertencia parecida para los creyentes. Echando un vistazo a sus antepasados, Pablo veía la tendencia del hombre a caer en pecado. Los israelitas se quejaron, adoraron ídolos y tuvieron relaciones inmorales. Todo esto entristeció a

> **LECTURA:**
> **1 Corintios 10:1-13**
>
> *Así que, el que piensa estar firme, mire que no caiga* (v. 12).

Dios; entonces, permitió que sufrieran las consecuencias de sus errores. Sin embargo, el apóstol dijo: «estas cosas les acontecieron como ejemplo, y están escritas para amonestarnos a nosotros [...]. Así que, el que piensa estar firme, mire que no caiga» (vv. 11-12).

Es fácil creer erróneamente que hemos superado un determinado pecado. Aunque hayamos admitido nuestro problema, lo hayamos confesado arrepentidos y nos hayamos comprometido a obedecer al Señor, la tentación puede aparecer. Dios hace posible que no volvamos a caer, dándonos una salida. Depende de nosotros que aceptemos esa vía de escape. 🌾 *JBS*

Señor, que pueda ver la salida que me ofreces cuando soy tentado. Gracias por seguir obrando en mi vida.

Las grandes tentaciones suelen aparecer después de grandes bendiciones.

Cuando Dios habla

Hace poco, mi yerno le explicaba a mi nieta que podemos hablar con Dios y que Él se comunica con nosotros. Cuando le dijo que, a veces, Dios nos habla a través de la Biblia, ella respondió sin vacilar: «Bueno, a mí nunca me dijo nada. Jamás escuché que Dios me hablara».

Es probable que casi todos estemos de acuerdo con mi nieta si pensamos que Dios se comunica con nosotros mediante una voz audible que nos dice: «Vende tu casa y vete a cuidar huérfanos en un país lejano». En realidad, decir que Dios «habla» es algo muy diferente; lo «oímos» al leer la Escritura.

> **LECTURA:**
> **Hebreos 1:1-12**
>
> *... hemos recibido [...] el Espíritu [...] para que sepamos lo que Dios nos ha concedido*
> (1 Corintios 2:12).

La Biblia explica que Dios «nos ha hablado por el Hijo», Jesús, el cual es «el resplandor de su gloria, y la imagen misma de su sustancia» (HEBREOS 1:2-3). La Escritura nos muestra cómo encontrar la salvación en Jesús y vivir de una manera que a Él le agrade (2 TIMOTEO 3:14-17). Además, tenemos al Espíritu Santo. En 1 Corintios 2:12, leemos que el Espíritu se nos dio «para que sepamos lo que Dios nos ha concedido».

¿Cuánto hace que no escuchas a Dios? Habla con Él y escucha al Espíritu, quien nos revela a Jesús mediante su Palabra. Sintoniza tu oído a las cosas maravillosas que el Señor quiere decirte. 🌢

JDB

Señor, háblame. Ayúdame a entender el mensaje de la Escritura, las lecciones de Jesús y los impulsos del Espíritu.

Dios habla a través de su Palabra cuando dedicamos tiempo a escuchar.

Velar y orar

Desde mi ventana, puedo ver una colina de 1.700 metros de altura, llamada Cerro del Borrego. En 1862, el ejército francés invadió México. Mientras el enemigo acampaba en el parque central de Orizaba, el ejército mejicano se estableció en la cima de este monte. Sin embargo, el general pasó por alto vigilar el acceso a la cumbre. Mientras dormían, los franceses los atacaron y murieron 2.000 soldados mejicanos.

LECTURA:
Marcos 14:32-42

Velad y orad, para que no entréis en tentación... (v. 38).

Esto me recuerda otra elevación, el Monte de los Olivos, y el huerto cercano donde un grupo de discípulos se quedó dormido. Jesús los reprendió: «Velad y orad, para que no entréis en tentación; el espíritu a la verdad está dispuesto, pero la carne es débil» (MARCOS 14:38).

¡Qué fácil es dormirse o descuidarse en nuestro andar cristiano! La tentación golpea cuando somos más vulnerables. Si descuidamos ciertas áreas de nuestra vida espiritual —como la oración y el estudio bíblico—, nos adormecemos y bajamos la guardia, lo cual nos convierte en un blanco fácil para nuestro adversario, el diablo (1 PEDRO 5:8).

Debemos estar atentos y orar para mantenernos vigilantes. Si velamos y oramos, el Espíritu nos ayudará a resistir la tentación. 🌸 *KO*

*Señor, mi espíritu está dispuesto, pero mi cuerpo es débil.
Ayúdame a velar y orar por mí mismo y por los demás.*

Satanás no tiene fuerza ante el poder de Cristo.

Recuerda

Un aspecto difícil de envejecer es el temor a padecer demencia senil y a perder la memoria de corto plazo. Sin embargo, el Dr. Benjamin Mast, experto en la enfermedad de Alzheimer, brinda cierto ánimo. Dice que el cerebro de los pacientes suele estar tan «bien trabajado» y «habituado» que estas personas pueden escuchar canciones antiguas y cantar toda la letra. También sugiere que las disciplinas espirituales, tales como la lectura bíblica, la oración y el cantar himnos hacen que la verdad «se entreteja» en nuestro cerebro y que esté lista para resurgir cuando se la estimula.

> **LECTURA:**
> **Salmo 119:17-19, 130-134**
>
> *En mi corazón he guardado tus dichos, para no pecar contra ti*
> (Salmo 119:11).

En el Salmo 119:11, leemos que esconder las palabras de Dios en nuestro corazón nos da poder para que no pequemos. Puede fortalecernos, enseñarnos a obedecer y dirigir nuestros pasos (vv. 28, 67, 133). Esto, a su vez, nos da esperanza y entendimiento (vv. 49, 130). Aun cuando empecemos a notar pérdidas de memoria en nosotros mismos o en algún ser querido, la Palabra de Dios, aprendida tiempo atrás, sigue estando allí, guardada o atesorada en el corazón (v. 11). Aunque nuestra mente deje de ser joven, sabemos que las palabras de Dios, escondidas en nuestro corazón, seguirán hablándonos.

Nada, ni siquiera la pérdida de la memoria, puede separarnos del amor y el cuidado de Dios. 🌼   CHK

***Señor,** gracias porque dependemos de tu fidelidad a tu Palabra.*

Las promesas de Dios nunca fallan.

Una vida honorable

Mientras daba un discurso bien promocionado, un respetado líder y estadista captó la atención de sus conciudadanos al declarar que la mayoría de los miembros del Parlamento de su nación eran *poco honorables*. Tras citar hábitos de corrupción, actitudes pomposas, vocabulario desagradable y otros vicios, reprendió a los parlamentarios y los instó a cambiar. Como era de esperar, sus comentarios cayeron mal y los acusados lo contraatacaron criticándolo.

> **LECTURA:**
> **1 Pedro 2:9-12**
>
> *Mas vosotros sois linaje escogido, real sacerdocio, nación santa, pueblo adquirido por Dios...* (v. 9).

Quizá no seamos funcionarios públicos en posición de liderazgo, pero quienes seguimos a Cristo somos «linaje escogido, real sacerdocio, nación santa, pueblo adquirido por Dios» (1 PEDRO 2:9). Como tales, nuestro Señor nos llama a vivir vidas que honren su nombre.

Pedro, el discípulo, tenía algunos consejos prácticos sobre cómo hacerlo, y nos rogó abstenernos «de los deseos carnales que batallan contra el alma» (v. 11). Aunque no usó la palabra *honorable*, nos exhortó a comportarnos como es digno de Cristo.

En Filipenses, el apóstol Pablo lo expresa así: «todo lo puro, todo lo amable, todo lo que es de buen nombre; si hay virtud alguna, si algo digno de alabanza, en esto pensad» (4:8). Sin duda, una conducta que honra al Señor tiene estas características. 🌿

LD

***Señor,** ayúdame a agradarte con mis palabras y acciones, para guiar a otros a ti.*

**Honramos el nombre de Dios
cuando lo llamamos Padre y vivimos como sus hijos.**

Voceros de Dios

C on los nervios de punta, esperaba que el teléfono sonara y empezara la entrevista radial. Pensaba en qué me preguntarían y cómo respondería. Entonces, oré: «Señor, soy mucho mejor escribiendo, pero supongo que, como sucedió con Moisés, debo confiar en que me darás las palabras que debo decir».

Por supuesto, no estoy comparándome con Moisés, el líder del pueblo de Dios que los ayudó a huir de la esclavitud en Egipto para ir a vivir en la tierra prometida. Moisés, un líder reticente, necesitó que el Señor le confirmara que los israelitas lo escucharían. Por eso, Dios le dio señales —tales como convertir su cayado en una serpiente (ÉXODO 4:3)—, pero Moisés siguió vacilante, argumentando que era lento para hablar (v. 10).

> **LECTURA:**
> **Éxodo 4:1-12**
>
> *... ¿Quién dio la boca al hombre? [...] ¿No soy yo el Señor? Ahora pues, ve, [...] y te enseñaré lo que hayas de hablar*
>
> (vv. 11-12).

Entonces, Dios le recordó que Él era el Señor y que lo ayudaría; «estaría con su boca», como traducen este versículo algunos eruditos de la Biblia.

Sabemos que, desde la venida del Espíritu Santo en Pentecostés, el Espíritu de Dios vive en sus hijos y que, por más ineptos que nos sintamos, Él nos capacitará para que llevemos a cabo lo que nos asigne. El Señor «estará con nuestra boca». 🌿

AMP

Señor, tú moras en mí. Que mis palabras edifiquen espiritualmente a alguien hoy para tu gloria.

Como pueblo de Dios, somos su boca para difundir la buena noticia, el evangelio.

Ponerle nombres a Dios

En su libro *The God I Don't Understand* [El Dios a quien no entiendo], Christopher Wright señala que una persona inimaginable fue la primera en ponerle un nombre a Dios. ¡Esa persona es Agar!

La experiencia de Agar brinda una mirada auténtica y perturbadora de la historia humana. Varios años antes, Dios les había dicho a Abram y Sarai que tendrían un hijo. Como Sarai había envejecido, se puso impaciente. Entonces, para «ayudar» a Dios, recurrió a una costumbre de aquella época: le dio su sierva Agar a su esposo, y Agar quedó embarazada.

> **LECTURA:**
> **Génesis 16:1-13**
>
> *... ¿No he visto también aquí al que me ve?* (v. 13).

Era predecible que surgirían problemas. Sarai maltrató a Agar, y esta huyó. Sola y en el desierto, se encontró con el ángel del Señor, quien le prometió: «Multiplicaré tanto tu descendencia, que no podrá ser contada a causa de la multitud» (GÉNESIS 16:10). En respuesta, esta esclava, procedente de una cultura politeísta con dioses que no podían ver ni oír, le pone este nombre a Dios: «Tú eres Dios que ve» (v. 13).

El «Dios que ve» es el Señor de los héroes impacientes y de los cobardes sin poder. Es el Dios tanto de los ricos y bien relacionados como de los indigentes y solitarios. Él oye y ve, y se interesa compasiva y profundamente por cada uno de nosotros. 🍃

TG

Señor, a pesar de toda nuestra suciedad y circunstancias dramáticas, nos ves y te apresuras a rescatarnos.

Dios nos ve con ojos compasivos.

El mejor viaje por carretera

L a **Ruta** Nacional 5 de Madagascar permite disfrutar de la belleza de playas de arena blanca, bosques de palmeras y el Océano Índico. No obstante, sus 200 kilómetros de camino de roca viva, arena y barro le han atribuido la reputación de ser una de las peores carreteras del mundo. A los turistas que desean disfrutar de estas vistas impresionantes se les aconseja ir con un vehículo de doble tracción, un conductor experimentado y un mecánico.

> **LECTURA:**
> **Isaías 40:1-11**
>
> *Voz que clama en el desierto: Preparad camino al Señor; enderezad calzada en la soledad a nuestro Dios* (v. 3).

Juan el Bautista fue a anunciar la buena noticia de la llegada del Mesías a quienes iban por senderos escarpados y regiones áridas. Citando las palabras que Isaías había escrito siglos antes, exhortó a las multitudes: «Preparad el camino del Señor; enderezad sus sendas» (LUCAS 3:4-5; ISAÍAS 40:3).

Juan sabía que, si la gente iba a prepararse para recibir al esperado Mesías, debía cambiar su corazón. Montañas de soberbia religiosa tenían que allanarse, y aquellos hundidos en el valle de la desesperación deberían ser levantados.

El esfuerzo humano no podría lograr nada. Quienes se resistieron al Espíritu de Dios, rechazando el bautismo de Juan, no reconocieron a su Mesías cuando vino (LUCAS 7:29-30). Sin embargo, los que admitieron su necesidad de cambiar descubrieron en Jesús la bondad y la maravilla de Dios. 🌿 *MRD*

Señor, haz en mí lo que yo no puedo hacer.

**El arrepentimiento abre el camino
para nuestro andar con Dios.**

Una influencia mansa

Algunos años antes de convertirse en presidente de los Estados Unidos, Theodore Roosevelt se enteró de que su hijo mayor estaba enfermo. Aunque se recuperaría, la causa de esa enfermedad golpeó duramente a Roosevelt: los doctores le dijeron que era por *él*. Su hijo padecía «agotamiento nervioso», tras haber sido implacablemente presionado por su padre para que se convirtiera en el héroe valeroso que Roosevelt mismo no había sido durante su frágil niñez. Entonces, prometió: «De ahora en adelante, nunca lo volveré a presionar, ni mental ni corporalmente». Y así lo hizo.

> LECTURA:
> **Colosenses 3:12-17**
>
> *Vestíos [...] de entrañable misericordia, de benignidad, de humildad, de mansedumbre, de paciencia* (v. 12).

Ese mismo hijo fue quien luego lideró valientemente el desembarco de los soldados aliados en Playa de Utah durante la Segunda Guerra Mundial.

Dios nos ha confiado el influir en la vida de otras personas. Tenemos una gran responsabilidad hacia nuestros cónyuges, hijos, amigos, empleados y clientes. La tentación a presionar demasiado, a exigir por demás, a forzar el progreso o a orquestar el éxito puede llevarnos a perjudicar a otros. Por eso, se exhorta a los seguidores de Cristo a vestirse «de entrañable misericordia, de benignidad, de humildad, de mansedumbre, de paciencia» (COLOSENSES 3:12). Si Jesús, el Hijo de Dios, vino en humildad, ¿no deberíamos tratarnos unos a otros con mansedumbre? 🌱

RKK

Señor, ayúdame a reflejar tu carácter.

**Nosotros debemos hacer por los demás
lo que Dios hace por nosotros.**

LA BIBLIA en **UN AÑO:**
SALMOS 132-134; 1 CORINTIOS 11:17-34

Libres de verdad

En 1756, Olaudah Equiano tenía solo 11 años cuando fue secuestrado y vendido como esclavo. Hizo un viaje terrible desde África Occidental hasta el Caribe; de allí a Virginia, en Estados Unidos; y luego a Inglaterra. A los 20 años, compró su libertad, pero siguió acarreando las cicatrices emocionales y físicas del trato inhumano que había experimentado.

Incapaz de disfrutar de su libertad mientras otros seguían esclavos, Equiano comenzó a trabajar en un movimiento para abolir la esclavitud en Inglaterra, y escribió una autobiografía —un logro insólito para un ex esclavo en aquella época— donde narra sus vicisitudes.

> LECTURA:
> **Juan 8:31-37**
>
> *Así que, si el Hijo os libertare, seréis verdaderamente libres* (v. 36).

Cuando vino, Jesús libró una batalla a favor de todos los esclavizados e incapaces de luchar solos. A nosotros no nos esclavizan cadenas tangibles, sino el pecado y nuestra propia maldad. Jesús dijo: «todo aquel que hace pecado, esclavo es del pecado. Y el esclavo no queda en la casa para siempre; el hijo sí queda para siempre. Así que, si el Hijo os libertare, seréis verdaderamente libres» (JUAN 8:34-36).

Dondequiera que esta libertad no se haya proclamado, es necesario comunicar sus palabras. Al poner nuestra fe en Jesús, somos libertados de la culpa, la vergüenza y la desesperanza. ¡Somos libres de verdad! 🕊

WEC

> **Señor,** *gracias por tu sacrificio en la cruz para darme libertad y vida eterna.*

La sangre de Jesús pagó el precio de nuestra liberación del pecado.

«Por cuanto me has rogado»

¿**Qué haces** con tus preocupaciones? ¿Las internalizas o las envías hacia arriba?

Cuando el brutal rey asirio Senaquerib se preparaba para destruir Jerusalén, envió un mensaje al rey Ezequías, diciendo que Judá no sería diferente de todas las otras naciones que él había conquistado. Ezequías llevó este mensaje al templo en Jerusalén y «lo extendió delante del Señor» (ISAÍAS 37:14). Luego, oró y pidió la ayuda del Dios Todopoderoso.

> **LECTURA:**
> **Isaías 37:9-22, 33**
>
> *... sean conocidas vuestras peticiones delante de Dios en toda oración y ruego...* (Filipenses 4:6).

Poco después, el profeta Isaías dio a Ezequías este mensaje del Señor: «Así dice el Señor, Dios de Israel en cuanto a tus ruegos acerca de Senaquerib» (ISAÍAS 37:21-22 RVC). La Biblia nos dice que la oración de Ezequías fue contestada esa misma noche. Dios intervino milagrosamente y venció a las fuerzas enemigas fuera de las puertas de la ciudad. El ejército asirio ni siquiera «[lanzó] una sola flecha» (v. 33 RVC). Senaquerib dejaría Jerusalén, para no volver jamás.

Cinco palabras en el mensaje de Dios a Ezequías —«Por cuanto me has rogado»— nos enseñan adónde debemos ir con nuestras preocupaciones. Puesto que Ezequías se volvió a Dios, se salvó a sí mismo y a su pueblo. ¡Cuando convertimos nuestras preocupaciones en oración, descubrimos que Dios es fiel de formas inesperadas! ❀ *JB*

Señor, ayúdame a convertir mis preocupaciones en oraciones.

«La oración mueve la mano que hace girar el mundo». E. M. BOUNDS

Cómo tallar un pato

Mi **esposa** y yo conocimos a Phipps Festus Bourne en 1995, un experto artesano de la madera cuyas obras son réplicas casi exactas de objetos reales. «Tallar un pato es sencillo —decía—. Basta mirar un trozo de madera, pensar en cómo es un pato y, luego, cortar todo lo que no se parezca a él».

Así es con Dios. Él nos mira —ve madera en bruto— e imagina la persona con el carácter de Cristo escondida bajo la corteza, los nudos y las ramitas; luego, comienza a tallar, quitando todo lo que no encaje con esa imagen. Nos sorprenderíamos si pudiéramos ver cuán hermosos somos como «patos» terminados.

> **LECTURA:**
> Sal. 138:7-8; Ef. 2:6-10
>
> *... los predestinó para que fuesen hechos conformes a la imagen de su Hijo...* (Romanos 8:29).

Pero, primero, tenemos que aceptar que somos un trozo de madera y dejar que el Artista nos corte, moldee y pula donde Él quiera. Esto significa ver nuestras circunstancias —agradables o desagradables— como herramientas de Dios que nos moldean. Él nos forma, parte por parte, para convertirnos en la hermosa criatura que imaginó en nuestro poco agraciado trozo de madera.

A veces, el proceso es maravilloso; otras veces, doloroso. Pero, al final, todas las herramientas de Dios nos conforman «a la imagen de su Hijo» (ROMANOS 8:29).

¿Anhelas esa semejanza? Ponte en las manos del Maestro Tallador. 🕊

DHR

Padre, *tállame a la imagen que planeaste.*

**El crecimiento en Cristo
viene de una relación profunda con Él.**

Buena imitación

«**H**oy vamos a jugar a *Imitación*», dijo nuestro líder de niños a quienes estaban reunidos en torno a él para el sermón. «Yo nombraré algo y ustedes imitarán lo que hace. ¿Listos? ¡*Gallina!*». Los niños agitaron sus brazos y cacarearon. Luego, fueron un *elefante*, un *jugador de fútbol* y una *bailarina*. El último fue Jesús. Mientras algunos niños vacilaban, uno de seis años, con una gran sonrisa en su rostro, abrió sus brazos en señal de bienvenida. La congregación aplaudió.

> LECTURA:
> **1 Tes. 1:1-10**
>
> *Y vosotros vinisteis a ser imitadores de nosotros y del Señor...* (v. 6).

¡Con qué facilidad olvidamos ser como Jesús en las situaciones de cada día! «Sed, pues, imitadores de Dios como hijos amados. Y andad en amor, como también Cristo nos amó, y se entregó a sí mismo por nosotros, ofrenda y sacrificio a Dios en olor fragante» (EFESIOS 5:1-2).

Pablo elogió a los seguidores de Jesús en Tesalónica por su fe durante las circunstancias difíciles. Escribió: «Y vosotros vinisteis a ser imitadores de nosotros y del Señor [...] de tal manera que habéis sido ejemplo a todos los de Macedonia y de Acaya» (1 TESALONICENSES 1:6-7).

La vida de Jesús en nosotros es lo que nos alienta y nos permite andar en este mundo como Él lo hizo, con la buena noticia del amor de Dios y con los brazos abiertos en señal de bienvenida a todos. 🕊

DCM

Señor Jesús, que podamos vivir tus palabras
de invitación y bienvenida: «Venid a mí».

Los brazos de bienvenida de Jesús siempre están abiertos.

Hacer lo que Él dice

Necesitaba un tanque de agua subterráneo y sabía exactamente cómo lo quería, así que di instrucciones claras al constructor. Al día siguiente, cuando inspeccioné el proyecto, me incomodé al ver que no había seguido mis indicaciones. Había cambiado el plan y, por lo tanto, el efecto. La excusa que dio fue tan irritante como no haber seguido mis directivas.

LECTURA:
Deut. 5:28-33

Andad en todo el camino que el Señor vuestro Dios os ha mandado... (v. 33).

Cuando lo vi rehacer el trabajo y mi frustración disminuía, sentí culpa: ¿Cuántas veces he necesitado rehacer las cosas en obediencia al Señor?

Así como los antiguos israelitas no hacían muchas veces lo que Dios les pedía, también nosotros solemos hacer las cosas como queremos. Pero la obediencia es lo esperado de nuestra relación creciente con Dios. Moisés dijo al pueblo: «Mirad, pues, que hagáis como el Señor vuestro Dios os ha mandado [...]. Andad en todo el camino que el Señor vuestro Dios os ha mandado» (DEUTERONOMIO 5:32-33). Mucho después de Moisés, Jesús exhortó a sus discípulos a confiar en Él y a amarse unos a otros.

Esta sigue siendo la clase de entrega que nos beneficia. Ahora que el Espíritu nos ayuda a obedecer, es bueno recordar que «Dios es el que en [nosotros] produce así el querer como el hacer, por su buena voluntad» (FILIPENSES 2:13). 🌱 LD

Señor, gracias por todas las oportunidades que nos das.

**Cuanto más cerca andamos con Dios,
más claro vemos su guía.**

El descanso de las burbujas

Un niño nos roció a mi esposo y a mí con burbujas mientras venía corriendo por el paseo marítimo. Fue un momento ameno y divertido en un día difícil. Habíamos ido a visitar a mi cuñado, que estaba hospitalizado, y ayudar a su esposa, que tenía problemas para ir a ver a su médico. Por eso, cuando nos tomábamos un descanso para caminar, nos sentíamos abrumados por las necesidades de nuestros familiares.

Entonces, aparecieron las burbujas. Solo eran burbujas rociadas por un niñito en la brisa del océano, pero que tuvieron un significado especial para mí. Me encantan las burbujas, y tengo en mi oficina una botella que utilizo cada vez que necesito sonreír con ellas. Esas burbujas y el vasto Océano Atlántico me recordaron algo con lo que puedo contar: Dios siempre está cerca. Él es poderoso. Siempre se interesa. Y puede usar aun las experiencias más pequeñas y los momentos más breves para ayudarnos a recordar que su presencia es como un océano de gracia en medio de nuestros momentos difíciles.

Tal vez, un día, nuestros problemas parecerán como burbujas: momentáneos a la luz de la eternidad, «pues las cosas que se ven son temporales, pero las que no se ven son eternas» (2 CORINTIOS 4:18). 🌐 *AMC*

**LECTURA:
2 Corintios 4:7-18**

... no mirando nosotros las cosas que se ven, sino las que no se ven... (v. 18).

¿Qué regalos de gracia te ha dado Dios en un momento difícil?

Jesús ofrece un oasis de gracia en el desierto de las pruebas.

Calificado con gracia

Los ojos azules de mi hijo brillaban de emoción mientras me mostraba lo que había traído a casa de la escuela. Era una prueba de matemáticas, marcada con una estrella roja y con la calificación máxima. Mientras mirábamos el examen, me dijo que todavía no había respondido tres preguntas cuando la maestra le dijo que ya no había más tiempo. Desconcertada, le pregunté por qué había recibido una puntuación perfecta. Él respondió: «Porque mi maestra me trató con gracia. Me dejó terminar la prueba aunque se había acabado el tiempo».

LECTURA:
Romanos 5:6-15

... siendo aún pecadores, Cristo murió por nosotros (v. 8).

Cuando mi hijo y yo comentábamos el significado de la gracia, señalé que Dios nos ha dado más de lo que merecemos por medio de Cristo. Por nuestro pecado, merecemos la muerte (ROMANOS 3:23), pero «siendo aún pecadores, Cristo murió por nosotros» (5:8). Éramos indignos, pero Jesús —quien era intachable y santo— dio su vida para que pudiéramos escapar del castigo por nuestro pecado y, un día, vivir para siempre en el cielo.

La vida eterna es un regalo de Dios. No es algo que ganamos con nuestro esfuerzo. Somos salvos por la gracia de Dios, por la fe en Cristo (EFESIOS 2:8-9). 🌿

JBS

Querido Dios, tu favor inmerecido me he salvado de mi pecado. Gracias por el regalo de tu gracia.

La gracia y la misericordia son bendiciones inmerecidas.

Hizo lo que pudo

C uando sus amigos dicen cosas negativas en las redes sociales, Carla responde con un desacuerdo amable, pero firme. Respeta la dignidad de todos, y sus palabras son siempre positivas.

Hace unos años, se hizo amiga por Facebook de un hombre que odiaba a los cristianos. Sin embargo, él apreciaba la sinceridad y la gracia poco comunes de Carla. Con el tiempo, su hostilidad desapareció. Al tiempo, ella sufrió una mala caída. Confinada en su casa, le preocupaba no poder hacer mucho. En esos días, murió su amigo de

> **LECTURA:**
> **Marcos 14:3-9**
>
> *Esta ha hecho lo que podía...* (v. 8).

Facebook, y recibió este mensaje de su hermana: «[Por tu testimonio], sé que él está ahora con el Señor».

La semana que Cristo iba a morir, María de Betania lo ungió con un caro perfume (JUAN 12:3; MARCOS 14:3). Algunos estaban consternados, pero Jesús la elogió: «Buena obra me ha hecho. [...]. Esta ha hecho lo que podía; porque se ha anticipado a ungir mi cuerpo para la sepultura» (MARCOS 14.6-8).

«Ha hecho lo que podía». Las palabras de Cristo nos quitan la presión. Nuestro mundo está lleno de personas que sufren. Pero no tenemos que angustiarnos por lo que no podemos hacer. Carla hizo lo que pudo. Y nosotros también. El resto depende del Señor. 🌱   TF

Señor, ayúdanos a no definir nuestro valor por lo que hacemos por ti, sino por lo que tú has hecho por nosotros.

«Haz tu tarea lo mejor que puedas, y deja lo demás al Señor». HENRY W. LONGFELLOW

Todo viene de Dios

Cuando tenía 18 años, conseguí mi primer trabajo a tiempo completo y aprendí una lección importante sobre la disciplina de ahorrar dinero. Trabajé y ahorré hasta tener lo suficiente para pagar un año de estudios. Entonces, mi mamá tuvo una cirugía de emergencia, y me di cuenta de que yo tenía en el banco el dinero para pagar su operación.

LECTURA:
1 Crónicas 29:14-19

... todo es tuyo (v. 16).

De repente, mi amor por mi madre tuvo prioridad sobre mis planes para el futuro. Las palabras de Elisabeth Elliot en su libro *Pasión y pureza* cobraron para mí un nuevo significado: «Si nos aferramos a algo que hayamos recibido, sin la disposición de renunciar a eso cuando llegue el momento o de que el Dador lo utilice como Él quiera, impedimos que el alma crezca. Es fácil cometer un error aquí, pensando: "Si Dios me lo dio, es mío y puedo hacer lo que quiera con eso". No. La verdad es que nuestra parte es dar gracias a Dios y, también, ofrecérselo de vuelta».

¡Entendí que el trabajo que había recibido y la disciplina del ahorro eran regalos de Dios! Podía dar generosamente a mi familia porque estaba segura de que el Señor podía ayudarme de otra manera... y Él lo hizo.

¿Cómo quiere Dios que apliquemos hoy la oración de David de 1 Crónicas 29:14: «Todo es tuyo, y de lo recibido de tu mano te damos»?

KO

Señor, *dame un corazón generoso.*

Todo le pertenece a Dios.

Lo que más importa

C uando Juan, el discípulo amado de Jesús, envejeció, centró toda su enseñanza sobre el amor de Dios en sus tres epístolas. En el libro *Conociendo la verdad del amor de Dios*, Peter Kreeft cita una antigua leyenda que dice que uno de los jóvenes discípulos de Juan fue a él una vez, quejándose: «¿Por qué no hablas de otra cosa?».
Juan respondió: «Porque no hay nada más de que hablar».

El amor de Dios está, sin duda, en el centro de la misión y el mensaje de Jesús. En su Evangelio, que escribió antes, Juan afirmó: «Porque de tal manera amó Dios al mundo, que ha dado a su Hijo unigénito, para que todo aquel

> **LECTURA:**
> **1 Juan 4:7-19**
>
> *Dios envió a su Hijo unigénito al mundo, para que vivamos por él* (v. 9).

que en él cree, no se pierda, mas tenga vida eterna» (JUAN 3:16).

Pablo nos dice que el amor de Dios es la esencia de nuestra vida, y nos recuerda que «ni la muerte, ni la vida, ni ángeles, ni principados, ni potestades, ni lo presente, ni lo por venir, ni lo alto, ni lo profundo, ni ninguna otra cosa creada nos podrá separar del amor de Dios, que es en Cristo Jesús Señor nuestro» (ROMANOS 8:38-39).

El amor de Dios es tan fuerte, accesible y firme que podemos iniciar cada día sabiendo que todo lo bueno viene de su mano, y que podemos enfrentar los desafíos con su poder. Su amor es lo que más importa en esta vida. ✲   *WEC*

*¡Gracias, Señor, porque tu amor es rico y puro,
poderoso y sin medida!*

**El amor de Dios permanece firme
cuando todo lo demás se desmorona.**

La decisión de Evie

Evie era una de los 25 adolescentes del coro de una escuela secundaria estadounidense que viajó a Jamaica para cantar, evangelizar y mostrar el amor de Dios a personas de una cultura y una generación diferentes. Para ella, un día fue particularmente memorable y gozoso.

El coro fue a un hogar de ancianos para cantar y visitar a los residentes. Después de cantar, Evie habló con una mujer joven, de algo más de 30 años, que vivía allí. Cuando empezaron a charlar, Evie sintió que debía hablarle de Jesús: quién fue y qué hizo por nosotros. Le mostró pasajes de la Biblia que explica-

> **LECTURA:**
> **Hechos 1:1-8**
>
> *Id por todo el mundo y predicad el evangelio a toda criatura* (Marcos 16:15).

ban la salvación. Poco después, la mujer dijo que quería confiar en Jesús como su Salvador. Y eso fue lo que hizo.

Por la decisión de Evie de iniciar una conversación sobre Jesús, nuestro grupo celebró un nuevo nacimiento en la familia de Dios ese día.

Marcos 16:15 dice que lo que hizo Evie es lo que se espera de cada creyente. Como lo expresa una paráfrasis de la Biblia: «Vayan a todas partes y anuncien el mensaje de la buena noticia de Dios a cada persona».

Nunca subestimemos lo maravilloso que es para toda persona, donde sea, escuchar la buena noticia y decir sí a nuestro Salvador. ❁

JDB

***Señor,** no es fácil iniciar una conversación sobre el evangelio. Que tu Espíritu Santo obre en mí para dar la buena noticia a todos.*

Los buenos testigos del evangelio no solo conocen su fe, sino que también la muestran.

Oración de emergencia

El 11 de septiembre de 2001, Stanley Praimnath estaba trabajando en el piso 81 del World Trade Center, cuando vio un avión que se dirigía directamente hacia él. Stanley hizo una rápida oración mientras se lanzaba bajo un escritorio para protegerse: «¡Señor, no puedo hacer nada! ¡Encárgate tú!».

El terrible impacto del avión atrapó a Stanley detrás de una pared de escombros. Mientras oraba y gritaba pidiendo ayuda, Brian Clark, un trabajador de otra oficina, escuchó y respondió. Abriéndose paso a través de los escombros y la oscuridad, los dos pudieron descender 80 tramos de escaleras hasta la planta baja y salir.

> **LECTURA:**
> **Salmo 71:1-12**
>
> *Sé para mí una roca de refugio, adonde recurra yo continuamente* (v. 3).

Cuando enfrentaba amenazas terribles, David le pedía ayuda a Dios. Quería estar seguro de su cercanía al enfrentar enemigos en la batalla. En una petición sincera, David exclamó: «Sé para mí una roca de refugio, adonde recurra yo continuamente. Oh Dios, no te alejes de mí; Dios mío, acude pronto en mi socorro» (SALMO 71:3, 12).

No tenemos la promesa de que siempre seremos liberados de todas las situaciones difíciles que enfrentemos. No obstante, podemos estar seguros de que Dios escucha nuestras oraciones y de que camina a nuestro lado en medio de todo. 🕊

HDF

***Para** todo lo que se presente en mi camino, te ruego, Señor, que acudas en mi ayuda. Sin ti, no soy capaz de atravesar nada.*

«La cercanía a Dios es nuestra seguridad consciente. Un niño en la oscuridad es reconfortado por la mano de su padre». CHARLES H. SPURGEON

Preparados para la boda

«**T**engo hambre», dijo mi hija de 8 años. «Lo siento —le dije—, pero no tengo nada para que comas. Juguemos a algo». Habíamos estado esperando por más de una hora la llegada de la novia a la iglesia. Se suponía que la boda sería al mediodía. Mientras me preguntaba cuánto tiempo más habría que aguardar, esperaba mantener a mi hija ocupada hasta que comenzara la ceremonia.

> **LECTURA:**
> **Mateo 25:1-13**
>
> *Velad, pues, porque no sabéis el día ni la hora* (v. 13).

Sentí como si estuviéramos viviendo una parábola. Nuestra casa está a pocos pasos de la iglesia, pero sabía, que si iba a buscar unas galletas, la novia podría llegar en cualquier momento y yo no podría verla cuando entrara. Mientras empleaba varias técnicas de distracción con mi hija, pensé en la parábola sobre las diez vírgenes (MATEO 25:1-13). Cinco llegaron preparadas con suficiente aceite para mantener encendidas sus lámparas mientras esperaban al novio, pero cinco no. Así como era muy tarde para que yo fuera hasta nuestra casa, también era tarde para que las jóvenes fueran a comprar más aceite para sus lámparas.

Jesús contó esta parábola para enfatizar que debemos estar preparados porque, cuando Él vuelva, rendiremos cuentas de cómo está nuestro corazón. ¿Estamos preparados? ✒ *ABP*

*¿**Cómo** esperas el regreso de Jesús?*
¿Has dejado algo sin hacer que podrías haber realizado hoy?

Tenemos que estar preparados para cuando Cristo venga otra vez.

¿Listo para un cambio?

E l **dominio** propio es tal vez una de las cosas más difíciles de lograr. ¿Cuántas veces hemos sido derrotados por un mal hábito, una pésima actitud o una perspectiva equivocada? Hacemos promesas de mejorar. Le pedimos a alguien que nos ayude, rindiéndole cuentas. Pero, en el fondo, sabemos que no tenemos la voluntad ni la capacidad de cambiar. Podemos hablar, hacer planes, leer libros de autoayuda, ¡pero nos resulta difícil vencer y controlar muchas de las cosas de nuestro interior!

¡Felizmente, Dios conoce nuestra debilidad, y también el remedio! La Biblia dice: «Mas el fruto del Espíritu es amor, gozo, paz, paciencia, benignidad, bondad, fidelidad, mansedumbre, dominio propio...» (GÁLATAS 5:22-23 LBLA). La única manera de tener dominio propio es dejar que el Espíritu Santo nos controle.

> LECTURA:
> **Gálatas 5:16-25**
>
> *Mas el fruto del Espíritu es [...] dominio propio*
> (vv. 22-23 LBLA).

Es decir, nuestro enfoque no debe ser el *esfuerzo*, sino la *consagración*: vivir cada momento en sumisión al Señor, confiando en Él y no en nosotros mismos. Pablo señala que este es el significado de «andad en el Espíritu» (v. 16).

¿Estás listo para un cambio? Puedes cambiar porque Dios está en ti. Al entregarle el control, el Señor te ayudará a producir el fruto de su semejanza. 🔖 *JFG*

Señor, necesito tu poder para poder cambiar y crecer. Me entrego a ti. Ayúdame a entender cómo ser sumiso para ser lleno de tu Espíritu.

A Dios le interesa más nuestra consagración a Él que nuestras habilidades.

Más allá del tiempo

Durante 2016, compañías de teatro de varias partes del mundo realizaron producciones especiales para conmemorar el 400.º aniversario de la muerte de William Shakespeare. Conciertos, conferencias y festivales han atraído a multitudes para celebrar la obra perdurable de este hombre, considerado el más grande dramaturgo de la lengua inglesa. Ben Jonson, uno de sus contemporáneos, escribió: «No fue de una época, sino para todos los tiempos».

LECTURA:
Juan 6:53-69

Señor, ¿a quién iremos? Hemos creído y conocemos que tú eres el Cristo...
(vv. 68-69).

Aunque la influencia de algunos artistas, escritores y pensadores puede durar siglos, Jesucristo es el único cuya vida y obra trascenderán el tiempo. Él afirmó ser «el pan que descendió del cielo [...]; el que come de este pan, vivirá eternamente» (JUAN 6:58).

Cuando muchos que escuchaban sus enseñanzas se ofendieron por sus palabras y dejaron de seguirlo (vv. 61-66), Jesús preguntó a sus discípulos si ellos también querían dejarlo (v. 67). Pedro respondió: «Señor, ¿a quién iremos? Tú tienes palabras de vida eterna. Y nosotros hemos creído y conocemos que tú eres el Cristo» (vv. 68-69).

Cuando invitamos a Jesús a entrar en nuestra vida, nos unimos a sus primeros discípulos y a todos sus seguidores en una nueva vida que durará para siempre. 🌿

DCM

Señor Jesús, gracias por el regalo de la vida eterna en comunión contigo, hoy y siempre.

Jesús es el Hijo de Dios, el Hombre que trasciende el tiempo, quien nos da vida eterna.

La ayuda mutua

«**E**l cuerpo de Cristo» se utiliza más de 30 veces en el Nuevo Testamento. Pablo usa esta frase como una imagen de la Iglesia. Tras ascender al cielo, Jesús dejó su misión en manos de hombres y mujeres imperfectos e ineptos. Él asumió el papel de Cabeza de la Iglesia, y dejó las tareas de brazos, piernas, orejas, ojos y voz a discípulos erráticos… a ti y a mí.

Su decisión de funcionar como la Cabeza invisible de un cuerpo grande con muchas partes significa que confía en que nos ayudemos unos a otros en tiempos de sufrimiento. Pablo quizá tuvo esto en mente cuando escribió: «[Dios] nos consuela en todas nuestras tribulaciones, para que podamos también nosotros consolar a los que están en cualquier tribulación, por medio de la consolación con que nosotros somos consolados por Dios» (2 CORINTIOS 1:4). En todo su ministerio, Pablo practicó esto, haciendo colectas para las víctimas del hambre, enviando ayudantes a lugares con necesidades y reconociendo las ofrendas de los creyentes como regalos de Dios mismo.

La frase «el cuerpo de Cristo» expresa bien lo que estamos llamados a hacer: representar en carne lo que Cristo es; especialmente, a los necesitados. ✿

PY

> **LECTURA:**
> **2 Corintios 1:3-7**
>
> *[Dios] nos consuela […] para que podamos también nosotros consolar…* (v. 4).

Señor, gracias por tu fidelidad al consolarme cuando estoy sufriendo. Muéstrame a alguien que necesite de mi aliento hoy.

**La presencia de Dios nos reconforta;
y nuestra presencia consuela a otros.**

Un grato olor

Una **perfumista** dice que puede reconocer ciertas fragancias y saber quién combinó las esencias. Con solo olfatearlas, puede decir: «Esta es obra de Jenny».

Al escribir a los seguidores de Cristo en Corinto, Pablo usó un ejemplo que les habrá recordado a un ejército romano que quemaba incienso cuando entraba victorioso en una ciudad conquistada (2 CORINTIOS 2:14). El general iba al frente; luego, sus tropas; y al final, el ejército derrotado. Para los romanos, el aroma del incienso significaba victoria; para los prisioneros, muerte.

> **LECTURA:**
> **2 Corintios 2: 2-17**
>
> *Para Dios somos grato olor de Cristo...* (v. 15).

Pablo dijo que somos para Dios el grato olor de la victoria de Cristo sobre el pecado. Dios nos ha dado la fragancia de Cristo mismo para que podamos ser un fragante sacrificio de alabanza. Pero ¿cómo podemos vivir para difundir esta agradable fragancia a otros? Mostrando generosidad y amor, y testificando del evangelio para que otros sean salvos. Además, permitiendo que el Espíritu muestre a través de nosotros su fruto de amor, gozo y bondad (GÁLATAS 5:22-23).

¿Nos observan los demás y dicen: «Esta es obra de Jesús»? ¿Estamos dejando que Él difunda su fragancia a través de nosotros? Él es el Perfumista perfecto; la fragancia más exquisita que pueda existir. ●

KO

*¿**Reconocen** otros la obra de Dios en mi vida?*
¿Estoy difundiendo la fragancia de Cristo? ¿Cómo?

Una vida santa es una fragancia que atrae a otros hacia Cristo.

El flotador

a luz del sol brillaba sobre la piscina frente a mí. Oí que un instructor le hablaba a un estudiante que había estado en el agua bastante tiempo. Dijo: «Parece que te estás cansando. Cuando estés agotado y en agua profunda, usa el flotador».

Ciertas situaciones en la vida nos obligan a utilizar nuestra energía mental, física o emocional de una manera que no podemos sostener. David describió una ocasión en que sus enemigos lo amenazaban y sentía el peso emocional de esa ira. Necesitaba escapar de la angustia que experimentaba.

LECTURA:
Salmo 55:4-23

Encomienda al Señor tus afanes, y él te sostendrá (v. 22).

Mientras procesaba lo que sentía, descubrió una forma de hallar descanso de sus atribulados pensamientos: «Encomienda al Señor tus afanes, y él te sostendrá» (SALMO 55:22). Reconoció que Dios nos sostiene si nos atrevemos a entregarle nuestros problemas. No tenemos que encargarnos de cada situación y tratar de orquestar el resultado. ¡Eso es agotador! Dios está en control de cada aspecto de nuestra vida.

En vez de tratar de hacer todo con nuestros propios esfuerzos, podemos encontrar descanso en el Señor. A veces, es tan simple como pedirle que maneje nuestros problemas. Entonces, podemos hacer una pausa, relajarnos y disfrutar de saber que Él nos sostiene. 🌿

JBS

Dios, *hoy te entrego mis problemas.*

Dios es un lugar de descanso seguro.

Preparativos

Mientras veíamos el cuerpo de mi suegro en su ataúd en la funeraria, uno de sus hijos puso el martillo de su padre al lado de sus manos. Años después, cuando murió mi suegra, uno de sus hijos deslizó un par de agujas de tejer entre sus dedos. Esos tiernos gestos nos reconfortaron, al recordar la frecuencia con que ellos habían usado esos instrumentos durante sus vidas.

> **LECTURA:**
> **Juan 14:1-6**
>
> *Y si me fuere y os prepararé lugar, vendré otra vez, y os tomaré a mí mismo...* (v. 3).

Sabíamos, por supuesto, que no iban a necesitar esas cosas en la eternidad. No teníamos la idea falsa de los antiguos egipcios, quienes creían que objetos, dinero o armas enterradas con alguien lo prepararían para la vida siguiente. ¡No podemos llevarnos nada! (SALMO 49:16-17; 1 TIMOTEO 6:7).

Sin embargo, mis suegros habían necesitado cierta preparación para la eternidad, que llegó años antes cuando confiaron en Jesús como su Salvador. Los preparativos para la vida futura no pueden comenzar cuando morimos. Cada persona debe preparar su corazón, aceptando el regalo de la salvación que se hizo posible por el sacrificio de Jesús en la cruz.

Dios también ha hecho preparativos: «Vendré otra vez, y os tomaré a mí mismo, para que donde yo estoy, vosotros también estéis» (JUAN 14:3). El Señor ha prometido prepararnos un lugar para que vivamos eternamente con Él. 🌿   CHK

> **Padre,** *estamos agradecidos porque tendremos
> un lugar contigo un día.*

Dios nos da tiempo para prepararnos para la eternidad.

¿Valen la pena tantas calorías?

Me encanta el huevo *roti prata*, un panqueque popular en mi país, Singapur. Por eso, me llamó la atención leer que una persona de 57 kilos debe correr a 8 kilómetros por hora durante 30 minutos para quemar 240 calorías. Eso equivale a un solo huevo *roti prata*.

Desde que empecé a ir al gimnasio, esos números han adquirido un nuevo significado para mí, y suelo preguntarme: *¿Vale la pena esta comida con tantas calorías?*

LECTURA:
Filipenses 4:4-9

... si algo [es] digno de alabanza, en esto pensad... (v. 8).

Aunque es sabio vigilar nuestra alimentación, es aun más importante vigilar nuestro consumo de los medios. Estudios demuestran que lo que vemos permanece en nuestra mente mucho tiempo e influye en nuestra conducta. Tienen un «efecto pegajoso»; como esa obstinada grasa en el cuerpo, tan difícil de perder.

Ante la variedad de contenidos en los medios, debemos ser consumidores prudentes. No significa leer o ver solo literatura y películas cristiana, sino ser cuidadosos con lo que vemos. Podemos preguntarnos: *¿Vale la pena dedicarles tanto tiempo?*

En Filipenses 4:8, Pablo nos dice algo así: Alimenta tus ojos y tu mente con cosas verdaderas, nobles, justas, puras, amables, de buen nombre, virtuosas y dignas de alabanza. Esta es una «dieta» digna de lo que Cristo ha hecho y está haciendo en nosotros. 🕮 *PFC*

*¿**Mis** hábitos televisivos mejoran mi vida
o me alejan de lo realmente importa?*

«La mente se forma por lo que entra en ella». WILL DURANT

Conectar los puntos

El artista francés Georges Seurat creó un arte llamado puntillismo. Usaba pequeños puntos de color para crear una imagen artística. De cerca, su trabajo se ve como grupos de puntos individuales. Pero, cuando el observador se aleja, el ojo mezcla los puntos y ve imágenes o paisajes brillantes y coloridos.

El panorama general de la Biblia es así. De cerca, su complejidad puede dejarnos con la impresión de unos puntos en un lienzo. Cuando la leemos, podemos sentirnos como Cleofas y su acompañante en el camino a Emaús. No podían entender los trágicos «puntos» del fin de semana de la Pascua. Esperaban que Jesús fuera «el que había de redimir a Israel» (LUCAS 24:21), pero lo habían visto morir.

> LECTURA:
> **Lucas 24:13-32**
>
> *Comenzando por Moisés [...] les explicó lo referente a Él en [...] las Escrituras* (v. 27 LBLA).

De pronto, un hombre al que no reconocieron caminaba a su lado. Se interesó en su conversación, y los ayudó a conectar los puntos del sufrimiento y la muerte de su Mesías. Más tarde, mientras comía con ellos, Jesús dejó que lo reconocieran, y se marchó tan misteriosamente como había llegado.

¿Fueron los puntos de las cicatrices de los clavos en sus manos lo que les llamó la atención? No lo sabemos. Pero sí sabemos que, cuando conectamos los puntos de la Escritura y el sufrimiento de Jesús (vv. 27, 44), vemos a un Dios que nos ama más de lo que podemos imaginar. 🌱

MRD

Señor, ayúdame a ver tu plan en las Escrituras.

Jesús dio su vida para mostrarnos su amor.

Pruebas de fuego

El fuego puede ser uno de los peores enemigos de los árboles. Pero también es útil. Los incendios pequeños y frecuentes limpian el piso forestal de hojas y ramas secas, sin destruir los árboles. Dejan cenizas, que son perfectas para que las semillas germinen. Es sorprendente que incendios pequeños sean necesarios para el crecimiento de los árboles.

Asimismo, las pruebas —que la Biblia describe como fuego— son necesarias para nuestra salud y crecimiento espiritual (1 PEDRO 1:7; 4:12). Santiago escribió: «Hermanos míos, tened por sumo gozo cuando os halléis en diversas pruebas, sabiendo que la prueba de vuestra fe produce paciencia. Mas tenga la paciencia su obra completa, para que seáis perfectos y cabales, sin que os falte cosa alguna» (SANTIAGO 1:2-4).

> LECTURA:
> **Santiago 1:2-12**
>
> *Hermanos míos, tened por sumo gozo cuando os halléis en diversas pruebas...* (v. 2).

Es en las pruebas donde suelen cumplirse los propósitos de Dios, porque son buenas para madurar espiritualmente. Este crecimiento no solo nos prepara para la vida; también nos permite reflejar más nítidamente a Jesús ante un mundo que lo necesita con desesperación.

En las manos de nuestro Padre, las pruebas pueden lograr sus propósitos para nuestro beneficio y para su honra. Pueden conformarnos a la imagen de su Hijo. 🌸   WEC

Padre, enséñame a confiar en tu fuerza
para soportar las dificultades.

Fe es ver a Dios en la oscuridad y en la luz.

Las puertas de la adoración

Al entrar en ciertas ciudades importantes, uno puede encontrar puertas famosas, como la Puerta de Brandenburgo (Berlín), la Puerta de Jaffa (Jerusalén) y las puertas de Downing Street (Londres). Construidas con fines defensivos o ceremoniales, todas representan la diferencia entre estar fuera o dentro de ciertas zonas de la ciudad. Algunas están abiertas; otras están cerradas para todos, excepto para unos pocos.

> **LECTURA:**
> Salmo 100
>
> *Entrad por sus puertas con acción de gracias [...]; alabadle, bendecid su nombre* (v. 4).

Las puertas a la presencia de Dios están siempre abiertas. El Salmo 100 era una invitación para que los israelitas entraran en la presencia de Dios por las puertas del templo. Se les decía: «Cantad alegres [...]; venid ante su presencia con regocijo» (vv. 1-2). Cantar alegres era una expresión apropiada al saludar a un monarca en el mundo antiguo. ¡Toda la tierra debía cantar con alegría a Dios! Él les había dado su identidad (v. 3). Entraban por las puertas con alabanza y acción de gracias por la bondad, la misericordia y el amor del Señor, que permanece para siempre (vv. 4-5). Incluso cuando se olvidaban de su identidad y se alejaban de Dios, Él seguía siendo fiel y los invitaba a entrar en su presencia.

Las puertas en la presencia de Dios siguen abiertas, invitándonos a ir y adorar. 🌿

MLW

> *¿Qué debe motivarnos a adorar a Dios?*
> *¿Qué palabras de alabanza puedes ofrecerle hoy?*

Las puertas a la presencia de Dios están siempre abiertas.

Palabras para el cansado

Pocos días después de la muerte de su padre, C. S. Lewis, que tenía 30 años de edad, recibió una carta de una mujer que había cuidado a su madre durante su enfermedad hacía más de dos décadas. La mujer ofreció sus condolencias por la pérdida, y se preguntaba si él se acordaba de ella. «Mi querida enfermera Davison —contestó Lewis—. ¿Recordarla? ¡Cómo no hacerlo!».

LECTURA:
Isaías 50:4-10

Dios el Señor me dio lengua de sabios, para saber hablar palabras al cansado (v. 4).

Lewis recordó lo mucho que su presencia en su casa había significado para él, así como para su hermano y su padre en un momento difícil. Le dio las gracias por sus palabras de pésame, y agregó: «*Es verdaderamente* reconfortante evocar esos días del pasado. El tiempo que usted estuvo con mi madre le parecía muy largo a un niño, y usted se convirtió en parte del hogar».

Cuando luchamos con las circunstancias de la vida, una palabra de aliento de los demás puede levantar nuestro espíritu y nuestros ojos al Señor. Isaías, el profeta del Antiguo Testamento, escribió: «Dios el Señor me dio lengua de sabios, para saber hablar palabras al cansado» (50:4). Cuando miramos al Señor, Él ofrece palabras de esperanza y luz en la oscuridad. 🌿 *DCM*

Padre Celestial, ayúdame a escuchar tus palabras de esperanza hoy. Ayúdame a expresarlas a los demás para que los guíen a ti.

Las palabras compasivas pueden alentar a un corazón triste.

Pásalo

Me gusta ver las carreras de relevos. La fuerza física, la velocidad, la habilidad y la resistencia requerida de los atletas me sorprenden. Pero hay un momento crucial que siempre capta mi atención y me pone ansioso: cuando se le pasa el testigo al corredor siguiente. Un momento de retraso, un desliz... y la carrera podría perderse.

LECTURA:
Salmo 78:1-8

Contaremos a la generación venidera las alabanzas del SEÑOR (v. 4 LBLA).

En cierto sentido, los creyentes están en una carrera de relevos, llevando el testigo de la fe y el conocimiento del Señor, y de su Palabra. La Biblia nos habla de la necesidad de pasar este testimonio de una generación a otra. En el Salmo 78, Asaf declara: «Hablaré cosas escondidas desde tiempos antiguos, las cuales hemos oído y entendido, que nuestros padres nos las contaron. No las encubriremos a sus hijos, contando a la generación venidera las alabanzas de Señor, y su potencia y las maravillas que hizo» (vv. 2-4).

Moisés dijo algo parecido a los israelitas: «Ten mucho cuidado de no olvidar nada de todo lo que tus ojos han visto. [...]. Al contrario, enséñales esto a tus hijos, y a los hijos de tus hijos» (DEUTERONOMIO 4:9).

Estamos llamados a hacer con amor y valentía todo lo posible para pasar a las generaciones futuras «las virtudes de aquel que [nos] llamó de las tinieblas a su luz admirable» (1 PEDRO 2:9). 🌐

LD

Padre, ayúdame a ser fiel, pasando mi fe a otros.

Ejercemos influencia en las generaciones futuras viviendo para Cristo hoy.

Palabras que importan

En mis inicios como editor de *Nuestro Pan Diario*, elegía el versículo para la portada del librito mensual. Luego, comencé a preguntarme si eso tenía importancia.

Poco después, una lectora escribió, diciendo que había orado por su hijo por más de 20 años, pero que él no tenía ningún interés en Jesús. Un día, fue a verla y leyó el versículo de la portada del librito. El Espíritu usó esas palabras para convencerlo de pecado, y aceptó a Jesús como Salvador en ese momento.

No recuerdo el versículo ni el nombre de la mujer. Sin embargo, nunca olvidaré la claridad del mensaje de Dios para mí ese día. Casi un año antes, Él había escogido un texto bíblico para responder las oraciones de una madre. Desde el más allá, aplicó la maravilla de su presencia a mi trabajo y a sus palabras.

> **LECTURA:**
> **1 Juan 1:1-4**
>
> *Lo que era desde el principio [...] tocante al Verbo de vida [...] os anunciamos* (v. 1).

Juan llamó a Jesús el «Verbo de vida» (1 JUAN 1:1). Quería que todos supieran lo que eso significaba. «Os anunciamos la vida eterna, la cual estaba con el Padre, y se nos manifestó», escribió de Jesús (v. 2). «Lo que hemos visto y oído, eso os anunciamos, para que también vosotros tengáis comunión con nosotros» (v. 3).

No hay nada mágico en poner palabras en un papel. Pero sí hay poder en las palabras de la Escritura, que transforman la vida, porque ellas nos señalan al Verbo de vida: Jesús. 🌿 *TG*

Señor, háblame hoy por tu Palabra.

**Las palabras que nos señalan a Cristo
son siempre palabras que importan.**

Calma tu alma

Mientras asistía a un concierto, mi mente se desvió a un asunto que me preocupaba y me distraía. Felizmente, la distracción terminó pronto, cuando las palabras de un hermoso himno comenzaron a penetrar profundamente en mi ser. Un grupo de hombres cantó a *capella* un himno que hablaba de la paz de Dios para el alma del creyente. Los ojos se me llenaron de lágrimas mientras escuchaba esas palabras y contemplaba el pacífico reposo que solo Él puede dar.

> **LECTURA:**
> **Mateo 11:25-30**
>
> *Estad quietos, y conoced que yo soy Dios* (Salmo 46:10).

Cuando Jesús denunció a las ciudades que no se habían arrepentido y donde Él había hecho la mayoría de sus milagros (MATEO 11:20-24), aun así, tuvo palabras de consuelo para los que quisieran acudir a Él: «Venid a mí todos los que estáis trabajados y cargados [...]; aprended de mí, que soy manso y humilde de corazón; y hallaréis descanso para vuestras almas» (vv. 28-29).

¡Qué palabras tan sorprendentes! Inmediatamente después de sus enérgicas palabras a aquellos que lo rechazaban, Jesús extendió una invitación a todos a ir a Él para encontrar la paz que todos anhelamos. Jesucristo es el único que puede calmar nuestras almas inquietas y cansadas. ✦ *JMS*

Señor, vengo a ti ahora con necesidad de descanso para mi corazón. Ayúdame a confiar en ti y en tu amor.

Cuando mantenemos nuestra mente puesta en Jesús, Él la mantiene en paz.

Riquezas verdaderas

En el funeral del padre de una amiga mía, alguien le dijo: «Hasta que conocí a tu papá, no había visto a una persona que disfrutara tanto de ayudar a los demás». Cuando murió, dejó un legado de amor. En cambio, una tía de mi amiga consideraba sus posesiones como su legado, y pasó sus últimos años preocupada por quién protegería sus reliquias familiares y sus raros libros.

> **LECTURA:**
> **Lucas 12:22-34**
>
> *Porque donde está vuestro tesoro, allí estará también vuestro corazón* (v. 34).

Con su enseñanza y su ejemplo, Jesús advirtió a sus seguidores de que no acumularan cosas, sino que dieran a los pobres y que valoraran lo que no envejecerá ni destruirá la polilla: «Porque donde está vuestro tesoro, allí estará también vuestro corazón» (LUCAS 12:34).

Podemos pensar que nuestras posesiones dan sentido a nuestra vida. Sin embargo, cuando el aparato más moderno se daña o perdemos algo valioso, nos damos cuenta de que lo que satisface y perdura es nuestra relación con el Señor. El amor a los demás y nuestro interés en ellos es lo que no se marchita ni se desvanece.

Pidamos al Señor que nos ayude a ver con claridad qué valoramos, nos muestre dónde está puesto nuestro corazón y nos ayude a buscar su reino por encima de todo (12:31). ◆ *ABP*

¿Qué cosas valoras?
Lee la historia sobre el maná en el desierto en Éxodo 16.
Piensa en cómo se relaciona esta historia con las palabras de Jesús
a las multitudes en Lucas 12.

Lo que valoramos revela el estado de nuestro corazón.

Oración por ti hoy

C uando enfrentamos una situación confusa o un problema difícil, solemos pedir a nuestros hermanos en Cristo que oren por nosotros. Es un gran aliciente saber que otros se interesan por nosotros y presentan nuestra necesidad ante Dios. Pero ¿qué sucede si no tienes amigos creyentes cerca? Tal vez vives donde hay oposición al evangelio de Cristo. ¿Quién orará por ti?

Romanos 8, uno de los grandes y triunfantes capítulos de la Biblia, declara: «qué hemos de pedir como conviene no lo sabemos, pero el Espíritu mismo intercede por nosotros con gemidos indecibles. [...] conforme a la voluntad de Dios intercede por los santos» (ROMANOS 8:26-27). El Espíritu Santo está orando hoy por ti.

> **LECTURA:**
> **Romanos 8:22-34**
>
> *... el Espíritu mismo intercede por nosotros [...]. Cristo [...] también intercede por nosotros* (vv. 26, 34).

Además, «Cristo es el que murió; más aun, el que también resucitó, el que además está a la diestra de Dios, el que también intercede por nosotros» (v. 34). El Señor Jesús, que vive, también está orando por ti hoy.

¡Piénsalo! El Espíritu Santo y Jesucristo mencionan tu nombre y tus necesidades a Dios Padre, quien escucha y obra a tu favor.

No importa qué suceda en tu vida o cuán confusa sea tu situación, no enfrentas la vida solo. ¡El Espíritu y el Hijo están orando por ti hoy! ❤

DCM

Amado Dios, me inclino a ti en humilde gratitud por las oraciones hechas a ti a mi favor por el Espíritu y tu Hijo. ¡Qué verdad tan asombrosa!

El Espíritu Santo y Jesús siempre están orando por ti.

A un tiro de piedra

Cuando un grupo de líderes religiosos llevó a una mujer adúltera a Jesús, no sabían que estaban colocándola a un tiro de piedra de la gracia. Esperaban desacreditar al Señor. Si Él les decía que la dejaran ir, podrían aducir que estaba quebrantando la ley mosaica. Pero, si la condenaba a morir, las multitudes que le seguían habrían desechado sus palabras de gracia y misericordia.

> LECTURA:
> **Juan 7:53–8:11**
>
> *El que [...] esté sin pecado sea el primero en arrojar la piedra contra ella* (Juan 8:7).

Sin embargo, Jesús les devolvió la pelota a los acusadores. La Biblia dice que, en vez de responderles directamente, comenzó a escribir en el suelo. Cuando los líderes siguieron preguntándole, invitó a cualquiera de ellos que nunca hubiera pecado a lanzar la primera piedra. Después, siguió escribiendo en el suelo. Cuando volvió a levantar la vista, se habían ido todos.

La única persona que podría haber arrojado una piedra —el único sin pecado— miró a la mujer con misericordia y le dijo: «Ni yo te condeno; vete, y no peques más».

Ya sea que hoy necesites el perdón de Dios por juzgar a otros o que desees tener la seguridad de que ningún pecado está más allá de su gracia, que esto te aliente: Nadie te lanzará piedras hoy; deja que la misericordia de Dios te cambie. ❧

RKK

Padre, *límpiame de mi naturaleza condenadora y líbrame de las ataduras del pecado. Ayúdame a vivir una vida transformada por tu misericordia.*

Adoramos a un Salvador que ansía perdonarnos.

Fe mala, fe buena

«**T**ienes que** tener fe», dice la gente. Pero ¿qué significa eso? ¿*Cualquier* fe es una fe buena?

«Cree en ti mismo y en lo que eres —escribió un pensador hace un siglo—. En ti hay algo más grande que cualquier obstáculo». Por muy bonito que suene esto, se hace pedazos cuando se estrella contra la realidad. Necesitamos fe en algo más grande que nosotros mismos.

> **LECTURA:**
> **Romanos 4:18-25**
>
> *Tampoco dudó [...] de la promesa de Dios, sino que se fortaleció en fe...* (v. 20).

Dios prometió a Abram una multitud de descendientes (GÉNESIS 15:4-5), pero enfrentaba un obstáculo enorme: era anciano y no tenía hijos. Cuando él y Sara se cansaron de esperar que el Señor cumpliera su promesa, trataron de vencer esa traba por sí solos. El resultado fue una familia dividida y mucha discordia innecesaria (GÉNESIS 16; 21:8-21).

Nada de lo que Abraham hizo por su propia fuerza funcionó. Sin embargo, al final, fue conocido como un hombre de gran fe. Pablo dijo de él: «creyó en esperanza contra esperanza, para llegar a ser padre de muchas gentes, conforme a lo que se le había dicho: Así será tu descendencia (ROMANOS 4:18). Esta fe, dijo Pablo, «le fue contada por justicia» (v. 22).

La fe de Abraham estaba puesta en algo mucho más grande que él: en el Dios único. Lo que marca toda la diferencia es el objeto de nuestra fe. 🌱

TG

> **Señor,** quiero tener una fe fuerte en ti; no en mí mismo,
> en mis capacidades ni en otros.

Nuestra fe es buena si está puesta en la Persona correcta.

No te rindas

E l **Monte** Tianmen, en China, es considerado una de las montañas más hermosas del mundo. Para ver sus elevadísimos acantilados en todo su glorioso esplendor, hay que tomar el teleférico Tianmen Shan, que recorre una distancia de 7.455 metros (4,5 MILLAS). Es asombroso que este teleférico pueda cubrir semejante trayecto y subir laderas tan empinadas sin un motor interno. Sin embargo, asciende seguro a esas enormes alturas al mantenerse firmemente sujeto a un cable movido por un motor poderoso.

> LECTURA:
> **Filipenses 3:12–4:1**
>
> *... estad así firmes en el Señor...* (4:1).

En nuestra travesía de la fe, ¿cómo podemos terminar la carrera y proseguir «a la meta, al premio del supremo llamamiento de Dios en Cristo Jesús»? (FILIPENSES 3:14). Como el teleférico, nos mantenemos aferrados firmemente a Cristo. Esto es lo que quiso decir Pablo al indicar: «estad así firmes en el Señor» (4:1). Los recursos no están en nosotros, sino que dependemos por completo de Cristo, quien nos impulsa para que avancemos. Él nos llevará a superar los desafíos más grandes y nos guiará seguros hasta el hogar celestial.

Cerca del final de su vida terrenal, el apóstol Pablo declaró: «He peleado la buena batalla, he acabado la carrera, he guardado la fe» (2 TIMOTEO 4:7). Tú también puedes hacerlo. Simplemente, mantente tomado de Cristo firmemente. 🌿   AL

Señor, *gracias porque nunca sueltas mi mano.*

Guardar la fe significa confiar en que Dios te cuidará fielmente.

Recordatorios de Dios

Un amigo mío se refiere a Jesús como «el Gran Recordador»; y está bien, porque somos muy propensos a dudar y olvidar. Por más que Jesús suplía con frecuencia las necesidades de quienes acudían a Él, sus discípulos temían que pudiera faltarles algo. A pesar de presenciar milagros, no entendieron el concepto más profundo que el Señor quería que recordaran.

LECTURA:
Marcos 8:11-21

*Y les dijo:
¿Cómo aún no
entendéis?* (v. 21).

Una vez, mientras cruzaban el mar de Galilea, se dieron cuenta de que no habían llevado pan. Al escucharlos hablar del tema, Jesús les preguntó: ¿No entendéis ni comprendéis? [...] ¿Teniendo ojos no veis, y teniendo oídos no oís? ¿Y no recordáis?» (MARCOS 8:17-18). Entonces, les recordó que, cuando alimentó a 5.000 personas, habían sobrado doce cestas, que ellos mismos recogieron. Y tras alimentar a 4.000, sobraron siete cestas. Luego, agregó: «¿Cómo aún no entendéis?».

La provisión milagrosa del Señor para las necesidades físicas de la gente apuntaba a una verdad más importante: Él era el pan de vida, y su cuerpo sería roto por ellos y por nosotros.

Cada vez que comemos el pan y bebemos de la copa en la Cena del Señor, se nos recuerda el gran amor de Dios y su provisión permanente. 🌿   DCM

*En la celebración de la Cena del Señor,
Jesús nos dejó un gran recordatorio de su sacrificio.*

**La Cena del Señor es un recordatorio
de su amor y provisión.**

Nada de extranjeros

En la remota región de Ghana, donde viví toda mi infancia, había un proverbio conocido: «Hora de cocinar, nada de amigos». Era una manera cómica de reconocer que, en ciertas zonas, la comida escaseaba y que, por naturaleza, los ghaneses son muy generosos. Si entras a su casa, te darán de comer, aunque sea lo último que les quede.

LECTURA:
Deut. 10:12-22

En Filipinas, donde también viví un tiempo, si llegas de visita sin aviso, tus anfitriones insistirán en compartir lo que hay contigo, sin importar si tienen suficiente para ellos.

... qué pide el Señor tu Dios de ti, sino [...] que andes en todos sus caminos, y que lo ames... (v. 12).

Cuando los israelitas salieron de Egipto, Dios dejó instrucciones sobre cómo proceder. No obstante, las normas no siempre cambian el corazón. Por eso, Moisés dijo: «cambia la actitud de tu corazón y deja de ser terco (DEUTERONOMIO 10:16 NTV). Luego, agregó algo sobre el trato a los extranjeros: Dios «demuestra amor a los extranjeros que viven en medio de ti y les da ropa y alimentos. Así que tú también tienes que demostrar amor a los extranjeros» (18-19).

Israel servía al «Dios de dioses y Señor de señores, Dios grande, poderoso y temible» (v. 17). Una manera poderosa de identificarse con Él era amando a los extranjeros; los de otras culturas.

¿Qué significa esto hoy para nosotros? ¿Cómo podemos mostrar su amor a los marginados y los necesitados? ❧ TG

Señor, ayúdame a mostrar hoy tu amor.

En Cristo, no hay extranjeros.

Presos liberados

uando mi esposa y yo visitamos un museo de la Fuerza Aérea de nuestro país, nos conmovió particularmente la sección de los prisioneros de guerra, donde se recreaban las barracas de un campamento alemán de prisioneros. Mi suegro formó parte de esa fuerza en misiones aéreas sobre Europa durante la Segunda Guerra Mundial. Más de 26.000 hombres murieron y no menos de 47.000 fueron heridos, entre los cuales estaba él, uno de aquellos prisioneros de guerra. Mientras recorríamos la exposición, recordábamos cómo nos contaba sobre la alegría incontenible que él y sus compañeros sintieron cuando los liberaron.

LECTURA:
Salmo 146

... el Señor liberta a los cautivos (v. 7).

El Salmo 146 habla del cuidado de Dios a los oprimidos y la liberación de los encarcelados: el Señor «que hace justicia a los agraviados, que da pan a los hambrientos. [...] liberta a los cautivos» (v. 7). Todo esto genera celebración y alabanza. Sin embargo, la mayor libertad es la de la culpa y la vergüenza. Con razón, Jesús afirmó: «si el Hijo os libertare, seréis verdaderamente libres» (JUAN 8:36).

Por el sacrificio de Cristo, somos liberados de la prisión del pecado, para conocer el gozo, el amor y la libertad que solo el perdón puede brindar. 🌿   *WEC*

Señor Jesús, creo que moriste en la cruz para liberarme de las cadenas del pecado. Te acepto como mi Salvador.

La prisión del pecado no puede hacer frente al poder del perdón de Cristo.

Buen remedio

Conducir de manera negligente, discutir e insultarse es habitual entre algunos taxistas y choferes de minibuses en Accra, Ghana, lo cual suele generar peleas. Sin embargo, una vez, presencié un incidente que terminó distinto. Un taxista casi choca contra un autobús. Supuse que el chofer del autobús se enojaría y le gritaría al otro hombre. En cambio, lo miró y, con tranquilidad, le sonrió. Esa sonrisa obró maravillas. El chofer del taxi levantó la mano, se disculpó, le sonrió y siguió su camino... la tensión había desaparecido.

> **LECTURA:**
> **Efesios 4:25-32**
>
> *El corazón alegre constituye buen remedio...*
>
> (Proverbios 17:22).

Una sonrisa actúa de manera asombrosa en la química del cerebro. Los investigadores han descubierto que se liberan endorfinas, las cuales producen un efecto fisiológicamente relajante. Esto no solo se aplica a situaciones externas, sino que una sonrisa también puede disipar la tensión emocional interna. La Biblia nos enseña: «Quítense de vosotros toda amargura, enojo, ira, gritería y maledicencia, y toda malicia. Antes sed benignos unos con otros» (EFESIOS 4:31-32).

Cuando el enojo, la tensión o la amargura amenazan nuestra relación con Dios y con los demás, recordemos que «el corazón alegre constituye buen remedio» (PROVERBIOS 17:22), que nos traerá gozo y bienestar. 🌿

LD

*¿Cómo te sentiste la última vez
que discutiste con alguien? ¿Cómo te afectó?*

*Encontramos gozo cuando
aprendemos a vivir en el amor de Cristo.*

Alabar y pedir

Una organización cristiana de ayuda a jóvenes en situación de riesgo, en Nueva York, nació de un compromiso inusual con la oración. Su fundador vendió su televisor y dedicó el tiempo que pasaba mirando televisión (dos horas por noche) a orar. A los pocos meses, no solo entendió mejor lo que quería emprender, sino que también aprendió a lograr un equilibrio entre alabar a Dios y pedirle ayuda.

> **LECTURA:**
> **2 Crónicas 6:12-21**
>
> *... los cielos de los cielos no te pueden contener; ¿cuánto menos esta casa que he edificado?* (v. 18).

La oración del rey Salomón en la dedicación del templo muestra este equilibrio: comenzó resaltando la santidad y la fidelidad de Dios. Luego, le atribuyó al Señor el éxito del proyecto y enfatizó su grandeza: «los cielos y los cielos de los cielos no te pueden contener; ¿cuánto menos esta casa que he edificado?» (2 CRÓNICAS 6:18). Después de exaltarlo, Salomón le pidió que prestara especial atención a todo lo que sucedía dentro del templo, que mostrara misericordia a los israelitas y que supliera sus necesidades. Inmediatamente después de su oración, «de los cielos descendió fuego y consumió el holocausto y las víctimas, y la gloria del Señor llenó el templo» (7:1 RVC). Esta respuesta increíble nos recuerda que el Dios poderoso a quien le hablamos y alabamos en oración también nos escucha y responde a nuestras peticiones. 🌿

JBS

*¿**Cómo** describirías tus conversaciones con Dios?*
¿Qué te ayudaría a mejorar?

La oración nos ayuda a ver las cosas
como Dios las ve, no a la inversa.

Aferrarse a la cruz

E n 1856, Charles Spurgeon, el gran predicador londinense, fundó un seminario de capacitación para el servicio cristiano. En 1923, se le cambió el nombre Universidad del Pastor por Universidad Spurgeon. En la actualidad, el escudo de la institución contiene una mano que toma una cruz y las palabras latinas *Et Teneo, Et Teneor*: «Me tomo y soy tomado». En su autobiografía, Spurgeon escribió: «Este es el lema de nuestra escuela. Nos [...] tomamos de la cruz de Cristo con una mano enérgica [...] porque esa cruz nos toma firmemente con su poder de atracción. Nuestro deseo es que todo ser humano se aferre a la Verdad y sea asido por ella; en especial, la verdad del Cristo crucificado».

> LECTURA:
> **Filipenses 3:7-12**
>
> *... prosigo, por ver si logro asir aquello para lo cual fui también asido por Cristo Jesús* (v. 12).

En su carta a los filipenses, Pablo declaró que esta verdad era el fundamento de su vida: «No que lo haya alcanzado ya [...]; sino que prosigo, por ver si logro asir aquello para lo cual fui también asido por Cristo Jesús» (FILIPENSES 3:12). Como seguidores de Cristo, transmitimos el mensaje de la cruz a otros mientras Jesús nos sostiene firmemente en su gracia y poder. «Con Cristo estoy juntamente crucificado, y ya no vivo yo, mas vive Cristo en mí» (GÁLATAS 2:20).

Nuestro Señor nos toma con su mano de amor todos los días... y nosotros extendemos su mensaje de amor a los demás. ❧

DCM

Señor, me aferro hoy a tu cruz. Toma mi mano.

Nosotros nos aferramos a la cruz de Cristo y ella nos sostiene.

El libro bebible

En algunas partes del mundo, es difícil encontrar agua potable. Por eso, una organización llamada *Water Is Life* [El agua es vida] desarrolló un recurso maravilloso: «El libro bebible». ¡El papel del libro está recubierto de nanopartículas de plata que filtran casi el 99,9% de las bacterias perjudiciales! Cada hoja arrancada puede usarse una y otra vez para filtrar hasta 100 litros de agua a un costo de solo unos pocos centavos.

> **LECTURA:**
> **Juan 4:7-15**
>
> *... sino que el agua que yo le daré será en él una fuente de agua que salte para vida eterna* (v. 14).

La Biblia es también un libro inusualmente «bebible». En Juan 4, leemos sobre una clase particular de sed y un tipo de agua especial. La mujer junto al pozo necesitaba mucho más que saciar su sed física con un líquido limpio y transparente. Estaba desesperada por conocer a la Fuente de «agua viva»; necesitaba la gracia y el perdón que solo Dios puede dar.

La Palabra de Dios es el libro «bebible» supremo que señala al Hijo de Dios como la única fuente de «agua viva». Aquellos que acepten el agua que Jesús ofrece disfrutarán de «una fuente de agua que salte para vida eterna» (v. 14). ❖ *CHK*

Señor, anhelamos la satisfacción que solo tú puedes dar. Ayúdanos a descartar lo que nos deja vacíos y sedientos, y cambiarlo por la satisfacción del agua viva que tú ofreces.

Jesús es la única fuente de agua viva.

Unidos en Cristo

Cuando nos encontramos con una lista de nombres en la Biblia, tal vez nos vemos tentados a pasarla por alto. Sin embargo, allí podemos encontrar algunos tesoros, como en la lista de los doce apóstoles a quienes Jesús llamó para que sirvieran en su nombre. Muchos son conocidos: Simón, a quien Jesús llamó Pedro; Jacobo y Juan, que eran hermanos y pescadores; Judas Iscariote, el traidor. Pero es probable que no tengamos en cuenta que Mateo, el publicano, y Simón, el zelote, quizá fueron enemigos anteriormente.

LECTURA:
Marcos 3:13-19

Y estableció a doce, para que estuviesen con él, y para enviarlos a predicar (v. 14).

Mateo cobraba impuestos para Roma; por lo tanto, los demás judíos consideraban que colaboraba con el enemigo. Los recaudadores de impuestos eran despreciados por ser corruptos y exigir que el pueblo judío diera dinero a otra autoridad aparte de Dios. Por otra parte, antes del llamado de Jesús, Simón, el zelote, era miembro de un grupo de judíos nacionalistas que odiaban a Roma y buscaban destruir su poder. Aunque Mateo y Simón tenían convicciones políticas diferentes, los Evangelios no documentan que discutieran o pelearan.

Cuando nosotros también fijamos nuestros ojos en Cristo, podemos desarrollar unidad con los demás creyentes mediante los lazos del Espíritu Santo. ❧ *AMP*

Dios trino, tú existes en perfecta armonía:
Padre, Hijo y Espíritu Santo. Que tu Espíritu me llene para
que el mundo pueda verte y creer.

Nuestra mayor lealtad es a Cristo,
quien nos da unidad unos con otros.

Hacer lo opuesto

Una excursión por el desierto puede parecer intimidatoria, pero a quienes les encantan las actividades al aire libre les resulta atractiva. Como se necesita más agua de la que pueden acarrear, compran botellas con filtros incorporados para poder beber de fuentes que encuentren por el camino. No obstante, beber de esos recipientes va en contra de lo normal: para que el agua pase por el filtro, hay que soplar...

LECTURA:
Colosenses 2:20-3:4

Porque habéis muerto, y vuestra vida está escondida con Cristo en Dios (3:3).

Como seguidores de Cristo, encontramos muchas cosas contrarias a lo supuestamente natural. Pablo señaló un ejemplo: cumplir las reglas no nos acerca a Dios. «¿Por qué, como si vivieseis en el mundo, os sometéis a preceptos tales como: No manejes, ni gustes, ni aun toques [...] (en conformidad a mandamientos y doctrinas de hombres)?» (COLOSENSES 2:20-22).

Entonces, ¿qué debemos hacer? Pablo dio la respuesta: «Si, pues, habéis resucitado con Cristo, buscad las cosas de arriba» (3:1). A personas bien vivas, les dijo: «Porque habéis muerto, y vuestra vida está escondida con Cristo en Dios» (v. 3).

Debemos considerarnos muertos a los valores de este mundo y vivos para Cristo. Aspiramos a vivir como Aquel que dijo: «el que quiera hacerse grande entre vosotros será vuestro servidor» (MATEO 20:26). 🌢

TG

*¿**Qué** significan para ti Mateo 16:25, 20:16 y 2 Corintios 12:10?*

*... lo necio del mundo escogió Dios,
para avergonzar a los sabios...* 1 CORINTIOS 1:27

Un cambio de corazón

Cuando terminó la Guerra Civil Norteamericana, los soldados de la Unión estaban parados a ambos lados de un camino por donde marcharían los soldados derrotados de la Confederación. Una palabra equivocada o una actitud beligerante podían convertir la largamente anhelada paz en una matanza. En un acto tanto notable como conmovedor, ¡un oficial de la Unión ordenó a su tropa saludar al enemigo! Ni burlas ni insultos; solo armas en alto en señal de respeto.

LECTURA:
Lucas 6:27-36

Sed, pues, misericordiosos, como también vuestro Padre es misericordioso (v. 36).

Las palabras de Jesús sobre el perdón, en Lucas 6, ayudaron a entender la diferencia entre las personas perdonadas por gracia y las impías. Los perdonados deben distinguirse de los demás, haciendo lo que se considera imposible: perdonar y amar a sus enemigos. Jesús dijo: «Sed, pues, misericordiosos, como también vuestro Padre es misericordioso» (v. 36).

Imagina el impacto sobre nuestros compañeros de trabajo y nuestros parientes si abrazáramos este principio. La gracia de Cristo reflejada en nosotros tiene un poder sorprendente. La Biblia nos lo muestra en el abrazo de Esaú a su hermano (GÉNESIS 33:4), en el arrepentimiento de Zaqueo (LUCAS 19:1-10) y en el padre que corre a saludar a su hijo perdido (LUCAS 15).

Por la gracia de Cristo, terminemos hoy con la amargura y las peleas con nuestros enemigos. 🌑

RKK

Señor, ayúdame a perdonar.

Casi siempre, el enojo se desvanece frente a la gracia.

¡Cuidado!

Las siguientes advertencias se han encontrado en algunos productos:

«Sacar al niño antes de cerrarlo». (Coche de bebé).

«No suministrar oxígeno». (Máscara contra el polvo).

«No operar manos libres mientras conduzca». (Artefacto para teléfonos móviles llamado «Conduzca y hable»).

«Este producto se mueve al usarlo». (Motocicleta).

Una etiqueta de advertencia apropiada para el acaudalado Nabal podría haber sido: «Un tonto es el que hace tonterías» (VER 1 SAMUEL 25). Sin duda, actuó

> **LECTURA:**
> **1 Samuel 25:1-12**
>
> *... Le hace honor a su nombre, y siempre ha sido un imprudente...* (v. 25).

con imprudencia cuando le habló a David, quien, mientras huía de Saúl, lo había ayudado con sus ovejas, pero que ahora había enviado a diez de sus hombres para pedirle comida (vv. 4-8).

La respuesta de Nabal fue más que descortés: «¿Quién es David [...]? ¿He de tomar yo ahora mi pan, mi agua, y la carne [...], y darla a hombres que no sé de dónde son?» (vv. 10-11). Violó el código de hospitalidad de la época al no invitarlo a la celebración, insultarlo, faltarle el respeto y, en esencia, robarle al no pagarle por su trabajo.

En realidad, todos tenemos un poco de Nabal, ya que, a veces, somos imprudentes. La única solución es confesar a Dios este pecado. Él nos perdonará y nos enseñará a ser sabios. ❀   *MLW*

Señor, *dame un corazón íntegro, compasivo y sin egoísmo.*

La sabiduría de Dios eclipsa nuestro egocentrismo.

¡Bienvenidos todos!

L**a noche** en que proyectaríamos una película en la iglesia y por la que habíamos orado tanto había llegado. Se habían colocado anuncios por todo el pueblo, y las pizzas ya estaban en el horno. Esteban, el pastor de jóvenes, esperaba que ese filme sobre las pandillas en Nueva York incentivara a los jóvenes a evangelizar a esos grupos, pero se había olvidado de que televisaban un partido de fútbol y que asistiría poca gente. Cuando iba a comenzar la película, llegaron cinco motociclistas, todos vestidos de cuero. Esteban se puso pálido.

> **LECTURA:**
> **Lucas 5:27-32**
>
> *No he venido a llamar a justos, sino a pecadores al arrepentimiento*
> (v. 32).

El líder de los motociclistas lo miró y preguntó: «Es gratis y para todos, ¿no?». Esteban respondió: «Solo para miembros del club». El motociclista tomó un brazalete con las letras QHJ (¿Qué haría Jesús?) y se lo dio. Avergonzado, Esteban los hizo pasar.

¿Alguna vez te pasó algo así? Deseas compartir la buena noticia de Jesús, pero tienes una lista mental de las personas «aceptables» para hablarles. Los líderes religiosos solían criticar a Jesús por reunirse con ciertas personas. Sin embargo, Él recibía de buena gana a todos los que el resto de la sociedad evitaba, porque sabía que eran quienes más lo necesitaban (LUCAS 5:31-32). 🕊️

MS

Señor, ayúdame a ver a las personas a través de tus ojos de amor y a aceptar a todos los que pones en mi camino.

Un corazón abierto a Cristo se abrirá también a aquellos que Él ama.

Morir por otros

Me encantan las aves. Por eso, compré seis pájaros enjaulados y los llevé a casa para nuestra hija, quien empezó a cuidarlos todos los días. Al tiempo, uno se enfermó y murió. Nos preguntamos si vivirían mejor fuera de la jaula. Entonces, liberamos a los cinco sobrevivientes y vimos cómo se iban volando felices.

Mi hija comentó: «Papá, ¿te diste cuenta de que la muerte de un pájaro hizo que liberáramos al resto?».

Esto es lo que hizo el Señor Jesús por nosotros. Así como el pecado de un hombre, Adán, trajo la condenación al mundo, el Varón justo, Jesús, trae salvación a quienes creen en Él (ROMANOS 5:12-19).

> LECTURA:
> **1 Juan 3:16-17**
>
> *Yo soy el buen pastor; el buen pastor su vida da por las ovejas* (Juan 10:11).

Jesús declaró: «Yo soy el buen pastor; el buen pastor su vida da por las ovejas» (JUAN 10:11).

Juan lo hace más práctico, al señalar que, como Cristo «puso su vida por nosotros; también nosotros debemos poner nuestras vidas por los hermanos» (1 JUAN 3:16). Esto no habla de morir físicamente, sino de seguir el ejemplo de amor sacrificial de Jesús. Por ejemplo, podríamos decidir privarnos de cosas materiales para compartirlas con otros (v. 17), o dedicar tiempo para estar con alguien que necesita consuelo y compañía. ¿Por quién debes sacrificarte hoy? ❀

LD

*¿**Cómo** se han sacrificado otros por ti?*

El sacrificio supremo de Cristo por nosotros nos motiva a sacrificarnos por los demás.

Admirador de por vida

C ade Pope, un niño de doce años, envió por correo 32 cartas manuscritas; una para cada directivo de la Liga Nacional de Fútbol (NFL) de los Estados Unidos, en la que decía: «A mi familia y a mí nos encanta el fútbol. Participamos en las competiciones del fútbol de fantasía por Internet y miramos los partidos todos los fines de semana [...]. ¡Estoy listo para elegir un equipo para alentar por el resto de mi vida!».

> **LECTURA:**
> **Salmo 86:1-13**
>
> *... te llamaré, porque tú me responde* (v. 7).

El dueño del equipo Carolina Panthers le contestó con una nota también manuscrita, que empezaba diciendo: «Sería un honor que nuestro [equipo] sea tu equipo. Te sentirás orgulloso de nosotros». Esa carta no solo fue personal y afectuosa... fue la *única* respuesta que recibió. Por supuesto que Cade se convirtió en un fiel aficionado de los Carolina Panthers.

En el Salmo 86, David habló de su lealtad al único Dios verdadero: «En el día de mi angustia te llamaré, porque tú me respondes. Oh Señor, ninguno hay como tú entre los dioses» (vv. 7-8). Nuestra devoción a Dios se origina en su carácter e interés por nosotros. Él es quien contesta nuestras oraciones, nos guía por su Espíritu, y nos salva por medio de la muerte y la resurrección de su Hijo Jesucristo. Por eso, merece nuestra lealtad para toda la vida. ❧ *JBS*

Señor, quiero ser cada día más fiel a ti.

Solo Dios es digno de nuestra adoración y devoción.

Seguir trabajando bien

A **mi hijo** le encanta leer. Si lee más libros de los que se le exigen en la escuela, recibe un certificado como premio. Ese pequeño estímulo lo motiva a seguir trabajando bien.

Cuando Pablo les escribió a los tesalonicenses, no los incentivó con premios, sino con palabras de ánimo: «hermanos, os rogamos y exhortamos en el Señor Jesús, que de la manera que aprendisteis de nosotros cómo os conviene conduciros y agradar a Dios, así abundéis más y más» (1 TESALONICENSES 4:1). Estos cristianos agradaban a Dios con sus vidas, y Pablo los alentaba a seguir viviendo cada vez más a la semejanza de Él.

> LECTURA:
> **1 Tes. 4:1-12**
>
> *... os rogamos y exhortamos en el Señor Jesús, que [...] abundéis más y más* (v. 1).

Tal vez, tú y yo estemos haciendo lo mejor que podemos para conocer, amar y agradar a nuestro Padre. Tomamos las palabras de Pablo como un incentivo para seguir avanzando en la fe.

Pero hay algo más. ¿A quién podríamos animar hoy con las palabras de Pablo? ¿Te viene a la mente alguien que sigue diligentemente al Señor y procura agradarlo? Escríbele una nota o llámalo por teléfono, y anima a esa persona a seguir firme en su travesía de fe con el Señor. Lo que digas quizá sea lo que necesite para continuar siguiendo y sirviendo a Cristo. 🌸 *KO*

> ***Querido Señor,*** *gracias por alentarme*
> *por medio de tu Palabra a seguir viviendo para ti.*

Anima hoy a alguien a seguir viviendo para Dios.

¿Hay que hacerlo?

Julia comenzó la clase para niños con una oración y, luego, cantaron juntos. Emanuel, de seis años, se retorcía en su asiento cuando ella volvió a orar tras presentar al maestro, Aarón. Después, Aarón empezó y terminó la clase orando. Emanuel se quejó: «¡*Cuatro* oraciones! ¡Yo no puedo estar sentado quieto tanto tiempo!».

Si piensas que el desafío de Emanuel era difícil, mira 1 Tesalonicenses 5:17: «Orad sin cesar»; o sea, estén siempre en espíritu de oración. Incluso los adultos podemos considerar que orar es aburrido. Quizá sea porque no sabemos qué decir o no entendemos que orar es conversar con nuestro Padre.

> LECTURA:
> **1 Tes. 5:12-28**
>
> *Mas [Jesús] se apartaba a lugares desiertos, y oraba*
> (Lucas 5:16).

Allá por el siglo XVII, François Fénelon escribió unas palabras sobre la oración que me han ayudado: «Dile a Dios todo lo que está en tu corazón, tal como uno descarga sus alegrías y tristezas con un amigo querido. Cuéntale tus problemas para que te consuele, tus alegrías para que las equilibre, tus anhelos para que los purifique». Y agregaba: «Háblale de tus tentaciones para que te proteja de ellas; muéstrale las heridas de tu corazón para que las sane [...]. Si derramas todas tus debilidades, necesidades y problemas ante Él, siempre habrá algo que decir».

Crezcamos en nuestra intimidad con Dios para que deseemos estar más con Él. 🍃

AMC

Señor, quiero vivir en un espíritu de oración.

La oración es una conversación íntima con Dios.

De todo corazón

En muchas culturas, llorar a gritos, gemir y rasgarse la ropa son formas aceptables de lamentarse por angustias personales o grandes desastres nacionales. Para los israelitas del Antiguo Testamento, expresiones similares reflejaban un profundo dolor y su arrepentimiento por haberse alejado del Señor.

Una demostración externa de arrepentimiento puede ser significativa si procede del corazón. Pero, si uno no es interiormente sincero con Dios, solo estaría fingiendo, aun dentro de la comunidad de la fe.

Dios, a través del profeta Joel, llamó al pueblo de Judá a arrepentirse, para evitar juicios mayores: «Por eso pues,

> LECTURA:
> **Joel 2:12-17**
>
> *Rasgad vuestro corazón, y no vuestros vestidos, y convertíos al Señor vuestro Dios...* (v. 13).

ahora, dice el Señor, convertíos a mí con todo vuestro corazón, con ayuno y lloro y lamento» (JOEL 2:12). Luego, les pidió una respuesta en lo profundo de su ser: «Rasgad vuestro corazón, y no vuestros vestidos, y convertíos al Señor vuestro Dios; porque misericordioso es y clemente, tardo para la ira y grande en misericordia, y que se duele del castigo» (v. 13). El arrepentimiento verdadero nace en el corazón.

El Señor anhela que le confesemos nuestros pecados y recibamos su perdón, para que podamos amarlo y servirlo con todo el corazón, alma, mente y fuerzas.

Si hay algo que debes decirle al Señor hoy, díselo de corazón. 🌿

DCM

***Dame** de tu gracia para arrepentirme de corazón.*

Dios quiere escuchar tu corazón.

Solitario del desierto

Solitario del desierto es la historia personal de Edward Abbey sobre sus veranos como guardabosque en un parque nacional en Utah, Estados Unidos. Vale la pena leer el libro tan solo por el lenguaje vivaz y las gráficas descripciones de las bellezas naturales de aquel lugar.

Sin embargo, a pesar de sus cualidades artísticas, Abbey era un ateo que solo podía ver la belleza superficial de lo que disfrutaba. ¡Qué triste! Vivió toda su vida elogiando la belleza, sin captar la esencia de toda esa maravilla.

> **LECTURA:**
> **Salmo 136:1-9**
>
> *... Y vio Dios que era bueno*
> (Génesis 1:12).

La mayoría de los pueblos antiguos tenían teorías sobre los orígenes rodeadas de leyendas, mitos y canciones. Pero la historia de Israel sobre la creación era única: hablaba de un Dios que creó la belleza para que la disfrutemos con la alegría de un niño. Dios ideó el cosmos, lo puso en existencia con su palabra y lo declaró «hermoso». (La palabra hebrea traducida *bueno* también significa *bello*). Después de crear un paraíso, formó al ser humano, lo puso en Edén y le dijo: «¡Disfruta!».

Algunos ven y disfrutan de la belleza de los buenos regalos de Dios, pero «no le [glorifican] como a Dios, ni le [dan] gracias, sino que se [envanecen] en sus razonamientos» (ROMANOS 1:21).

Otros ven la belleza y dicen: «Gracias, Dios». 🕊 DHR

Señor, gracias por poder disfrutar de la belleza de tu creación.

Toda la creación refleja la belleza de Dios.

Tu travesía

Crecí durante la rebelde década de 1960 y me alejé de la religión. Había asistido a la iglesia siempre, pero no acepté a Cristo como Salvador hasta después de un accidente, con poco más de 20 años. Desde entonces, no he dejado de hablarles a otros del amor de Jesús. Ha sido una verdadera travesía.

Sin duda, «una travesía» describe la vida en este mundo accidentado. En el camino, encontramos montañas y valles, ríos y llanuras, carreteras concurridas y senderos solitarios; es decir, altos y bajos, alegrías y tristezas, conflictos y pérdidas, angustias y soledad. No

> LECTURA:
> **Juan 14:15-21**
>
> *No os dejaré huérfanos; vendré a vosotros* (v. 18).

podemos ver lo que está por delante, así que debemos aceptar las cosas como vienen, y no como desearíamos que fueran.

No obstante, el seguidor de Cristo nunca enfrenta esta travesía solo. La Biblia nos recuerda que Dios está siempre con nosotros. No hay lugar adonde vayamos que Él no esté (SALMO 139:7-12). Nunca nos dejará ni nos abandonará (DEUTERONOMIO 31:6; HEBREOS 13:5). Jesús, después de haber prometido enviar al Espíritu Santo, les dijo a sus discípulos: «No os dejaré huérfanos; vendré a vosotros» (JUAN 14:18).

Podemos enfrentar tranquilos los desafíos y las oportunidades que se presentan en nuestro viaje, porque Dios nos prometió estar siempre presente. 🌾 *WEC*

***Señor**, gracias por caminar siempre a mi lado.*

> **«La fe nunca sabe adónde va,
> pero ama y conoce a su Guía».** OSWALD CHAMBERS

Amor inalterable

Hace poco, el aterrizaje de un vuelo fue bastante brusco, y nos sacudió de un lado al otro por la pista. Algunos de los pasajeros se veían nerviosos, pero la tensión desapareció cuando dos niñas pequeñas que estaban sentadas detrás de mí exclamaron: «¡Viva! ¡Otra vez, otra vez!».

Los niños están dispuestos a las nuevas aventuras, y ven la vida con humildad y completamente maravillados. Quizá esto sea parte de lo que Jesús tenía en mente cuando dijo que tenemos que recibir el reino de Dios como lo hace un niño (MARCOS 10:15).

> LECTURA:
> **Lament. 3:21-26**
>
> *Tu amor es mejor que la vida; por eso mis labios te alabarán*
>
> (Salmo 63:3 NVI).

La vida tiene desafíos y tristezas. Pocos saben de esto mejor que Jeremías. Sin embargo, en medio de sus dificultades, Dios lo animó con una verdad asombrosa: «Por la misericordia del Señor no hemos sido consumidos, porque nunca decayeron sus misericordias. Nuevas son cada mañana; grande es tu fidelidad» (LAMENTACIONES 3:22-23).

Las renovadas misericordias de Dios pueden irrumpir en nuestra vida en cualquier momento, y las vemos cuando vivimos con una expectativa similar a la de los niños. Jeremías sabía que a la bondad del Señor no la definen nuestras circunstancias y que su fidelidad es mayor que las situaciones bruscas de la vida. Busquemos hoy las misericordias nuevas de Dios. 🌿

JB

*Señor, ayúdame a vivir con la fe de un niño;
siempre a la expectativa de lo que harás.*

Dios es más maravilloso que cualquier cosa que nos suceda.

Mis hermanos

Hace varios años, durante una crisis económica, el pastor de una iglesia no consideró tal situación una dificultad, sino una oportunidad. Entonces, se reunió con el intendente de la ciudad y preguntó: «¿Qué puede hacer nuestra iglesia para ayudar?». El intendente quedó sorprendido. Por lo general, la gente iba a pedirle ayuda, pero allí estaba aquel pastor ofreciéndole los servicios de toda una congregación.

> **LECTURA:**
> **Mateo 25:31-40**
>
> *... en cuanto lo hicisteis a uno de estos mis hermanos más pequeños, a mí lo hicisteis* (v. 40).

Juntos, elaboraron un plan para ocuparse de varias necesidades imperiosas. El año anterior, más de 20.000 ancianos no habían recibido ninguna visita. Cientos de niños sin hogar necesitaban una familia. Y muchos otros chicos precisaban ayuda en la escuela. No todo requería recursos financieros, pero sí tiempo y dedicación. Eso era lo que la iglesia tenía que dar.

Jesús les habló a sus discípulos sobre un día futuro en que les diría a sus seguidores fieles: «Venid, benditos de mi Padre, y heredad el reino» (MATEO 25:34). Como esta frase los sorprendería, les explicó: «en cuanto lo hicisteis a uno de estos mis hermanos más pequeños, a mí lo hicisteis» (v. 40).

La obra de Dios se hace cuando damos generosamente el tiempo, el amor y los recursos que Él nos ha provisto. 🌿 *TG*

*¿Qué persona solitaria trae ahora a tu mente el Espíritu?
¿Puedes visitarla, llamarla o escribirle? Hazlo ya.*

No solo los ricos deben dar, sino todos.

Estoy contigo

Mientras hacía una pasantía en una revista, escribí sobre una persona que se había convertido al cristianismo. De manera drástica, le dijo adiós a su antigua vida y se aferró a su nuevo Amo: Jesús. Cuando la revista comenzó a venderse, una llamada anónima amenazó: «Cuidado, Darmani. ¡Te estamos vigilando! Si escribes historias como esa en este país, tu vida corre peligro».

LECTURA:
Jeremías 1:1-10

No temas delante de ellos, porque contigo estoy... (v. 8).

No fue la única vez que me amenazaron por hablar de Cristo. En otra ocasión, un hombre me dijo que desapareciera con el folleto que le ofrecía o ¡si no...! En ambos casos, reaccioné como un cobarde, aunque fueron solo amenazas verbales. Para muchos cristianos, estas amenazas se han materializado. A veces, los maltratan por solo vivir vidas piadosas.

El Señor le indicó a Jeremías: «a todo lo que te envíe irás tú, y dirás todo lo que te mande» (JEREMÍAS 1:7). Y a sus discípulos, Jesús les dijo: «yo os envío como a ovejas en medio de lobos» (MATEO 10:16). Quizá enfrentemos amenazas, dificultades y aflicciones, pero Dios promete estar con nosotros. «Contigo estoy», le dijo a Jeremías (JEREMÍAS 1:8); y a sus seguidores, Jesús les aseguró: «yo estoy con vosotros todos los días» (MATEO 28:20).

Sea lo que sea que enfrentemos al tratar de vivir para el Señor, podemos confiar en que Él está con nosotros. 🌿 LD

Señor, gracias por estar siempre cerca.

«Bienaventurados los que padecen persecución por causa de la justicia, porque de ellos es el reino de los cielos». MATEO 5:10

La decisión de cambiar

Mi hijo compró un pequeño robot y se divertía programándolo para que hiciera tareas sencillas: avanzar, detenerse y retroceder. Incluso, hacía que sonara y reprodujera ruidos. El robot hacía solamente lo que mi hijo le decía. Nunca reía espontáneamente ni giraba en otra dirección, ya que no podía elegir.

Cuando Dios creó al ser humano, no hizo robots. Nos hizo a su imagen: podemos pensar, razonar y decidir; escoger entre el bien y el mal. Incluso, si solemos desobedecer a Dios, podemos decidir cambiar.

> **LECTURA:**
> **Ezequiel 18:25-32**
>
> *Echad de vosotros todas vuestras transgresiones [...], y haceos un corazón nuevo y un espíritu nuevo...* (v. 31).

Cuando los antiguos israelitas estuvieron en problemas con Dios, Él les habló por el profeta Jeremías, diciendo: «Convertíos, y apartaos de todas vuestras transgresiones, y no os será la iniquidad causa de ruina. [...] haceos un corazón nuevo y un espíritu nuevo (EZEQUIEL 18:30-31).

Esta clase de cambio puede producirse mediante una simple decisión, en el poder del Espíritu Santo (ROMANOS 8:13). Quizá implique decir que no en un momento crucial. No al chisme, no a la codicia, no a los celos. No a _____ (*completa el espacio*). Si conoces a Jesús, no eres esclavo del pecado. Puedes escoger cambiar y, con la ayuda de Dios, comenzar hoy con esta transformación personal. 🌐 *JBS*

Dios, todo es posible contigo. Con el poder del Cristo resucitado, ayúdame a dar el primer paso a una vida de devoción a ti.

Para empezar de nuevo, pídele a Dios un nuevo corazón.

Este regalo

Hace varios años, escribí un ensayo sobre mi colección de diferentes bastones y trípodes, y pensaba que, algún día, tal vez tendría que usar un andador para caminar. Bueno, ese día ha llegado. Una combinación de problemas lumbares y neuropatías periféricas me han dejado empujando un andador de tres ruedas. No puedo hacer caminatas, ni pescar ni hacer muchas cosas que me encantaban.

LECTURA:
2 Corintios 12:6-10

... me gloriaré más bien en mis debilidades, para que repose sobre mí el poder de Cristo (v. 9).

Sin embargo, estoy tratando de aprender que mi limitación es también un regalo de Dios, y es con este regalo que tengo que servirlo. Este regalo y no otro. Lo mismo se aplica a todos nosotros, sean nuestras limitaciones emocionales, físicas o intelectuales. Pablo llegó a decir que se gloriaba en su debilidad, para que se manifestara en él el poder de Dios (2 CORINTIOS 12:9).

Considerar de este modo nuestras limitaciones nos permite cumplir nuestras obligaciones con confianza y valor. En vez de quejarnos, sentir lástima de nosotros mismos o aislarnos, nos ponemos a disposición del Señor para cumplir con sus propósitos.

No tengo idea de qué planea Él para ti y para mí, pero no debemos preocuparnos. Nuestra tarea hoy es aceptar las cosas como son y estar contentos. En el amor, la sabiduría y la providencia de Dios, esta situación es lo mejor para nosotros. 🌿 *DHR*

Señor, confío en que me darás todo lo que hoy necesito.

El contentamiento te permite crecer donde Dios te ha plantado.

Reparar corazones

Hace poco, fui a la tienda de una costurera para que me reparara algunas prendas de vestir. Cuando entré, me animó ver algunas cosas colgadas en la pared. Un cartel decía: «Nosotros podemos reparar ropa, pero solo Dios puede reparar tu corazón». Cerca, había un cuadro de María Magdalena llorando angustiada cuando el Cristo resucitado estaba por revelársele. Otro cartel preguntaba: «¿Necesita oración? Oraremos por usted».

> **LECTURA:**
> **Mateo 5:1-16**
>
> *Vosotros sois la luz del mundo...* (v. 14).

La dueña me dijo que tenía la tienda desde hacía quince años. «Estamos sorprendidos de cómo el Señor ha obrado mediante estas expresiones de fe que hemos colocado. Hace un tiempo, una persona aceptó a Cristo aquí mismo. Nos maravilla ver obrar a Dios». Le dije que yo también era creyente y la felicité por hablarles de Cristo a otros en su lugar de trabajo.

No todos podemos hablar abiertamente de Cristo donde trabajamos, pero sí podemos encontrar formas creativas y prácticas de mostrar a otros amor, paciencia y bondad inesperados. Desde que salí de esa tienda, he estado pensado en diversas maneras de poner en práctica la declaración del Señor: «Vosotros sois la luz del mundo» (MATEO 5:14). 🌿   *HDF*

*Señor, ayúdame a descubrir maneras prácticas
de reflejar tu luz en mi vida para alumbrar espiritualmente
los lugares que frecuento.*

**Dios derrama su amor en nuestro corazón
para que fluya hacia los demás.**

Etapa por etapa

Números 33 tal vez sea un capítulo de la Biblia que leemos sin reflexionar en lo que dice. Al parecer, es solo una larga lista de lugares por donde peregrinaron los israelitas desde Ramesés, en Egipto, hasta los campos de Moab. Sin embargo, seguramente es importante porque es la única porción de Números con estas palabras: «Moisés escribió sus salidas conforme a sus jornadas por mandato del Señor» (v. 2).

> **LECTURA:**
> **Núm. 33:1-15, 36-37**
>
> *Por órdenes del Señor, Moisés iba anotando cada etapa y cada lugar al que llegaban...*
> (v. 2 RVC).

¿Por qué guardar un registro de estas cosas? ¿Podría ser para que los israelitas que dejaban el desierto pudieran pensar en los 40 años de peregrinación y recordar la fidelidad de Dios en cada etapa?

Imagino a un padre israelita sentado junto a una fogata recordando con su hijo: «¡Nunca me voy a olvidar de Refidim! Estaba muerto de sed, y solo había arena por todos lados. Entonces, Dios le dijo a Moisés que golpeara una roca con su vara. Pensé que sería inútil, pero, ante mi sorpresa, ¡brotó agua de la piedra! Y miles bebimos y no tuvimos más sed» (VER SALMO 114:8; NÚMEROS 20:8-13; 33:14).

Entonces, ¿por qué no intentarlo? Reflexiona en tu vida, etapa por etapa, y recuerda todas las formas en que Dios te ha demostrado su fidelidad y amor. 🍂 *DHR*

Señor, gracias por todas tus bendiciones.
Que pueda recordarlas una por una y reflexionar
en tu bondad permanente en cada etapa de mi vida.

La fidelidad de Dios se extiende a todas las generaciones.

Aprender a contar

Mi hijo está aprendiendo a contar hasta diez. Cuenta todo, desde juguetes hasta árboles. Incluso, cosas que yo tiendo a pasar por alto, como las flores silvestres camino a la escuela o los dedos de mis pies.

Así, me está enseñando a mí a volver a contar. A veces, estoy tan inmersa en cosas que no he terminado o que no tengo, que dejo de ver todo lo bueno que me rodea. Olvido contar las amistades nuevas que hice este año y las respuestas de oración que he recibido, las lágrimas de gozo derramadas y los momentos de risa con amigos.

Mis diez dedos no son suficientes para contar todo lo que Dios me da cada día. «Has aumentado, oh Señor Dios mío, tus maravillas; y tus pensamientos para con nosotros, no es posible contarlos ante ti. Si yo anunciare y hablare de ellos, no pueden ser enumerados» (SALMO 40:5). ¡Ni siquiera podríamos llegar a contar todas las bendiciones de la salvación, la reconciliación y la vida eterna!

Junto con David, alabemos a Dios por todos sus preciosos pensamientos sobre nosotros y lo que ha hecho a nuestro favor: «¡Cuán preciosos me son, oh Dios, tus pensamientos! ¡Cuán grande es la suma de ellos! Si los enumero, se multiplican más que la arena» (SALMO 139:17-18). ¡Aprendamos a contar! 🌿   KO

Señor, aunque no puedo contar todas las cosas buenas que haces,
te doy gracias por cada una.

Demos gracias a Dios por sus innumerables bendiciones.

El paciente que ora

El aviso fúnebre de Alan Nanninga, un hombre de donde yo vivo, lo identificaba como «sobre todo, un testigo fiel de Cristo». Después de describir su vida familiar y su carrera profesional, el artículo hablaba sobre casi una década de problemas de salud progresivos. Concluía diciendo: «Sus internaciones en el hospital [...] le confirieron el título honorario de "El paciente de la oración"», por su ministerio hacia los demás enfermos. Aquí tenemos a un hombre que, en sus períodos de aflicción, se dedicaba a orar por y con las personas necesitadas que lo rodeaban.

> **LECTURA:**
> **Juan 17:6-10**
>
> *... Padre santo, a los que me has dado, guárdalos en tu nombre, para que sean uno, así como nosotros* (v. 11)*.*

Horas antes de que Judas lo traicionara, Jesús oró por sus discípulos: «Y ya no estoy en el mundo; mas éstos están en el mundo, y yo voy a ti. Padre santo, a los que me has dado, guárdalos en tu nombre, para que sean uno, así como nosotros» (JUAN 17:11). Como sabía lo que iba a suceder, Jesús dejó de pensar en sí mismo y centró su atención en sus seguidores y sus amigos.

Durante nuestros períodos de enfermedad y angustia, anhelamos y necesitamos las oraciones de los demás. ¡Cuánto nos ayudan y animan esas oraciones! Que nosotros, como nuestro Señor, elevemos nuestros ojos para orar por aquellos que nos rodean y enfrentan una gran necesidad. 🌿 *DCM*

Señor, pongo hoy ante ti en oración a los enfermos y los necesitados.

***Nuestros problemas pueden llenar nuestras oraciones
de amor y empatía por los demás.***

Escuchar a Dios

Sentía como que estaba bajo el agua, con los sonidos apagados por un resfriado y alergias. Durante semanas, luché para poder oír bien. Mi estado hizo que comprendiera cuán importante es la audición.

El joven Samuel, estando en el templo, quizá se preguntaba qué era lo que oía, mientras luchaba para despertarse tras escuchar su nombre (1 SAMUEL 3:4). Se presentó tres veces ante Elí, el sumo sacerdote, el cual, en la tercera oportunidad, se dio cuenta de que era el Señor quien lo llamaba. En aquel entonces, era raro que el Señor hablara (v. 1); el pueblo no estaba en sintonía con la voz de Dios. Aun así, Elí le indicó a Samuel cómo contestar (v. 9).

> LECTURA:
> **1 Samuel 3:1-10**
>
> *... Entonces Samuel dijo: Habla, porque tu siervo oye* (v. 10).

El Señor habla mucho más ahora que en la época de Samuel. Hebreos nos dice: «Dios, habiendo hablado [...] a los padres por los profetas, en estos postreros días nos ha hablado por el Hijo» (1:1-2). En Hechos 2, leemos de la venida del Espíritu Santo en Pentecostés (vv. 1-4), quien nos guía en lo que Cristo enseñó (JUAN 16:13). Pero necesitamos aprender a escuchar su voz y a obedecer. Como con mi resfriado, quizá escuchemos como si estuviésemos bajo el agua. Por eso, debemos corroborar con la Biblia y con otros creyentes maduros sobre la guía de Dios. Al Señor le encanta hablarnos. 🏵   *ABP*

> *Señor, abre mis ojos para verte;*
> *mis oídos para escucharte y mi boca para alabarte.*

El Señor les habla a sus hijos, pero necesitamos discernir su voz.

Nunca se agota

Cuando le pregunté a una amiga que está a punto de jubilarse qué le asustaba más respecto a la próxima etapa de su vida, dijo: «Quiero asegurarme de que no se me acabará el dinero». Al día siguiente, mi consultor financiero me aconsejó sobre cómo evitar quedarme sin dinero.

Sin duda, todos queremos estar seguros de que tendremos los recursos necesarios para el resto de nuestra vida.

Ningún plan financiero puede garantizarnos seguridad absoluta en este mundo. Pero hay un plan que va más allá de esta vida, a un futuro interminable. El apóstol Pedro lo describe así: «Dios [...] según su grande misericordia nos hizo renacer para una esperanza viva, por la resurrección de Jesucristo de los muertos, para una herencia incorruptible, incontaminada e inmarcesible» (1 PEDRO 1:3-4).

> **LECTURA:**
> **1 Pedro 1:3-9**
>
> *... Dios [...] nos hizo renacer para [...] una herencia incorruptible, incontaminada e inmarcesible...*
> (vv. 3-4).

Cuando ponemos nuestra fe en Cristo para que perdone nuestros pecados, recibimos una herencia eterna mediante el poder de Dios. Gracias a esta herencia, viviremos para siempre y nunca nos faltará nada.

Si podemos, es una buena idea hacer planes para jubilarnos. Pero lo más importante es tener una herencia eterna que nunca se agota… y que solo está disponible por medio de la fe en Cristo Jesús. 🕮

JDB

Querido Dios, *quiero asegurarme la herencia eterna:*
pongo mi fe en Cristo para que perdone mis pecados. Amén.

La promesa del cielo es nuestra eternal esperanza.

Corre hacia mí

Mientras caminábamos por un parque de la ciudad, mi hijo y yo nos encontramos un par de perros sueltos. Aparentemente, los dueños no se dieron cuenta de que uno de ellos había empezado a intimidar a mi hijo, quien trataba de espantarlo, pero lo único que lograba era que el animal lo molestara cada vez más.

Al final, se asustó tanto que salió corriendo, pero el perro lo perseguía. La persecución siguió hasta que grité: «¡Corre hacia mí!». Mi hijo retrocedió y se calmó; el perro, entonces, decidió seguir con sus travesuras en otra parte.

Hay momentos en la vida cuando Dios nos llama y nos dice: «¡Corre hacia

LECTURA:
Proverbios 18:4-12

Torre fuerte es el nombre del Señor; a él correrá el justo, y será levantado (v. 10)**.**

mí!». Algún problema nos pisa los talones. Cuanto más rápido y lejos vamos, tanto más trata de atraparnos. No podemos deshacernos de él. Tenemos demasiado miedo de dar la vuelta y confrontar la dificultad por nuestra cuenta. Pero la realidad es que no estamos solos. Dios está allí, dispuesto a ayudarnos y tranquilizarnos. Lo único que tenemos que hacer es alejarnos de lo que nos asusta y caminar en dirección a Él. Su Palabra afirma: «Torre fuerte es el nombre del Señor; a él correrá el justo, y será levantado» (PROVERBIOS 18:10). 🌾 *JBS*

Querido Señor, tú eres el Príncipe de paz.
Necesito esa clase de paz que solo tú puedes dar.
Ayúdame a volverme a ti en mis dificultades.

Dios es nuestro refugio en tiempos de dificultad.

Vigilante y alerta

Mi **escritorio** está junto a una ventana que da al vecindario, y tengo el privilegio de observar las aves que se posan en los árboles cercanos. Algunas se acercan a la ventana para comer los insectos atrapados en el mosquitero, y miran y escuchan atentamente alrededor por si hay algún peligro. Solo cuando están seguras, se posan para alimentarse. Aun así, cada pocos segundos, investigan la zona.

> **LECTURA:**
> **Génesis 3:1-7**
>
> *Velad, estad firmes en la fe...*
> (1 Corintios 16:13).

La conducta que demuestran estas aves me recuerda que la Biblia nos enseña a los cristianos a estar alertas. Nuestro mundo está lleno de tentaciones, y debemos mantenernos vigilantes y atentos a los peligros.

Como Adán y Eva, podemos enredarnos fácilmente en algo atractivo de este mundo que parece ser «bueno para comer, [...] agradable a los ojos, y [...] codiciable para alcanzar la sabiduría» (GÉNESIS 3:6).

Pablo exhortó: «Velad, estad firmes en la fe» (1 CORINTIOS 16:13); y Pedro advirtió: «Sed sobrios, y velad; porque vuestro adversario el diablo, como león rugiente, anda alrededor buscando a quien devorar» (1 PEDRO 5:8).

Mientras trabajamos para ganarnos el pan diario, ¿estamos alertas ante lo que podría comenzar a consumirnos? ¿O hay algún atisbo de autosuficiencia u obstinación que pudiera llevarnos a desear haber confiado en Dios? ❧ *LD*

Señor, ayúdame a estar alerta ante las tentaciones.

La mejor manera de huir de la tentación es correr hacia Dios.

Liderar con amor

En su libro *Liderazgo espiritual*, J. Oswald Sanders explora las cualidades y la importancia del tacto y la *diplomacia*: «De la combinación de estas dos palabras surge el concepto de la capacidad de reconciliar puntos de vista opuestos sin ofender ni comprometer un principio».

Durante su encarcelamiento en Roma, Pablo se convirtió en mentor espiritual e íntimo amigo de Onésimo, un esclavo que había huido de la casa de su amo Filemón. Cuando el apóstol le escribió a Filemón para pedirle que reci-

> LECTURA:
> **Filemón 8-18**
>
> *Más bien te ruego por amor...* (v. 9).

biera a Onésimo como un hermano en Cristo, dio un ejemplo de tacto y diplomacia: «aunque tengo mucha libertad en Cristo para mandarte lo que conviene, más bien te ruego por amor [...]. [Onésimo es] como hermano amado, mayormente para mí, pero cuánto más para ti, tanto en la carne como en el Señor» (vv. 8-9, 16).

Como líder respetado de la iglesia primitiva, Pablo solía dar órdenes claras a los seguidores de Cristo, pero, en este caso, apeló a Filemón sobre la base de la igualdad, la amistad y el amor: «nada quise hacer sin tu consentimiento, para que tu favor no fuese como de necesidad, sino voluntario» (v. 14).

En todas nuestras relaciones interpersonales, procuremos preservar la armonía y el principio del espíritu de amor. 🌐 DCM

> *Señor, danos la gracia y la sabiduría para ser líderes,
> padres y amigos sabios.*

Los líderes que sirven servirán para ser buenos líderes.

Conquistador poderoso

Casi todos esperamos buenos gobiernos. Votamos, trabajamos y hablamos por causas que consideramos justas. Sin embargo, las soluciones políticas no tienen poder para cambiar nuestro corazón.

Muchos de los seguidores de Jesús esperaban la llegada de un Mesías que enfrentaría con un enérgico poder político a Roma y su agobiante opresión. Pedro no era la excepción. Cuando los soldados romanos fueron a arrestar a Jesús, sacó su espada y le cortó la oreja al siervo del sumo sacerdote.

> **LECTURA:**
> **Juan 18:10-14, 36-37**
>
> *... Mi reino no es de este mundo...* (v. 36).

Jesús lo detuvo, diciéndole: «Mete tu espada en la vaina; la copa que el Padre me ha dado, ¿no la he de beber?» (JUAN 18:11). Horas después, le diría a Pilato: «Mi reino no es de este mundo; si mi reino fuera de este mundo, mis servidores pelearían para que yo no fuera entregado a los judíos» (v. 36).

Cuando reflexionamos en el alcance de su misión, nos asombra el equilibrio de Jesús en aquel momento, ya que, un día, Él liderará a los ejércitos del cielo a la batalla. Juan escribió: «con justicia juzga y pelea» (APOCALIPSIS 19:11).

No obstante, al enfrentar la experiencia terrible de su arresto, juicio y crucifixión, Jesús aceptó la voluntad de su Padre y puso en marcha una serie de eventos que transforman el corazón. Así, nuestro Conquistador poderoso venció la muerte. 🌱

TG

Señor, dame sabiduría para controlar mis reacciones.

**El verdadero autocontrol no es debilidad,
ya que surge de una auténtica fortaleza.**

Amor en acción

«¿**T**iene alguna** prenda que le gustaría que le lave?», le pregunté a alguien que nos visitaba en Londres. Se le iluminó el rostro y, cuando se acercó su hija, le dijo: «Trae la ropa sucia. ¡Amy la va a lavar!». Me sonreí al ver que mi ofrecimiento había pasado de unas pocas prendas a varios montones.

> **LECTURA:**
> **Filipenses 1:27–2:4**
>
> *Nada hagáis por contienda o por vanagloria; antes bien con humildad...* (2:3).

Más tarde, mientras colgaba la ropa al aire libre, me vino a la mente una frase de mi lectura bíblica matinal: «con humildad, estimando cada uno a los demás como superiores a [uno] mismo» (FILIPENSES 2:3). Había estado leyendo la carta de Pablo a los filipenses, donde los exhorta a vivir a la altura del llamado de Cristo, sirviendo y estando unidos los unos con los otros. Enfrentaban persecución, pero el apóstol quería que tuvieran un mismo sentir. Sabía que esa unidad, fruto de su unión con Cristo y expresada en el servicio mutuo, les permitiría mantenerse fuertes en la fe.

Podemos afirmar que amamos a los demás sin ambiciones egoístas ni vana arrogancia, pero la verdadera condición de nuestro corazón solo se revela cuando ponemos en práctica ese amor. Aunque estuve tentada a quejarme, sabía que, como seguidora de Cristo, mi llamado era a poner en práctica mi amor a mis amigos... con un corazón limpio. 🕊

ABP

> **Señor,** *muéstrame formas de servir a familiares, amigos y vecinos para tu gloria.*

La gracia de la unidad resulta del servicio mutuo.

Un lugar seguro

Un joven japonés tenía miedo de salir de su casa. Para evitar a la gente, dormía de día y pasaba toda la noche mirando televisión. Era un *hikikomori*; o sea, un ermitaño moderno. El problema empezó cuando dejó de ir a la escuela por sus malas calificaciones. Cuanto más alejado estaba de la sociedad, más inadaptado social se sentía. Al final, dejó de comunicarse por completo con sus amigos y parientes. No obstante, para recuperarse, lo ayudó visitar un club juvenil llamado *ibasho*, un lugar seguro donde personas quebrantadas comenzaban a reinsertarse en la sociedad.

> **LECTURA:**
> **1 Cor. 6:9-11; 13:4-7**
>
> *... ya habéis sido justificados en el nombre del Señor Jesús, y por el Espíritu de nuestro Dios* (6:11).

¿No podríamos pensar en la iglesia como un *ibasho*... y como mucho más? Sin duda, somos una comunidad de personas quebrantadas. Cuando Pablo les escribió a los corintios, describió su antiguo estilo de vida como antisocial, perjudicial y peligroso para ellos mismos y los demás (1 CORINTIOS 6:9-10). Sin embargo, en Jesús, fueron transformados y sanados. Entonces, instó a estas personas rescatadas a amarse mutuamente, ser pacientes y amables, y a no tener celos, soberbia ni rudeza (13:4-7).

La iglesia debe ser un *ibasho* donde todos, independientemente de las luchas o las angustias que enfrentemos, conozcamos y experimentemos el amor de Dios. 🌱

PFC

*Señor, ayúdame a honrar tu santo nombre
y a amar a los demás como tú me amas.*

**Solo Dios puede transformar un alma manchada por el pecado
en una obra maestra de su gracia.**

Una montaña difícil

En lo alto de un pliegue de la Cumbre Jughandle, entre las montañas al norte de nuestra casa, hay un glaciar. La ruta para llegar hasta allí asciende por una cresta empinada y angosta, cubierta de lomas y piedras sueltas. La subida es agotadora. Sin embargo, allí hay un manantial que brota de un terreno blando y cubierto de musgo que atraviesa una pradera exuberante. Es un lugar tranquilo para beber y prepararse para el duro ascenso.

> LECTURA:
> **Salmo 110**
>
> *Del arroyo beberá en el camino, por lo cual levantará la cabeza* (v. 7).

En *El progreso del peregrino*, la clásica alegoría de la vida cristiana, de John Bunyan, Cristiano llega al pie de una empinada subida llamada Collado Dificultad, «... en el que había una fuente [...]. Cristiano se acercó a la fuente, bebió y se refrigeró. Emprendió después collado arriba...».

Quizá la difícil montaña que enfrentas es un hijo rebelde o un diagnóstico médico grave. El desafío parece insuperable. Antes de enfrentar la próxima tarea difícil, acude a la fuente de refrigerio: Dios. Preséntale tu debilidad, agotamiento, desesperanza, temor y duda, y bebe profundamente de su poder, fortaleza y sabiduría. El Señor conoce todas las circunstancias y te dará un caudal de consuelo y fortaleza espiritual. Él levantará tu cabeza y te dará fuerzas para seguir avanzando. 🕊 DHR

Señor, dame fuerza en mi debilidad,
energía en mi agotamiento y fe ante mis dudas.

«Aquel que dispone todas las cosas [... dejó]
a Cristiano que siguiese su camino». JOHN BUNYAN

No teníamos ni idea

Voluntarios de una iglesia pasaron una noche helada distribuyendo alimentos a personas de bajos ingresos en un edificio de apartamentos. Una mujer que recibió comida estaba exultante. Les mostró su aparador vacío y les dijo que ellos eran una respuesta a sus oraciones.

Mientras volvían a la iglesia, una mujer empezó a llorar, y dijo: «Cuando yo era niña, esa mujer fue mi maestra de escuela dominical. Va a la iglesia todos los domingos, ¡pero no teníamos idea de que estaba casi muriendo de hambre!».

> LECTURA:
> **Gálatas 6:2-10**
>
> *Sobrellevad los unos las cargas de los otros...* (v. 2).

Sin duda, estas personas se interesaban en los demás y buscaban formas de aligerar sus cargas, tal como señaló Pablo en Gálatas 6:2. Pero no se habían dado cuenta de las necesidades de esta mujer, a quien veían todos los domingos, y ella no había dicho nada al respecto. Este podría ser un recordatorio para que todos tomemos consciencia de los que nos rodean y que «hagamos bien a todos, y mayormente a los de la familia de la fe» (6:10).

Las personas que se reúnen para adorar juntas tienen el privilegio de ayudarse unas a otras para que ningún miembro del cuerpo de Cristo padezca necesidades. Si nos ocupamos de conocernos y nos interesamos por los demás, quizá nunca tengamos que decir: «No teníamos ni idea». 🌿   *JDB*

Señor, ayúdame a ver las necesidades de los demás y a suplirlas.

Nada cuesta tanto como interesarse... excepto no interesarse.

Señales y sentimientos

Un joven que conozco suele pedirle señales a Dios, aunque, en realidad, lo que busca es una confirmación de lo que *siente*. Por ejemplo, ora así: «Señor, si quieres que haga X, haz Y, y sabré que está bien». Esto genera un dilema. Por su forma de orar y la manera en que cree que Dios responde, siente que debe volver con su ex novia, Sin embargo, ella está totalmente segura de que Dios quiere lo contrario.

LECTURA:
Mateo 16:1-4

Lámpara es a mis pies tu palabra, y lumbrera a mi camino (Salmo 119:105).

Los líderes religiosos de la época de Jesús exigían una señal para que Él validara sus afirmaciones (MATEO 16:1), pero no buscaban la guía divina, sino que desafiaban su autoridad. La dura respuesta del Señor, «la generación mala y adúltera demanda señal» (v. 4), los acusó de ignorar las claras profecías de la Escritura que indicaban que Él era el Mesías.

Dios quiere que busquemos su guía en oración (SANTIAGO 1:5), y nos da el Espíritu (JUAN 14:26) y su Palabra (SALMO 119:105) para que nos dirijan. También nos da consejeros y líderes sabios, y el ejemplo del propio Jesús.

Es sabio pedirle al Señor instrucciones claras, pero Él no siempre las da de la manera que queremos o esperamos. Quizá lo más importante de orar es que aprendemos más sobre la naturaleza de Dios y cultivamos nuestra relación con el Padre. 🌐 *TG*

*Señor, que al buscar tu guía hoy en oración,
te conozca mejor a ti y tus caminos.*

**La mejor manera de conocer la voluntad de Dios
es tener voluntad de cumplirla.**

Un nuevo propósito

Jacob Davis era sastre y tenía un problema. La fiebre del oro estaba en su apogeo en el Oeste norteamericano del siglo XIX, y los pantalones para trabajar de los mineros se desgastaban permanentemente. ¿Cómo lo solucionó? Fue a una compañía local de productos textiles cuyo dueño era Levi Strauss y compró tela para tiendas. Con ese material pesado y fuerte, fabricó los pantalones…y así nacieron los vaqueros o jeans. En la actualidad, estos pantalones (incluidos los Levis) están entre las prendas más populares del mundo; todo porque a la lona de carpas se le dio un nuevo propósito.

> **LECTURA:**
> **Marcos 1:16-22**
>
> *… dijo Jesús: Venid en pos de mí, y haré que seáis pescadores de hombres* (v. 17).

Simón y sus amigos eran pescadores en el mar de Galilea. Entonces, llegó Jesús y los llamó para que lo siguieran; y les dio un nuevo propósito. Ya no pescarían peces; Jesús les dijo: «Venid en pos de mí, y haré que seáis pescadores de hombres» (MARCOS 1:17).

Con este nuevo propósito en sus vidas, Jesús capacitó a estos hombres para que, después de su ascensión, Dios pudiera utilizarlos para cautivar los corazones de las personas con el mensaje de la cruz y su resurrección. Hoy seguimos los pasos de ellos cuando compartimos la buena noticia del amor y la salvación que Cristo ofrece. ❡

WEC

***Señor,** ayúdame a declarar y demostrar este amor que cambia la vida, el propósito y el destino eterno de las personas.*

Con la nueva vida en Cristo, se nos ha dado un nuevo propósito.

Ver bien

Ringo parece un perro fuerte; grande, musculoso, con pelo grueso, ¡y pesa más de 45 kilos! Aun así, su dueño lo lleva a hogares de ancianos y a hospitales para hacerlos sonreír.

Una vez, una niña de cuatro años lo vio y quiso acariciarlo, pero tenía miedo de acercarse. Al final, su curiosidad superó su temor, y pasó un rato hablándole y tocándolo. Así descubrió que, aunque era fuerte, también era manso.

> **LECTURA:**
> **Juan 15:12-17**
>
> *Vosotros sois mis amigos, si hacéis lo que yo os mando* (v. 14).

Esta combinación de cualidades me recuerda lo que dice el Nuevo Testamento sobre Jesús: era accesible, ya que recibía a los niños (MATEO 19:13-15); fue amable con una desesperada mujer adúltera (JUAN 8:1-11); y tuvo compasión al enseñar a las multitudes (MARCOS 6:34). Al mismo tiempo, su poder era asombroso: ¡la gente miraba boquiabierta cuando Él echó demonios, calmó tormentas y resucitó muertos! (MARCOS 1:21-34; 4:35-41; JUAN 11).

Nuestra manera de ver a Jesús determina cómo nos relacionamos con Él. Si nos enfocamos solo en su poder, podemos adorarlo de manera distante, como si fuera un superhéroe de historietas. O, si exageramos en cuanto a su bondad, corremos el riesgo de ser irrespetuosos. Lo cierto es que Jesús combina ambas cosas: es lo suficientemente grande como para que lo obedezcamos y humilde como para llamarnos amigos. ✿ *JBS*

Señor, gracias por ser como eres y por conocerte.

**Nuestra manera de relacionarnos con Cristo
muestra lo que pensamos de Él.**

¡Pan!

Vivo en una pequeña ciudad mejicana donde todas las mañanas y las tardes puede escucharse un grito distintivo: «¡Paaan!». Un hombre en una bicicleta, con una canasta enorme, ofrece una gran variedad de panes frescos, dulces y salados. Antes, yo vivía en una ciudad más grande, donde tenía que ir a comprar pan a la panadería, pero ahora, disfruto de que me lo traigan fresco a mi casa.

LECTURA:
Juan 6:34-51

Yo soy el pan de vida (v. 48).

Pasando de la idea del alimento físico al hambre espiritual, pienso en las palabras de Jesús: «Yo soy el pan vivo que descendió del cielo; si alguno comiere de este pan, vivirá para siempre» (JUAN 6:51).

Alguien dijo que evangelizar consiste en que un mendigo le dice a otro dónde encontrar pan. Muchos podemos afirmar: «Antes, estaba espiritualmente hambriento, muriéndome de hambre a causa de mis pecados. Entonces, escuché la buena noticia. Alguien me dijo dónde encontrar pan: en Jesús. ¡Y mi vida cambió!».

Ahora tenemos el privilegio y la responsabilidad de guiar a otros a este Pan de vida. Podemos hablar de Jesús en nuestro barrio, lugar de trabajo, escuela y sitios de recreo; en la sala de espera, el autobús o el tren, y aprovechar también las amistades para comunicar la buena nueva.

Jesús es el Pan de vida. Demos a todos la gran noticia. 🌾 *KO*

Señor, quiero testificar de ti en todas partes.

Comparte el Pan de vida dondequiera que estés.

Presta mucha atención

Sentado en el auditorio, miraba fijamente al pastor. Mi postura sugería que estaba absorbiendo todo lo que decía. De pronto, escuché que todos se reían y aplaudían, y quedé sorprendido. Aparentemente, el pastor había dicho algo cómico, pero yo no tenía idea de qué era.

Aunque parecía que estaba escuchando atentamente, mi mente estaba en otra parte.

LECTURA:
Neh. 8:2-6; Hch. 8:4-8

... los oídos de todo el pueblo estaban atentos al libro de la ley (Nehemías 8:3).

Es posible oír lo que se dice, pero sin escuchar, mirar sin ver, estar presente aunque ausente. Así, podemos perdernos mensajes destinados a nosotros.

Cuando Esdras leyó las instrucciones de Dios al pueblo de Judá, «los oídos de todo el pueblo estaban atentos al libro de la ley» (NEHEMÍAS 8:3). Esa atención hizo que entendieran (v. 8), lo que los llevó al arrepentimiento y el avivamiento. Siglos después, en Samaria, tras la persecución de los creyentes en Jerusalén (HECHOS 8:1), Felipe llegó a esa región, donde la gente no solo observó sus milagros, sino que «escuchaba atentamente las cosas que decía» (v. 6), «así que había gran gozo en aquella ciudad» (v. 8).

La mente puede divagar y perderse gran parte de la emoción que la rodea. Nada merece más atención que aquello que nos ayuda a descubrir el gozo y la maravilla de nuestro Padre celestial. 🟢

LD

Señor, quiero prestar atención
a todos lo que me instruyen en tus caminos.

«Recibir la Palabra implica dos aspectos:
atención de la mente e intención de la voluntad». WILLIAM AMES

Todos juntos ahora

Mientras un hombre abordaba un tren en Perth, Australia, se le trabó la pierna entre la plataforma y un vagón. Los guardias de seguridad no podían liberarlo, entonces, coordinaron los esfuerzos de casi 50 pasajeros, quienes, a la cuenta de tres, empujaron el tren hacia el costado. Ese trabajo en conjunto desplazó el vagón lo suficiente para liberar la pierna del hombre.

> **LECTURA:**
> **Romanos 15:1-7**
>
> *... unánimes, a una voz, glorifiquéis al Dios y Padre de nuestro Señor Jesucristo* (v. 6).

En muchas de sus cartas, Pablo destacó el potencial del trabajo en conjunto de los cristianos de las primeras iglesias. Instó a los creyentes en Roma a que se aceptaran unos a otros como lo había hecho Cristo con ellos: «Dios [...] os dé entre vosotros un mismo sentir según Cristo Jesús, para que unánimes, a una voz, glorifiquéis al Dios y Padre de nuestro Señor Jesucristo» (ROMANOS 15:5-6).

La unidad con otros creyentes nos permite comunicar la grandeza de Dios y nos ayuda a soportar la persecución. A los filipenses, los alentó a estar «firmes en un mismo espíritu, combatiendo unánimes por la fe del evangelio, y en nada intimidados por los que se oponen» (FILIPENSES 1:27-28).

A Satanás, le encanta dividir para vencer, pero sus esfuerzos son inútiles cuando, con la ayuda de Dios, somos «solícitos en guardar la unidad del Espíritu en el vínculo de la paz» (EFESIOS 4:3). ❧

JBS

Señor, ayúdanos a experimentar la unidad en ti.

Nuestra unidad es fruto de nuestra unión con Cristo.

¿Le intereso a alguien?

Mientras espero para pagar en el supermercado, miro alrededor y veo jóvenes con la cabeza afeitada y anillos en la nariz buscando patatas fritas embolsadas; un joven profesional comprando carne, espárragos y patatas; y una anciana observando los duraznos y las fresas. Me pregunto: *¿Conoce Dios el nombre de todas estas personas? ¿Realmente le interesan?*

LECTURA:
Eclesiastés 1:1-11

... [Jesucristo] se despojó a sí mismo, tomando forma de siervo...
(Filipenses 2:7).

El Creador de todas las cosas lo es también de cada ser humano, y todos somos dignos de su amor y atención. Dios demostró ese amor en persona sobre las onduladas colinas de Israel y, al final, en la cruz.

Cuando Jesús visitó la Tierra como siervo, demostró que la mano de Dios no es demasiado grande para la persona más pequeña de este mundo. En esa mano, no solo nuestros nombres están grabados, sino también las heridas del precio que pagó por amarnos tanto.

Cuando siento lástima de mí mismo o me abruma la angustia de la soledad —emociones bien descritas en los libros de Job y Eclesiastés—, leo los Evangelios, que relatan las historias y las obras de Jesús. Si pienso que a Dios no le interesa mi existencia «debajo del sol» (ECLESIASTÉS 1:3), estoy contradiciendo una de las principales razones por las que Jesús vino a la Tierra. Él es la respuesta a mi cuestionamiento: *¿Le intereso a alguien?* ● PY

Señor, *gracias porque mi vida te importa mucho.*

«El buen Pastor pone su vida por las ovejas». JESÚS

Hombre 12

En el estadio de la Universidad A&M de Texas, hay un cartel enorme que dice: «CASA DEL HOMBRE 12». Aunque los equipos pueden tener solo once jugadores en el campo, el Hombre 12 alude a los miles de alumnos que se quedan de pie durante todo el partido para alentar al equipo.

Según la tradición, esto se remonta a 1992, cuando el entrenador llamó a un alumno de la tribuna para que se pusiera el uniforme y estuviera listo para reemplazar a un jugador lesionado. Aunque nunca entró a jugar, su presencia y disposición alentó enormemente al equipo.

> **LECTURA:**
> **Hebreos 11:32–12:3**
>
> *... corramos con paciencia la carrera que tenemos por delante* (12:1).

Hebreos 11 describe a héroes de la fe que enfrentaron grandes pruebas y permanecieron fieles a Dios. Y el capítulo 12 comienza diciendo: «Por tanto, nosotros también, teniendo en derredor nuestro tan grande nube de testigos, despojémonos de todo peso y del pecado que nos asedia, y corramos con paciencia la carrera que tenemos por delante» (v. 1).

No estamos solos en nuestro sendero de la fe. Santos destacados y personas comunes, fieles al Señor, nos alientan con su ejemplo y con su presencia en el cielo. Son como un Hombre 12 espiritual, de pie mientras nosotros seguimos en el campo.

Mientras ellos nos alientan, mantenemos la mirada en Jesús, «el autor y consumador de la fe» (12:2). 🌐   DCM

Señor, dame fuerza para seguir corriendo hoy la carrera de la fe.

*Los creyentes fieles del pasado
son un estímulo para nosotros hoy.*

Solo una apariencia

Carina se esfuerza muchísimo para que la gente la admire. Se muestra feliz casi todo el tiempo para que los demás lo noten y la elogien por su actitud. Algunos la felicitan porque la ven ayudar a personas de la comunidad. Sin embargo, cuando se sincera, admite: «Amo al Señor, pero, en cierto modo, siento que mi vida es solo una apariencia». Una sensación de inseguridad se esconde detrás de sus esfuerzos por intentar quedar bien ante los demás, y reconoce que ya no puede seguir así.

> **LECTURA:**
> **Mateo 6:1-6**
>
> *... sea tu limosna en secreto; y tu Padre que ve en lo secreto te recompensará en público* (v. 4).

Tal vez todos nos identifiquemos en algo, ya que es imposible tener motivaciones perfectas. Amamos al Señor y a los demás, pero lo que nos mueve en la vida cristiana suele mezclarse con el deseo de ser reconocidos o valorados.

Jesús habló de los que dan, oran y ayunan para que los vean (MATEO 6:1-6). En el Sermón del Monte, enseñó: «sea tu limosna en secreto», «cerrada la puerta, ora a tu Padre» y «cuando [...] ayunen, no se muestren afligidos» (vv. 4, 6, 16 [RVC]).

Aunque el servicio suele hacerse en público, quizá un poco de auxilio anónimo podría ayudarnos a aprender a valorar lo que Dios opina de nosotros. El que nos creó a su imagen nos valora tanto que entregó a su Hijo y nos muestra su amor cada día. 🌿

AMC

__Señor__, perdóname por desear el elogio de los demás más que el tuyo. Ayúdame a tener motivaciones puras.

**El deseo de agradar a Dios
debería ser nuestra mayor motivación para obedecerlo.**

Amor sin fronteras

Durante el levantamiento de los bóxer en China, en 1900, los misioneros rodeados en una casa en T'ai Yüan Fu decidieron que la única esperanza de sobrevivir era correr entre la multitud que gritaba que murieran. Ayudados por sus armas, escaparon de la amenaza inmediata. Sin embargo, Edith Coombs, al notar que dos de sus alumnos chinos heridos no habían escapado, volvió. Rescató a uno, pero, al regresar por el otro, tropezó y la mataron.

Mientras tanto, los misioneros de Hsin Chou habían escapado y estaban escondidos. Ho Tsuen Kwei, un amigo chino que los acompañaba, fue capturado cuando buscaba un camino para que ellos escaparan, y lo mataron por negarse a revelar dónde estaban.

> LECTURA:
> **Lucas 22:39-46**
>
> *Nadie tiene mayor amor que este, que uno ponga su vida por sus amigos* (Juan 15:13).

Edith y Tsuen son ejemplos de un amor que sobrepasa lo cultural y nacional. Su sacrificio nos recuerda la gracia y el amor ilimitados de nuestro Salvador.

Mientras Jesús esperaba que lo arrestaran y ejecutaran, oró con fervor: «Padre, si quieres, pasa de mí esta copa». Pero concluyó ese ruego con una decidida muestra de valentía, amor y sacrificio: «pero no se haga mi voluntad, sino la tuya» (LUCAS 22:42). Su muerte y resurrección hicieron posible que podamos vivir eternamente. ✐ *RKK*

*Señor, que nuestro amor unos por otros
sea un testimonio al mundo de la unidad que tenemos en ti,
y que deseen conocerte también.*

Solo la luz del amor de Cristo puede disipar la oscuridad del odio.

Telescopio

Preocupado por asuntos del trabajo y del hogar, Mateo decidió salir a caminar. La brisa primaveral era encantadora, mientras el inmenso cielo azul se oscurecía y una espesa niebla descendía lentamente sobre el pantano. Las estrellas comenzaban a brillar, anunciando la salida de la luna llena. La ocasión le resultó sumamente espiritual, y pensó: *Dios está allí; Él lo hizo.*

LECTURA:
Isaías 40:21-31

... Él saca y cuenta su ejército de estrellas; a todas las llama por su nombre... (v. 26 RVC).

Algunos miran el cielo nocturno y solo ven la naturaleza. Otros, un dios tan distante y frío como Júpiter. Pero el mismo Dios que «tiene su trono sobre el arco de la tierra», también «saca y cuenta su ejército de estrellas; a todas las llama por su nombre» (ISAÍAS 40:22, 26). Conoce íntimamente su creación.

Este mismo Dios personal le preguntó a su pueblo: «¿por qué dices que tu camino está oculto para el Señor [...], alegas que Dios pasa por alto tu derecho?». Dolido, les recordó cuán sabio es buscarlo: «¿Acaso no sabes, ni nunca oíste decir [...]? El Señor [...] da fuerzas al cansado, y aumenta el vigor del que desfallece» (vv. 27-29).

Tendemos a olvidar fácilmente a Dios. Nuestros problemas no desaparecerán con una caminata, pero sí podemos descansar y estar seguros de que el Señor obra siempre para cumplir sus buenos propósitos. Dice: «Aquí estoy; yo te hice». 🌾 TG

Señor, ayúdame a confiar en ti para lo que no conozco.

*Debemos dar a Dios el mismo lugar
en nuestro corazón que tiene en el universo.*

Fe sacrificial

Es domingo por la tarde y estoy sentada en el jardín de nuestra casa, cerca de la iglesia donde mi esposo es pastor. En el aire, flotan melodías de alabanza y adoración en idioma farsi, ya que una vibrante congregación de creyentes iraníes se reúne en nuestra iglesia londinense. Su pasión por Cristo nos conmueve cuando comparten cómo fueron algunos perseguidos y otros, como el hermano del pastor, martirizados por su fe. Siguen los pasos de Esteban, el primer mártir cristiano.

> **LECTURA:**
> Hch. 6:8-15; 7:59-60
>
> *Bienaventurados los que padecen persecución por causa de la justicia...* (Mateo 5:10).

Esteban, uno de los primeros líderes de la iglesia primitiva, atraía la atención en Jerusalén al hacer «grandes prodigios y señales» (HECHOS 6:8), y fue llevado ante las autoridades judías. Antes de describir la dureza del corazón de sus acusadores, presentó una apasionada defensa de su fe. Pero, en vez de arrepentirse, ellos «se enfurecían en sus corazones, y crujían los dientes contra él» (7:54). Entonces, lo sacaron de la ciudad y lo apedrearon mientras él oraba para que fueran perdonados.

Las historias de Esteban y de los mártires actuales nos recuerdan que el mensaje de Cristo puede ser brutalmente resistido. Si nunca nos persiguieron por nuestra fe, oremos por la iglesia perseguida en el mundo y sirvamos fielmente a Aquel que sufrió tanto más por nosotros. 🌸   ABP

Señor, fortalece y consuela a los creyentes perseguidos.

Que hallemos gracia para caminar en los pasos del Maestro.

¿Qué harás tú?

Emilia escuchaba mientras unos amigos hablaban de sus costumbres para la fiesta de Acción de Gracias. Uno explicó: «Uno por uno, decimos por qué estamos agradecidos». Otro mencionó: «Aunque mi padre tenía demencia senil, su oración de gratitud al Señor era clara». Y otro compartió: «Nosotros cantamos juntos, ¡y mi abuela nunca para de cantar!». Emilia sintió celos y tristeza al pensar en su familia, y se quejó: «Nuestra costumbre es comer, mirar televisión y no mencionar a Dios ni dar gracias por nada».

> LECTURA:
> **Efesios 4:25-32**
>
> *La muerte y la vida están en poder de la lengua...*
> (Proverbios 18:21).

En ese momento, se sintió mal por su actitud y se preguntó: *Tú eres parte de esa familia. ¿Qué te gustaría hacer para cambiar ese día?* Entonces, decidió decirle a cada uno que daba gracias al Señor porque eran su hermana, sobrina, hermano o sobrina nieta. Llegó el día y así lo hizo, y todos se sintieron amados. Fue difícil porque no era habitual conversar así en familia, pero se sintió muy feliz de decirles que los amaba.

El apóstol Pablo escribió: «No salga de vuestra boca ninguna palabra mala, sino sólo la que sea buena para edificación, según la necesidad del momento, para que imparta gracia a los que escuchan (EFESIOS 4:29 LBLA). Nuestras palabras de agradecimiento pueden recordarles a otros cuánto valen para nosotros y para Dios. 🕊

AMC

Señor, muéstrame cómo puedo alentar a otros con mis palabras.

**El espíritu humano se llena de esperanza
con el sonido de una palabra alentadora.**

Anhelo de llegar a casa

Mi esposa entró en el cuarto y me encontró con la cabeza metida dentro del gabinete del reloj de nuestro abuelo. «¿Qué estás haciendo?», preguntó. «Este reloj huele igual que la casa de mis padres —contesté avergonzado mientras cerraba la puerta—. Supongo que se podría decir que estaba yendo un rato a casa».

El olfato puede evocar recuerdos intensos. Hacía casi 20 años que habíamos llevado el reloj al otro lado del país desde la casa de mis padres, pero el aroma de la madera en el interior todavía me llevaba de regreso a mi niñez.

> **LECTURA:**
> **Hebreos 11:8-16**
>
> *... ellos anhelaban una patria mejor, es decir, la patria celestial...* (v. 16 RVC).

El escritor de Hebreos habla de otras personas que anhelaban una casa, pero de una manera distinta. En vez de mirar hacia atrás, veían con fe a su futuro hogar celestial. Aunque lo que esperaban parecía lejano, confiaban en la fidelidad de Dios a su promesa de llevarlos a un lugar donde estarían con Él siempre (HEBREOS 11:13-16).

Filipenses 3:20 nos recuerda que «nuestra ciudadanía está en los cielos, de donde también esperamos al Salvador, al Señor Jesucristo». Mirar hacia adelante para ver a Jesús y recibir todo lo que Dios nos ha prometido nos ayuda a mantenernos enfocados. ¡Ni el pasado ni el presente pueden compararse con lo que está por delante! 🌱

JB

Señor, gracias por cumplir fielmente tus promesas.
Ayúdame a mirar siempre hacia adelante, hacia ti.

La mejor casa de todas es nuestro hogar en el cielo.

Fama y humildad

A **muchos nos** obsesiona la fama, ya sea que se trate de experimentarla personalmente, o de conocer la vida de personas famosas a través de libros o películas sobre giras internacionales, presentaciones en espectáculos nocturnos o sus millones de seguidores en Twitter.

En un estudio reciente en Estados Unidos, se clasificó el nombre de individuos famosos mediante un algoritmo desarrollado especialmente para evaluar datos en Internet. Jesús encabezó la lista como la persona más famosa de la historia.

LECTURA:
Filipenses 2:1-11

[Cristo Jesús]
se humilló a sí
mismo, haciéndose
obediente hasta la
muerte, y muerte
de cruz (v. 8).

Sin embargo, a Jesús nunca le interesó ser una celebridad. Cuando estuvo en la Tierra, jamás buscó fama (MATEO 9:30; JUAN 6:15), aunque esta lo alcanzó cuando noticias sobre Él se difundieron por toda Galilea (MARCOS 1:28; LUCAS 4:37).

Dondequiera que Jesús iba, se reunían multitudes. Sus milagros atraían a la gente. Pero, cuando intentaron forzarlo para que fuera rey, se escabulló (JUAN 6:15). Aunque compartía con su Padre el mismo propósito, se sujetaba a la voluntad y el tiempo de Él (4:34; 8:29; 12:23). «Se humilló a sí mismo, haciéndose obediente hasta la muerte, y muerte de cruz» (FILIPENSES 2:8).

La meta de Jesús nunca fue la fama. Su propósito era sencillo: como el Hijo de Dios, se ofreció humilde, obediente y voluntariamente como el sacrificio por nuestros pecados. ⊕CHK

Señor, exaltado eres sobre todos los demás.

**Jesús no vino para ser famoso, sino para ofrecerse
humildemente en sacrificio por nuestros pecados.**

Juego de gratitud

Todos los años, hacemos una exquisita fiesta de Acción de Gracias en la Universidad Cornerstone. ¡A los alumnos les encanta! El año pasado, hicieron un juego mientras celebraban: en tres segundos o menos, cada uno debía mencionar un motivo de agradecimiento, sin repetir lo dicho por otra persona. El que vacilaba, era descalificado.

Los estudiantes tienen toda clase de cosas para quejarse: exámenes, fechas de entrega, normas y cientos de temas más. Sin embargo, estos decidieron ser agradecidos. Y estoy seguro de que todos se sintieron mucho mejor después del juego que si hubiesen elegido quejarse.

> LECTURA:
> **Colosenses 3:12-17**
>
> *... hacedlo todo en el nombre del Señor Jesús, dando gracias a Dios Padre por medio de él* (v. 17).

Aunque siempre hay de qué quejarse, si prestamos atención, también hay siempre bendiciones por las cuales dar gracias. Cuando Pablo describe la nueva vida en Cristo, la gratitud es la única característica que se menciona tres veces. En Colosenses 3:15-17 (RVC), afirma: «sean agradecidos»; canten a Dios «con gratitud de corazón»; y, en todo lo que hagan, asegúrense de dar «gracias a Dios el Padre». ¡Es asombroso pensar que Pablo escribió desde la prisión esta instrucción a ser agradecidos!

Decidamos hoy tener una actitud de agradecimiento. ✿ *JMS*

*Señor, ayúdame a ser agradecido,
a descubrir las bendiciones que no veo por mis quejas,
y a expresar constantemente mi gratitud a ti y a los demás.*

Escoge tener una actitud de agradecimiento.

¡La mejor oferta!

¿**C**uánto es suficiente? Esta pregunta podría hacerse en una época cuando muchos países desarrollados se dedican cada vez más a comprar cosas. Me refiero al Viernes Negro, en la semana siguiente a la fiesta de Acción de Gracias en Estados Unidos, cuando las tiendas abren temprano con grandes ofertas; costumbre que se ha extendido a otros países. Algunos compran porque tienen recursos limitados y tratan de aprovechar los precios bajos, pero, lamentablemente, a otros los motiva la codicia, y las peleas por las ofertas se vuelven violentas.

> **LECTURA:**
> **Eclesiastés 5:10-20**
>
> *Cuando aumentan los bienes, también aumentan los que los consumen. ¿Qué bien, pues, tendrá su dueño...?* (v. 11).

La sabiduría del escritor de Eclesiastés, en el Antiguo Testamento, conocido como «el Predicador» (1:1), ofrece un antídoto para el frenesí del consumismo que enfrentamos en las tiendas... y en nuestro corazón. Señala que quienes aman el dinero nunca tendrán suficiente y que sus posesiones los dominarán. Sin embargo, morirán sin nada: «Como salió del vientre de su madre, desnudo, así vuelve» (5:15)

En su carta a Timoteo, el apóstol Pablo hace eco del Predicador cuando afirma que el amor al dinero es la raíz de todos los males, y que debemos procurar «la piedad acompañada de contentamiento» (1 TIMOTEO 6:6-10).

No busquemos llenar el vacío de nuestro corazón con métodos perjudiciales, sino miremos al Señor para tener paz y bienestar. 🌼

ABP

Señor, tenerte a ti es suficiente.

La satisfacción verdadera no depende de nada que este mundo ofrezca.

No enviar

¿Alguna vez mandaste un email y, de pronto, te diste cuenta de que había ido a la persona equivocada o que contenía palabras duras e hirientes? ¡Si tan solo pudieras presionar una tecla y detenerlo! Bueno, ahora puedes hacerlo. Varias compañías ofrecen una opción que te da un tiempo breve después de enviar un correo para detenerlo antes de que salga de tu ordenador. Después de eso, el email es como una palabra dicha que no puede retractarse. En lugar de considerarse una solución, esta opción de «no enviar» debería recordarnos la enorme importancia de cuidarnos en lo que decimos.

> **LECTURA:**
> **1 Pedro 3:8-12**
>
> *El que quiere amar la vida y ver días buenos, refrene su lengua de mal, y sus labios no hablen engaño* (v. 10).

En su primera carta, el apóstol Pedro les decía a los seguidores de Jesús: «no devolviendo mal por mal, ni maldición por maldición, sino por el contrario, bendiciendo [...]. Porque: El que quiere amar la vida y ver días buenos, refrene su lengua de mal, y sus labios no hablen engaño; apártese del mal, y haga el bien; busque la paz, y sígala» (1 PEDRO 3:9-11).

El salmista David escribió: «Pon guarda a mi boca, oh Señor; guarda la puerta de mis labios» (SALMO 141:3). Esta es una buena oración para empezar cada día y en toda situación en que queramos contraatacar con palabras. 🦋 *DCM*

> **Señor,** ayúdame a cuidar mi corazón para controlar mi lengua, y mis palabras para no herir a los demás. Y en humildad, a saber pedir perdón.

La muerte y la vida están en poder de la lengua. PROVERBIOS 18:21

La pluma roja

Una vez, encontré un dicho popular sobre la pesca en una obra del siglo II a.C. del escritor griego Eliano: «Entre Berea y Tesalónica corre un río llamado Astreo. [...] hay en él peces [truchas] de un color moteado». Luego, describe un «cebo para los peces, [...] que apela a una inteligente astucia. Cubren el anzuelo con lana purpúrea y encajan en la lana dos plumas [...]. Sueltan los pescadores el engaño, y el pez, atraído y excitado por el color, [...] imaginando [...] un prodigioso banquete, abre la boca ampliamente» (*Historia de los animales*).

LECTURA:
Salmo 92:12-15

Aun en la vejez fructificarán... (v. 14).

Hoy, los pescadores siguen usando este cebo llamado pluma roja. Descrito por primera vez hace más de 2.200 años, sigue utilizándose como un ardid para atrapar truchas.

Cuando leí esa obra, pensé: *No todo lo viejo está pasado de moda; en especial, las personas.* Si con una vejez de satisfacción y alegría mostramos a los demás la plenitud de Dios, seremos útiles hasta el final. En lugar de enfocarnos en problemas de salud y en el pasado, podemos disfrutar la paz y el ánimo de haber envejecido con el Señor. «Plantados en la casa del Señor, en los atrios de nuestro Dios florecerán. Aun en la vejez fructificarán; estarán vigorosos y verdes» (SALMO 92:13-14). 🌳   *DHR*

Señor, *gracias porque vejez no significa inutilidad.*

*A medida que los años se van acumulando,
la fidelidad de Dios sigue aumentando.*

Sin distinción

magina a dos adolescentes. Una es fuerte y saludable. La otra nunca conoció la libertad de moverse sola. Desde su silla de ruedas, no solo enfrenta los desafíos emocionales comunes de la vida, sino también una serie de dolores y dificultades físicas.

No obstante, ambas sonríen alegremente mientras disfrutan de la mutua compañía. Dos adolescentes hermosas; cada una viendo en la otra el tesoro de la amistad.

Jesús dedicó gran parte de su tiempo a personas como la muchacha de la silla de ruedas; personas con discapacidades

LECTURA:
Lucas 7:36-50

... Ella ha hecho una obra hermosa conmigo
(Marcos 14:6 NVI)

o deformidades físicas de por vida, o que eran despreciadas por los demás por diversas razones. En realidad, Jesús permitió que una de esas personas lo ungiera con aceite, desairando a los líderes religiosos (LUCAS 7:39). En otra demostración similar de amor, Jesús dijo a quienes lo criticaban: «Déjenla en paz [...]. Ella ha hecho una obra hermosa conmigo» (MARCOS 14:6 NVI).

Dios valora a todos por igual; no hay distinción ante sus ojos. Ciertamente, todos necesitamos desesperadamente el amor y el perdón del Señor. Su amor lo impulsó a morir en la cruz por nosotros.

Veamos a cada persona como lo hacía Jesús: creada a la imagen de Dios, digna de su amor y hermosa. 🌿 *JDB*

Señor, *ayúdame a ver a las personas como tú las ves: suficientemente importantes como para haber muerto por ellas.*

Todas las personas con quienes nos encontramos llevan la imagen de Dios.

¡Soy rico!

Hay una publicidad por televisión que muestra a una persona abriendo la puerta y viendo a alguien que le entrega un cheque por una cantidad enorme de dinero. Ante eso, el sorprendido destinatario empieza a gritar, cantar, saltar y abrazar a todo el mundo. «¡Gané! ¡Soy rico! ¡No lo puedo creer! ¡Se terminaron los problemas!». Hacerse rico de repente desencadena una gran reacción emocional.

> **LECTURA:**
> **Salmo 119:9-16**
>
> *Me he gozado en el camino de tus testimonios más que de toda riqueza* (v. 14).

En el Salmo 119, encontramos esta notable declaración: «Me he gozado en el camino de tus testimonios más que de toda riqueza» (v. 14). ¡Qué comparación! ¡Obedecer a Dios en la vida puede ser tan emocionante como recibir una fortuna! El v. 16 repite la idea cuando el salmista expresa su gratitud y alegría: «Me regocijaré en tus estatutos; no me olvidaré de tus palabras».

¿Y si no nos sentimos así? ¿Podemos regocijarnos en las instrucciones de Dios como si recibiéramos una fortuna? Todo comienza con ser agradecidos, lo cual implica una actitud y una elección. Nuestra atención se centra en lo que valoramos; por eso, debemos dar gracias por lo que Dios nos da para nutrir nuestra alma, y pedirle que nos abra los ojos para apreciar la sabiduría y la paz que transmite su Palabra.

¡Nos hacemos ricos al amar a Dios cada día más! ❂ *DCM*

Señor, gracias por la riqueza de los consejos sabios de tu Palabra. Ayúdame a disfrutarla.

Los ricos tesoros de la verdad de Dios están esperando ser descubiertos en su Palabra.

¿Cuánto vales?

Se cuenta que, en el año 75 a.C., un joven de la nobleza romana llamado Julio César fue secuestrado por piratas, tras lo cual se pidió un rescate para liberarlo. Cuando exigieron 20 talentos de plata (unos 600.000 dólares hoy), César se rio y dijo que era evidente que no tenían idea de quién era él. Entonces, insistió en que elevaran el monto del rescate a 50 talentos. ¿Por qué? Porque creía que valía más de 20.

¡Qué diferencia vemos entre la arrogante valoración personal de César y el precio que Dios le pone a cada ser humano! Nuestro valor no se mide en términos monetarios, sino en función de lo que el Padre celestial ha hecho a nuestro favor.

¿Cuál fue el precio del rescate que pagó para salvarnos? La sangre de su único Hijo al morir en la cruz. Así, el Padre nos liberó de nuestro pecado: «fuisteis rescatados de vuestra vana manera de vivir, la cual recibisteis de vuestros padres, no con cosas corruptibles, como oro o plata, sino con la sangre preciosa de Cristo» (1 PEDRO 1:18-19).

> LECTURA:
> **1 Pedro 1:17-23**
>
> *... fuisteis rescatados [...], no con cosas corruptibles, como oro o plata, sino con la sangre preciosa de Cristo...* (vv. 18-19).

Dios nos amó tanto que entregó a su Hijo para que muriera en la cruz y resucitara de los muertos para redimirnos y rescatarnos. Este es el valor que tienes para Él. ❂
WEC

Padre, *gracias por el precio que pagaste para que fuera perdonado. Que mi vida sea una expresión constante de gratitud.*

Nuestro valor lo determina el precio que Dios pagó para rescatarnos.

La vista a 640 kilómetros

«**Mi perspectiva** de la Tierra cambió drásticamente la primera vez que fui al espacio», dice el astronauta Charles F. Bolden Jr. Para él, todo parecía tranquilo y hermoso visto a 640 kilómetros de distancia. Sin embargo, agregó que, cuando pasó sobre Oriente Medio, «la realidad lo sacudió» al considerar el conflicto actual en esa región. En una entrevista con un productor cinematográfico, declaró que, en ese momento, cuando vio la Tierra como esta debería ser, se sintió desafiado a hacer todo lo posible para mejorarla.

LECTURA:
Juan 1:1-14

Aquella luz verdadera, que alumbra a todo hombre, venía a este mundo (v. 9).

Cuando Jesús nació en Belén, el mundo no estaba como Dios pretendía. Jesús vino a traer vida y luz a todos en medio de esta oscuridad moral y espiritual (JUAN 1:4). Aunque el mundo no lo reconoció, «a todos los que le recibieron, a los que creen en su nombre, les dio potestad de ser hechos hijos de Dios» (v. 12).

Nos entristece profundamente cuando la vida no es como debería serlo; cuando las familias se destruyen, los niños padecen hambre y el mundo está en guerra. Pero Dios promete que, mediante la fe en Cristo, toda persona puede comenzar a andar un camino nuevo.

La época navideña nos recuerda que Jesús, el Salvador, regala vida y luz a todos los que lo reciben y lo siguen. 🌸 DCM

Señor, ayúdame a testificar hoy de la luz y la vida que Jesús ofrece.

**No somos lo que Dios quiere que seamos,
pero Él está obrando para que lleguemos a serlo.**

Conversaciones tranquilas

¿Te hablas a veces interiormente? En ocasiones, mientras trabajo en algún proyecto (por lo general, debajo del capot de un automóvil), me resulta útil pensar en voz alta para evaluar qué hacer para mejorarlo. Si alguien me descubre en mi «conversación», me da un poco de vergüenza; aunque la mayoría de la gente habla sola en algún momento del día.

En Salmos, los escritores solían hablarse a sí mismos. El autor del Salmo 116 no es la excepción. En el v. 7, escribe: «Vuelve, oh alma mía, a tu reposo, porque el Señor te ha hecho bien». Recordarse a sí mismo la bondad

LECTURA:
Salmo 116:5-9

Bendice, alma mía, al Señor, y no olvides ninguno de sus beneficios

(Salmo 103:2).

y la fidelidad de Dios en el pasado le resultaba de ayuda y consuelo en el presente. Con frecuencia, vemos «conversaciones» similares en los Salmos. Así, David se dice a sí mismo en el Salmo 103:1: «Bendice, alma mía, al Señor, y bendiga todo mi ser su santo nombre». Y en 62:5, afirma: «Alma mía, en Dios solamente reposa, porque de él es mi esperanza».

Es bueno recordarnos la fidelidad de Dios y la esperanza que tenemos en Él. Podemos seguir el ejemplo del salmista y pasar un tiempo mencionando las numerosas maneras en que el Señor ha sido bueno con nosotros. Hacerlo nos incentivará. El mismo Dios que ha sido fiel en el pasado seguirá amándonos en el futuro. 🌿

JB

Señor, quiero mantener mi corazón en contacto contigo.

Recordar la bondad de Dios puede mantenernos llenos de su paz.

Oidores y hacedores

El teléfono sonó en medio de la noche. Buscaban a mi esposo, el pastor. Estaban llevando al hospital a una de nuestras guerreras de oración de la congregación, una mujer de unos 70 años, que vivía sola. Estaba tan enferma que ya no comía ni bebía; tampoco podía ver ni caminar. Le pedimos a Dios que la ayudara y tuviera misericordia de ella, ya que nos interesaba mucho su bienestar. La iglesia se puso en acción, organizando una cadena de visitas que no solo la ayudaron a ella, sino que demostraron el amor cristiano a pacientes, visitas y personal médico.

> **LECTURA:**
> **Santiago 1:22-27**
>
> *... Visitar a los huérfanos y a las viudas en sus tribulaciones...*
> (v. 27).

En su carta a los primeros creyentes judíos, Santiago alentaba a la iglesia a ocuparse de los necesitados. Quería que fueran más allá de simplemente escuchar la Palabra de Dios y que pusieran en práctica su fe (1:22-25). Mencionó la necesidad de ocuparse de los huérfanos y de las viudas (v. 27), un grupo vulnerable, ya que, en el mundo antiguo, los familiares tenían la responsabilidad de cuidarlos.

¿Cómo reaccionamos ante aquellos de nuestra iglesia o de la comunidad que están en situaciones de riesgo? ¿Consideramos que ocuparse de las viudas y los huérfanos es parte vital del ejercicio de nuestra fe? Mantengamos los ojos abiertos para aprovechar las oportunidades de servir a los necesitados. ◆

ABP

Señor, *que sintamos lo mismo que tú por los necesitados.*

La fe auténtica no solo requiere palabras, sino acciones.

El tesoro en la tumba 7

En 1932, el arqueólogo mejicano Antonio Caso descubrió la Tumba 7 en Monte Albán, en Oaxaca. Encontró más de 400 objetos, incluidas cientos de joyas prehispánicas a las que denominó «El tesoro de Monte Albán»; uno de los hallazgos más importantes de la arqueología mejicana. ¿Te imaginas la emoción de aquel hombre al sostener una copa de jade en su forma más pura?

Siglos antes, el salmista escribió sobre un tesoro más valioso que el oro y el cristal de roca: «Me regocijo en tu palabra como el que halla muchos despojos» (SALMO 119:162). En este salmo, el

> **LECTURA:**
> **Salmo 119:161-168**
>
> *Me regocijo en tu palabra como el que halla muchos despojos* (v. 162).

escritor sabía cuán valiosas son para nosotros las instrucciones y las promesas de Dios; por eso, las comparó con el gran tesoro que le queda a un conquistador tras una victoria.

Caso es recordado hoy por haber descubierto la Tumba 7, la cual podemos visitar en un museo de Oaxaca. Sin embargo, al tesoro del salmista lo tenemos en nuestras manos: día tras día, podemos cavar en las Escrituras y descubrir diamantes de promesas, rubíes de esperanza y esmeraldas de sabiduría. Pero lo más hermoso que podemos hallar es la Persona a quien apunta este libro: Jesús. Después de todo, Él es su Autor.

Como afirmó el salmista: «Tus leyes son mi tesoro; son el deleite de mi corazón» (v. 111 NTV). 🌐   *KO*

Señor, ayúdame a disfrutar cada día el tesoro de tu Palabra.

La Palabra de Dios es una posesión valiosa y una guía para la vida.

Luces navideñas

Cada año, durante las semanas previas a la Navidad, Orchard Road, la franja turística de Singapur, se transforma en un mundo maravilloso de luces y colores. El propósito de este show de luces es atraer a los turistas para que gasten su dinero en las numerosas tiendas de la zona. Los consumidores llegan para disfrutar de las celebraciones, escuchar villancicos navideños y presenciar espectáculos.

> LECTURA:
> **Juan 8:12-20**
>
> *... Yo soy la luz del mundo; el que me sigue, no andará en tinieblas...* (v. 12).

El primer *show* de luces de Navidad no se produjo gracias a cables eléctricos, brillos ni luces fluorescentes, sino a que «la gloria del Señor [...] rodeó de resplandor» (LUCAS 2:9). Ningún turista la vio, sino solo unos sencillos pastores que estaban en sus campos. Y no solo eso, sino que le siguió una inesperada interpretación de un coro angelical, que decía: «¡Gloria a Dios en las alturas...!» (v. 14).

Los pastores fueron a Belén para ver si lo que el ángel había dicho era verdad (v. 15). Tras haberlo confirmado, no pudieron callar lo que habían visto y oído. Entonces, «al verlo, dieron a conocer lo que se les había dicho acerca del niño» (v. 17).

Muchos hemos oído con frecuencia la historia de la Navidad. Este año, ¿qué tal si compartimos con otros la buena noticia de que Cristo, «la luz del mundo» (JUAN 8:12), nació para salvarnos? 🌱

CPH

Señor, *esta Navidad quiero reflejar tu luz en mi vida testificando de ti.*

***El don del amor de Dios en nosotros
puede iluminar toda oscuridad.***

Bondad constante

Cuando era niño, me encantaba leer los libros de L. Frank Baum sobre la *Tierra de Oz*. Hace poco, encontré un ejemplar de *Rinkitink* en Oz, con todo el material gráfico original. Me volví a reír con las payasadas del bondadoso e irreprimible rey *Rinkitink*, a quien el joven príncipe Inga describe de manera sin igual: «Su corazón es bondadoso y amable, lo cual es mucho mejor que ser sabio».

> **LECTURA:**
> **Salmo 141:1-3**
>
> *... sean bondadosos y misericordiosos [...] unos a otros...*
> (Efesios 4:32).

¡Qué descripción tan sencilla y sensata! Pero ¿quién no ha lastimado el corazón de alguien querido con una palabra dura? Al hacerlo, perturbamos la paz del momento y destruimos gran parte del bien que hemos hecho por aquellos a quienes amamos. Como dijo Hannah More: «Una pequeña descortesía es una gran ofensa».

Pero aquí está la buena noticia: toda persona puede volverse bondadosa. Quizá no podamos predicar un mensaje inspirador, responder preguntas difíciles ni evangelizar multitudes, pero sí podemos ser amables.

¿Cómo? Con la oración. Solo así puede ablandarse nuestro corazón: «Pon guarda a mi boca, oh Señor; guarda la puerta de mis labios. No dejes que se incline mi corazón a cosa mala [o áspera]...» (SALMO 141:3-4).

En un mundo donde el amor se ha enfriado, la bondad que brota del corazón de Dios es lo más útil y sanador que podemos ofrecer. 🌿

DHR

Señor, ayúdame a usar mis palabras para alentar a todos.

«Saber que Dios me amó sin límites me impulsa a amar a otros del mismo modo». OSWALD CHAMBERS

Hermosa unidad

Es sumamente raro ver tres depredadores abrazarse y jugar juntos. Sin embargo, esto sucede todos los días en una reserva de animales en Georgia. En 2001, después de meses de negligencia y abusos, un león, un tigre de bengala y un oso negro fueron rescatados por el Refugio Animal Arca de Noé. «Podríamos haberlos separado —dijo el director adjunto—, pero, como llegaron siendo una especie de familia, decidimos mantenerlos juntos». Los tres se habían consolado mutuamente mientras los maltrataban, y, a pesar de las diferencias, vivían juntos en paz.

> **LECTURA:**
> **Efesios 4:1-6**
>
> *Solícitos en guardar la unidad del Espíritu en el vínculo de la paz* (v. 3).

La unidad es algo hermoso. Pero la unidad de la que les escribió Pablo a los creyentes de Éfeso era única. El apóstol los alentaba a vivir a la altura de su posición como miembros del cuerpo único de Cristo (EFESIOS 4:4-5). Por el poder del Espíritu Santo, serían capaces de vivir en unidad, cultivando la humildad, la mansedumbre y la paciencia. Estas actitudes también nos permiten soportarnos «los unos a los otros en amor» por el fundamento que compartimos en Cristo Jesús (4:2).

A pesar de nuestras diferencias, como miembros de la familia de Dios, fuimos reconciliados con Él por medio de la muerte de nuestro Salvador, y los unos con los otros por la obra constante del Espíritu en nuestras vidas. 🕊️

MLW

Señor, *ayúdame a crecer en el amor mutuo.*

Mantenemos la unidad al estar unidos al Espíritu.

Sonido envolvente

Walt Disney Studios fue el primero en implementar un nuevo concepto de sonido para películas: el sonido estereofónico o envolvente. Se desarrolló porque los productores querían que el público escuchara la música de una manera novedosa.

No obstante, esta no fue la primera vez que se usó sonido envolvente. Miles de años antes, Nehemías incorporó la idea en la dedicación de los muros reconstruidos de Jerusalén: «hice subir a los principales de Judá sobre la muralla y puse dos grandes coros de acción de gracias» (NEHEMÍAS 12:31 RVA). Uno iba cantando

> **LECTURA:**
> **Nehemías 12:27-43**
>
> *... el alborozo de Jerusalén fue oído desde lejos* (v. 43)**.**

hacia la izquierda y el otro hacia la derecha, rodeando la ciudad de Jerusalén con alabanzas mientras marchaban al templo (vv. 31, 37-40) y guiaban al pueblo que se regocijaba «porque Dios les había dado gran alegría» (v. 43); de este modo, «se oía desde lejos» (v. 43).

¿Qué nos ha dado Dios que nos haga rebosar de alabanzas? ¿Una dirección clara, el consuelo que solo Él puede dar, el supremo regalo de la salvación?

Quizá no podamos generar un sonido envolvente con nuestra alabanza, pero sí tener gran alegría por lo que Dios nos ha dado. Entonces, otros podrán escucharnos y ver cómo obra el Señor en nuestra vida. ❧ *JDB*

***Señor,** te alabamos con palabras,
con acciones y con nuestra vida por tu gran poder,
provisión amorosa y cuidado constante.*

¡Es imposible excederse en alabanzas a Dios!

Regalar ánimo

Hay una antigua canción que relata la historia de un hombre que fue despedido de su trabajo y no tenía dinero para comprar un regalo de Navidad para su hijita. Aunque se supone que diciembre es una época feliz del año, su vida parecía oscura y fría.

El desánimo no es algo exclusivo de diciembre, pero puede aumentar en esta época. Las expectativas podrían incrementarse y la tristeza hacerse más profunda. Un poco de ánimo puede ayudar mucho.

José, oriundo de Chipre, fue uno de los primeros seguidores de Jesús. Los apóstoles lo llamaron Bernabé, que significa «hijo de consolación». También lo vemos en Hechos 4:36-37, cuando vendió una propiedad y donó el dinero para ayudar a otros creyentes necesitados. También en 9:26, cuando llevó a Saulo —conocido después como Pablo— ante los apóstoles, quienes le tenían miedo, y lo defendió por ser un hombre al que Cristo había transformado.

> **LECTURA:**
> Hch. 4:32-37; 9:26-27
>
> *... Bernabé (que traducido es, Hijo de consolación), [...] tenía una heredad, la vendió y trajo el precio [...] a los pies de los apóstoles*
> (Hechos 4:36-37).

Estamos rodeados de personas que necesitan recibir ánimo. Una palabra oportuna, una llamada telefónica o una oración con ellas pueden fortalecer su fe en Jesús.

La generosidad y el apoyo de Bernabé demuestran qué significa ser un hijo de consolación. Tal vez sea el mejor regalo que puedas darle a alguien esta Navidad. 🕊 *DCM*

Señor, gracias por el regalo del ánimo y la consolación. Que nos alentemos unos a otros hoy.

El consuelo puede ser el mejor regalo que demos en esta Navidad.

Heridas de parte de un amigo

Charles Lowery se lamentó ante un amigo de tener dolor de cintura. Buscaba un oído compasivo, pero lo que recibió fue una frase sincera: «No creo que tu problema sea la cintura, sino el estómago. Es demasiado grande y te presiona la espalda».

En su columna de una revista, Charles comentó que resistió la tentación de ofenderse, que bajó de peso y que la lumbalgia desapareció. Reconoció que «mejor es reprensión manifiesta que amor oculto. Fieles son las heridas del que ama» (PROVERBIOS 27:5-6).

LECTURA:
Proverbios 27:5-10

Fieles son las heridas del que ama... (v. 6).

El problema es que, a menudo, preferimos que nos arruinen los elogios en lugar de que nos salven las críticas, porque la verdad duele; hiere el ego, nos incomoda y exige un cambio.

A los amigos auténticos no les gusta lastimarnos, sino que nos aman mucho y no quieren engañarnos. Nos señalan lo que nosotros ya sabemos, pero no queremos reconocer ni modificar. No solo nos dicen lo que nos gusta oír, sino lo que necesitamos escuchar.

Salomón elogió este tipo de amistad en sus proverbios. Pero Jesús fue más allá: soportó las heridas de nuestro rechazo no solo para decirnos la verdad sobre nosotros mismos, sino también para mostrarnos cuánto nos amaba. 🌿

PFC

> **Piensa** en una ocasión en que un amigo te dijo algo sincero que te dolió. ¿Te ayudó? ¿Es sabio aceptar todo lo que nos dicen nuestros amigos?

Amigo es aquel que te dice la verdad con amor.

Servir a Dios con oraciones

A menudo, **Dios** decide utilizar nuestras oraciones para llevar a cabo su obra. Esto lo vemos cuando le dijo al profeta Elías: «yo haré llover sobre la faz de la tierra», prometiendo poner fin a una sequía en Israel que había durado tres años y medio (SANTIAGO 5:17). Aunque Dios había prometido que llovería, poco después,

«Elías subió a la cumbre del Carmelo, y postrándose en tierra, puso su rostro entre las rodillas» para pedir fervorosamente que lloviera (1 REYES 18:42). Entonces, mientras oraba, mandó a su siervo «siete veces» para que mirara hacia el mar y

> **LECTURA:**
> **1 Reyes 18:41-45**
>
> *... La oración eficaz del justo puede mucho* (Santiago 5:16).

observara si había alguna señal de lluvia en el horizonte (v. 43).

Elías entendió que Dios quiere que participemos en su obra mediante la oración humilde y persistente. A pesar de nuestras limitaciones humanas, el Señor tal vez quiera obrar de maneras asombrosas a través de nuestras oraciones. Por eso, Santiago afirma que «la oración eficaz del justo puede mucho» y nos recuerda que «Elías era hombre sujeto a pasiones semejantes a las nuestras» (SANTIAGO 5:16-17).

Cuando nos proponemos servir a Dios orando fielmente como lo hizo Elías, participamos de un privilegio maravilloso... ¡y en cualquier momento, podríamos ver un milagro delante de nuestras narices! 🌿

JB

Señor, ¿cómo puedo servirte hoy con mis oraciones?

Las grandes expectativas de nuestra parte honran a Dios.

El dinero

Hace muchos años, mientras tenía un trabajo que consideraba más una misión que una labor, otra compañía me ofreció un puesto que implicaba un importante aumento de salario. El problema era que yo no había estado buscando otro trabajo, porque amaba lo que hacía.

Pero el *dinero*…

Llamé a mi padre y le expliqué la situación. Aunque su mente anteriormente perspicaz había sido afectada por accidentes cerebro-vasculares y el paso de los años, su respuesta fue escueta y sencilla: «No pienses en el dinero, ¿qué es lo que te gusta hacer?».

> **LECTURA:**
> **Mateo 6:24-34**
>
> *… Ustedes no pueden servir a Dios y a las riquezas* (v. 24).

Al instante reaccioné. ¡El dinero habría sido la única razón de dejar el trabajo que amaba! Gracias, papá.

Jesús dedicó gran parte de su Sermón del Monte al dinero. No nos enseñó a orar por la acumulación de riquezas, sino por «el pan nuestro de cada día» (MATEO 6:11). Advirtió contra almacenar tesoros en la tierra, y puso las aves y las flores como ejemplo del cuidado de Dios por su creación (vv. 19-31). Y agregó: «buscad primeramente el reino de Dios y su justicia, y todas estas cosas os serán añadidas» (v. 33).

Hay que pensar en el dinero, pero este no debe controlar nuestras decisiones. Las dificultades y los desafíos son oportunidades para que nuestra fe aumente, ya que nuestro Padre se ocupa de nosotros. 🌿 *TG*

Señor, *ayúdame a confiar en tu provisión y cuidado constantes.*

Nunca hay que confundir tentación con oportunidad.

¡Buena noticia!

nternet, televisión, radio, dispositivos portátiles... todos nos bombardean con noticias que, en su mayoría, son malas: crímenes, terrorismo, guerras, problemas económicos. Pero también aparecen noticias buenas que alivian la tristeza y la desesperación: actos de abnegación, descubrimientos médicos y posibles acuerdos de paz.

> **LECTURA:**
> **Nahum 1:7-15**
>
> *He aquí sobre los montes los pies del que trae buenas nuevas, del que anuncia la paz...* (v. 15).

Las palabras de dos hombres del Antiguo Testamento llevaron mucha esperanza a personas abrumadas por los conflictos. Nahum declaró en medio de un inminente juicio: «Ya se oyen sobre los montes los pies del que trae buenas nuevas, del que anuncia la paz» (NAHUM 1:15 RVC). E Isaías expresa una frase similar: «¡Cuán hermosos son, sobre los montes, los pies del que trae buenas nuevas! Los pies del que anuncia la paz, del que trae buenas noticias, del que anuncia salvación» (ISAÍAS 52:7 RVC).

Las palabras de esperanza de ambos profetas se cumplieron definitivamente en la primera Navidad, cuando el ángel les dijo a los pastores: «No temáis; porque he aquí os doy nuevas de gran gozo, que será para todo el pueblo: que os ha nacido hoy, en la ciudad de David, un Salvador, que es CRISTO el Señor» (LUCAS 2:10-11).

El titular más importante cada día es la mejor noticia de todas: ¡Nació Cristo, el Salvador! 🌱

DCM

Dios, *gracias por la buena noticia de la salvación en Jesús.*

**¡El nacimiento de Jesús
es la mejor noticia que ha recibido el mundo!**

Vivir en la luz

Era una mañana oscura. El cielo estaba cubierto de nubes bajas y grises, y la atmósfera estaba tan sombría que tuve que encender las luces para leer. Acababa de sentarme, cuando, de repente, la habitación se iluminó. Levanté la mirada y vi que el viento estaba llevando las nubes, y el cielo se había limpiado y aparecido el sol.

Mientras iba hacia la ventana para contemplar la escena, me vino a la mente un pensamiento: «las tinieblas van pasando, y la luz verdadera ya alumbra» (1 JUAN 2:8). El apóstol Juan escribió estas palabras a los creyentes para transmitirles ánimo. Y agregó: «El que ama a

> **LECTURA:**
> **1 Juan 2:3-11**
>
> *... las tinieblas van pasando, y la luz verdadera ya alumbra* (v. 8).

su hermano, permanece en la luz, y en él no hay tropiezo» (v. 10). Por contraposición, equiparó el odiar a las personas con deambular en la oscuridad. El odio desorienta; nos quita el sentido de rumbo moral.

No siempre es fácil amar a las personas. Sin embargo, mientras miraba por la ventana, recordé que, tanto la frustración como el perdón y la fidelidad, forman parte del proceso de mantenerse en comunión plena con el amor y la luz de Dios. Cuando decidimos amar en vez de odiar, demostramos nuestra relación con el Señor y reflejamos su fulgor ante quienes nos rodean. «Dios es luz, y no hay ningunas tinieblas en él» (1 JUAN 1:5). 🖌️   *JBS*

***Señor**, ayúdame a reflejar tu luz de gracia y misericordia.*

*Decidir amar a las personas
muestra al mundo cómo es Dios.*

Un «sueñito»

Henry Durbanville, un pastor escocés de otra época, relata la historia de una anciana de su congregación, que vivía en una parte remota de Escocia. Ella anhelaba conocer Edimburgo, pero tenía miedo de viajar hasta allí porque el tren que iba a esa ciudad pasaba por un túnel largo y oscuro.

No obstante, un día, ciertas circunstancias la obligaron a ir a la capital escocesa. A medida que el tren se acercaba rápidamente a la ciudad, más nerviosa se ponía. Pero, antes de llegar al túnel y agotada por la preocupación, la mujer se quedó dormida. Cuando despertó, ¡ya había llegado a Edimburgo!

LECTURA:
1 Tes. 4:13-18

... más quisiéramos estar ausentes del cuerpo, y presentes al Señor
(2 Corintios 5:8).

Es posible que algunos no experimenten la muerte. Si estamos vivos cuando Jesús vuelva, los que creemos en Él nos reuniremos con el «Señor en el aire» (1 TESALONICENSES 4:13-18). No obstante, muchos llegarán al cielo cuando mueran, y a algunos, esto les genera gran ansiedad. Nos preocupa que el proceso previo a la muerte sea demasiado difícil de soportar.

Si tenemos la seguridad de que Jesús es nuestro Salvador, podemos descansar confiados en que, cuando cerremos nuestros ojos en este mundo y experimentemos la muerte, los abriremos en la presencia de Dios. «Tras un breve sueño, despertamos a la eternidad», dijo John Donne. 🌿 *DHR*

Señor, pongo mi futuro en tus manos. Anhelo verte cara a cara.

Ver a Jesús será el mayor gozo del cielo.

Otro aspecto del consuelo

El lema de nuestro campamento para adultos era «Consuela a mi pueblo». Un orador tras otro comunicaban palabras de ánimo, pero el último cambió de tono drásticamente. Tomó Jeremías 7:1-11, y su tema fue «Despierten del sueño». Sin rodeos, pero con amor, nos desafió a despertarnos y alejarnos de nuestros pecados: «No se escondan detrás de la gracia de Dios ni sigan viviendo en secreto. Nos jactamos, diciendo: "Soy cristiano; Dios me ama", pero practicamos toda clase de pecados».

> **LECTURA:**
> **Jeremías 7:1-11**
>
> *... Oíd palabra del Señor...* (v. 2).

Sabíamos que tenía razón, pero nos retorcíamos en los asientos mientras lo escuchamos decir: «Dios es amor, ¡pero también es fuego consumidor! (VER HEBREOS 12:29). ¡Nunca será indulgente con el pecado!».

El profeta de la antigüedad preguntó: «Hurtando, matando, adulterando, jurando en falso [...] y andando tras dioses extraños que no conocisteis, ¿vendréis y os pondréis delante de mí en esta casa sobre la cual es invocado mi nombre, y diréis: Librados somos; para seguir haciendo todas estas abominaciones?» (JEREMÍAS 7:9-10).

Esta era la otra cara del lema del campamento sobre el consuelo divino. Como una hierba amarga que cura la malaria, sus palabras fueron espiritualmente sanadoras. Si escuchamos palabras duras, no debemos huir, sino responder a su efecto curativo. 🌿

LD

Señor, ayúdame a no desafiar tus instrucciones.

**El propósito de la disciplina del Padre celestial
es que nos asemejemos más a su Hijo.**

Nuestra cobertura

Cuando hablamos de nuestra fe en Jesús, a veces, usamos palabras que no entendemos ni explicamos. Una de ellas es *justo*. Decimos que Dios administra *justicia* y que hace justas a las personas, pero este puede ser un concepto difícil de comprender.

La forma en que el idioma chino representa la palabra *justicia* es útil. Combina dos caracteres: la palabra de arriba es *cordero*; y la de abajo es *yo*. El cordero cubre o está encima de la persona.

> **LECTURA:**
> **Romanos 3:21-26**
>
> *Bienaventurado aquel cuya transgresión ha sido perdonada, y cubierto su pecado*
> (Salmo 32:1).

Cuando Jesús vino a este mundo, Juan el Bautista lo llamo «el Cordero de Dios, que quita el pecado del mundo» (JUAN 1:29). Necesitamos que se solucione el problema de nuestro pecado porque nos separa de Dios, cuya esencia y caminos son siempre perfectos y rectos. Debido a su gran amor por nosotros, a su Hijo Jesús «que no conoció pecado, por nosotros lo hizo pecado, para que nosotros fuésemos hechos justicia de Dios en él» (2 CORINTIOS 5:21). Jesús, el Cordero, se sacrificó y derramó su sangre, y se convirtió en nuestra «cobertura». Él nos hace justos, lo cual nos coloca en una relación correcta con Dios.

Estar bien con Dios es un regalo de su parte. Jesús, el Cordero, es la forma en que Dios nos cubre. ❦ *AMC*

Señor, gracias por morir en la cruz por mí para cubrir y quitar mis pecados, y pueda tener una relación contigo.

La única cobertura permanente para el pecado es la sangre de Cristo.

¿Quién dices que es Él?

En 1929, en una entrevista, Alberto Einstein dijo: «Cuando era niño, me enseñaron de la Biblia y del Talmud. Soy judío, pero me cautiva la figura luminosa del Nazareno [...]. Nadie puede leer los Evangelios sin sentir la presencia real de Jesús. Su personalidad palpita en cada palabra. Ningún mito contiene tanta vida».

LECTURA:
Mateo 16:13-20

«Y ustedes, ¿quién dicen que soy yo?»
(v. 15 RVC).

El Nuevo Testamento da otros ejemplos de compatriotas de Jesús, quienes percibían que Él tenía algo especial. Cuando les preguntó a sus seguidores: «¿Quién dicen los hombres que es el Hijo del Hombre?», ellos respondieron que unos decían que era Juan el Bautista; otros, que era Elías; y algunos, que era Jeremías o uno de los profetas (MATEO 16:14). Que lo mencionaran entre los grandes profetas de Israel era sin duda un elogio, pero Jesús no buscaba eso, sino que los escudriñaba para ver si tenían fe. Entonces, hizo una segunda pregunta: «Y ustedes, ¿quién dicen que soy yo?» (v. 15 RVC).

La declaración de Pedro expresa la verdad sobre la identidad de Jesús: «Tú eres el Cristo, el Hijo del Dios viviente» (v. 16).

Jesús anhela que lo conozcamos a Él y su poder salvador. Por eso, en algún momento, debemos responder la pregunta: «¿Quién dices tú que es Jesús?». ❧

WEC

*Señor, deseo conocerte mejor,
amarte más y seguirte de todo corazón.*

**La identidad de Jesús
es la cuestión central de la eternidad.**

Amor al enemigo

En 1950, cuando empezó la guerra en Corea del Sur, Kim Chin-Kyung, de 15 años, se alistó en el ejército para defender su tierra natal. Sin embargo, no tardó en darse cuenta de que no estaba preparado para los horrores del combate. Mientras sus amigos morían a su alrededor, le rogó a Dios que lo protegiera y prometió que, si le permitía seguir con vida, aprendería a amar a sus enemigos.

Sesenta y cinco años después, el Dr. Kim reflexionaba sobre esa oración respondida. A lo largo de décadas de ocuparse de los huérfanos y colaborar en la educación de jóvenes chinos y norcorea-

> **LECTURA:**
> **Jonás 3:10—4:11**
>
> *Porque si amáis a los que os aman, ¿qué mérito tenéis?...* (Lucas 6:32).

nos, se hizo amigo de muchos que antes consideraba enemigos. Actualmente, rechaza las calificaciones políticas y se autodenomina un *amador*, como una manera de expresar su fe en Jesús.

El profeta Jonás dejó un legado diferente. Ni siquiera zafarse del vientre de un gran pez transformó su corazón, y aunque finalmente obedeció a Dios, dijo que prefería morir antes que ver que el Señor tuviera misericordia de sus enemigos (JONÁS 4:1-2, 8).

¿Cuál es nuestra actitud? ¿Sentiremos lo mismo que Jonás por aquellos que odiamos o le pediremos a Dios que nos ayude a amar a nuestros enemigos como Él lo ha hecho con nosotros? 🌿

MRD

Señor, *soy propenso a amar solamente a quienes me aman. Dame la gracia para amar como lo hacía Jesús.*

El amor lo vence todo.

Esparcir gozo

Cuando **Janet** fue a enseñar inglés en una escuela en otro país, se encontró con un ambiente oscuro y deprimente. Todos hacían su trabajo, pero nadie parecía feliz. No se ayudaban ni alentaban unos a otros. Pero Janet, agradecida por todo lo que Dios había hecho por ella, lo demostraba en todo lo que hacía: sonreía, era amigable, ayudaba a los demás, y tarareaba himnos y coros.

> **LECTURA:**
> **Juan 16:16-24**
>
> *... he aquí os doy nuevas de gran gozo, que será para todo el pueblo* (Lucas 2:10).

Poco a poco, la atmósfera de la escuela cambió. Uno tras otro, todos empezaron a sonreír y a ayudarse. Durante una visita, el supervisor preguntó por qué había cambiado la escuela, y el director, aunque no era creyente, respondió: «Jesús trae gozo». Janet rebosaba de gozo del Señor y lo esparcía a quienes la rodeaban.

El Evangelio de Lucas relata que Dios envió a un ángel para anunciarles a unos pastores un nacimiento extraordinario. Su sorprendente declaración fue que el niño recién nacido traería «gran gozo [...] para todo el pueblo» (LUCAS 2:10). Y así fue.

Este mensaje se ha difundido a través de los siglos, y ahora, nosotros somos los mensajeros de gozo que Cristo ha enviado al mundo. Por el Espíritu Santo que mora en nosotros, seguimos esparciendo el gozo del Señor, siguiendo su ejemplo y sirviendo a otros. 🌿

JAL

__Señor,__ ayúdame a esparcir hoy el gozo de Jesús entre quienes me rodean.

Lleva contigo todos los días el gozo de la Navidad.

Una historia personal

Un bebé con solo unas horas de vida fue dejado en un pesebre de Navidad fuera de una iglesia de Nueva York. Una madre joven y desesperada lo había envuelto para protegerlo del frío y lo dejó donde pudieran verlo. Si nos sentimos tentados a juzgarla, deberíamos, en cambio, dar gracias de que el niño tiene ahora la posibilidad de vivir.

> **LECTURA:**
> **Éxodo 1:22–2:10**
>
> *Aunque mi padre y mi madre me dejaran, con todo, el Señor me recogerá* (Salmo 27:10).

A mí, esto me toca personalmente. Como fui adoptado, no tengo idea de qué circunstancias rodearon mi nacimiento, pero nunca me sentí abandonado. Lo único que sé es esto: tengo dos madres que querían que tuviera una oportunidad en la vida. Una me dio vida a mí; la otra invirtió su vida *en* mí.

En Éxodo, leemos sobre una madre amorosa en una situación desesperante. Faraón había ordenado asesinar a todos los bebés varones judíos que nacieran (1:22). Entonces, la madre de Moisés lo escondió tanto como pudo. A los tres meses, lo puso en una cesta impermeable en el río Nilo. Si su plan era que una princesa lo rescatara, que creciera en el palacio de Faraón y que, al final, liberara a su pueblo de la esclavitud, funcionó a la perfección.

Cuando una madre desesperada le da una oportunidad a su hijo, Dios puede aprovechar la situación. Él está habituado a hacerlo, y de las formas más creativas imaginables. 🌍   *TG*

Señor, ayúdanos a ayudar a los desesperados y solitarios.

Comparte el amor de Cristo.

El mejor regalo de todos

En un retiro espiritual de invierno, un hombre preguntó: «¿Cuál fue el mejor regalo de Navidad que recibiste?».

Un hombre atlético parecía ansioso de responder. «Es fácil —dijo—. Hace unos años, cuando terminé mis estudios universitarios, pensé que me contratarían para jugar fútbol profesional. Cuando no fue así, me enojé, y compartía mi amargura con todos los que intentaban ayudarme.

»El año siguiente, en Navidad, fui a ver una obra en la iglesia de un amigo. No porque quisiera conocer a Jesús, sino para ver a mi sobrina que actuaba. Es difícil describir lo que sucedió porque suena tonto, pero, en medio de la obra, sentí que necesitaba estar entre esos pastores y ángeles que recibían a Jesús. Después de escuchar cantar *Noche de paz*, me quedé sentado llorando.

> **LECTURA:**
> **1 Pedro 3:8-16**
>
> *... estad siempre preparados para presentar defensa […] ante todo el que os demande razón de la esperanza que hay en vosotros* (v. 15).

»Esa noche, recibí *mi* mejor regalo de Navidad, cuando un amigo, que está aquí a mi lado ahora, se quedó para decirme cómo aceptar a Jesús como mi Salvador».

En ese momento, su amigo exclamó: «Y ese también fue *mi* mejor regalo de Navidad en la vida».

Esta Navidad, no dejemos de contarles a otros la historia gozosa y sencilla del nacimiento de Jesús. ❧ *RKK*

*Padre, que podamos ver a quienes necesitan al Salvador
y les hablemos de Él. Que recordemos que la razón de esta celebración
es oír y contar la historia de tu Hijo.*

**El mejor regalo de Navidad es Jesús,
y la paz y el perdón que ofrece a todos.**

¿Qué puedo darle?

Un año, los responsables de decorar su iglesia para Navidad decidieron usar el lema «listas navideñas». En lugar de colocar los habituales adornos dorados y plateados, le dieron a cada persona una tarjeta roja o verde. De un lado, tenían que escribir qué regalo les gustaría recibir de Jesús; y en el otro, qué le regalarían a Aquel cuyo nacimiento se celebraba.

Si tuvieras que hacer eso, ¿qué pedirías y qué regalarías? La Biblia nos da muchísimas ideas. Dios promete suplir todas nuestras necesidades, así que podemos pedir trabajo, ayuda en problemas financieros, sanidad física para nosotros y para otros o restauración de una relación rota. Tal vez nos preguntemos qué don espiritual nos equipa para servir a Dios. Muchos están enumerados en Romanos 12 y 1 Corintios 12. O tal vez anhelemos mostrar más del fruto del Espíritu Santo: amor, gozo, paz, paciencia, benignidad, bondad, fe, mansedumbre, templanza (GÁLATAS 5:22-23).

> **LECTURA:**
> **Salmo 103:1-18**
>
> *Bendice, alma mía, al Señor, y no olvides ninguno de sus beneficios* (v. 2).

El presente más importante que podemos recibir es el regalo de Dios: su Hijo, nuestro Salvador; y con Él, perdón, restauración y vida eterna. Además, el regalo más importante que podemos hacerle a Jesús es nuestro corazón. ❧ *MS*

Señor, tus regalos me asombran. A cambio, quiero darte el mejor presente que pueda. Muéstrame qué es lo que más quieres de mí.

«Si fuera un sabio, haría mi parte. Pero ¿qué puedo darle al Señor? Solo mi corazón». CHRISTINA G. ROSSETTI

Navidad en cautiverio

Martin Niemoller, un destacado pastor alemán, pasó casi ocho años en campos de concentración nazis porque se oponía abiertamente a Hitler. La víspera de Navidad de 1944, compartió estas palabras de esperanza con sus compañeros de prisión en Dachau: «Mis queridos amigos, esta Navidad [...] busquemos en el Bebé de Belén a Aquel que vino para soportar con nosotros todas las cargas que nos abruman [...]. ¡Dios mismo construyó un puente hacia nosotros! ¡Un amanecer de lo alto nos ha visitado!».

LECTURA:
Isaías 9:1-7

... los que moraban en tierra de sombra de muerte, luz resplandeció sobre ellos (v. 2).

En Navidad, recordamos la buena noticia de que Dios, en Cristo, nos busca donde estemos y cierra la brecha que nos separa de Él. Inunda de luz nuestras prisiones de oscuridad y levanta la carga de tristeza, culpa o soledad que nos agobia.

Aquella Nochebuena en la cárcel, Niemoller compartió esta buena noticia: «Del resplandor que rodeó a los pastores, un rayo brillante caerá en nuestra oscuridad». Sus palabras nos recuerdan al profeta Isaías: «El pueblo que andaba en tinieblas vio gran luz; los que moraban en tierra de sombra de muerte, luz resplandeció sobre ellos» (9:2).

Independientemente de dónde te encuentres hoy, ¡Jesús ha penetrado nuestro mundo oscuro con su gozo y su luz! ● *DCM*

> **Señor Jesús,** *saber que tu luz brilla en la oscuridad y prevalece sobre ella nos da esperanza y fuerzas.*

El gozo de la Navidad es Jesús.

Gozo para todos

El último día de una conferencia de editoriales cristianas en Singapur, 280 participantes de 50 países se reunieron en el jardín del hotel para tomar una fotografía grupal. Desde el balcón del primer piso, el fotógrafo sacó varias fotos desde distintos ángulos antes de decir al final: «Terminamos». Una voz entre la multitud exclamó con alivio: «Bueno... ¡Al mundo paz!». A lo que otro replicó: «Nació Jesús». Uno tras otro empezó a cantar, hasta que todo el grupo entonó el conocido villancico. Fue una muestra conmovedora de unidad y gozo que nunca olvidaré.

> **LECTURA:**
> **Lucas 2:8-14**
>
> *... No temáis; porque he aquí os doy nuevas de gran gozo, que será para todo el pueblo* (v. 10).

En el relato de Lucas de la historia de la Navidad, un ángel anunció así el nacimiento de Jesús a un grupo de pastores: «No temáis; porque he aquí os doy nuevas de gran gozo, que será para todo el pueblo: que os ha nacido hoy, en la ciudad de David, un Salvador, que es CRISTO el Señor» (LUCAS 2:10-11).

El gozo no era para pocas personas, sino para todos, «porque de tal manera amó Dios al mundo, que ha dado a su Hijo unigénito» (JUAN 3:16).

Al compartir con otros el mensaje de Jesús que transforma la vida, nos unimos al coro mundial, aclamándolo «por tan precioso don, que Dios nos da con gran amor».

«¡Al mundo paz, nació Jesús!». 🌿

DCM

*Señor, que podamos ver a todas
las personas como receptores de tu gracia y tu gozo.*

**La buena noticia del nacimiento de Jesús
es motivo de gozo para todos.**

Puntual

A veces, bromeo que voy a escribir un libro titulado *Puntual*. Quienes me conocen se sonríen porque saben que suelo llegar tarde. Mi excusa es que mi retraso se debe al optimismo, no a mi falta de empeño. Con optimismo, me aferro a la creencia errónea de que «esta vez», como nunca antes, podré terminar más cosas en menos tiempo. Pero no puedo, y no lo hago; entonces, termino teniendo que disculparme otra vez por mi impuntualidad.

> **LECTURA:**
> **Lucas 2:25-38**
>
> *... cuando vino el cumplimiento del tiempo, Dios envió a su Hijo...* (Gálatas 4:4).

En cambio, Dios siempre es puntual. Tal vez pensemos que llega tarde, pero no es así. La Biblia habla de personas que se impacientaron con el tiempo de Dios. Los israelitas esperaban y esperaban al Mesías prometido, y algunos se cansaron. Pero Simeón y Ana no, sino que siguieron día tras día en el templo, orando y esperando (LUCAS 2:25-26, 37). Y su fe fue recompensada, ya que pudieron ver al niño Jesús cuando María y José lo llevaron al templo para su dedicación (vv. 27-32, 38).

Cuando nos desanimamos porque Dios no responde según nuestro calendario, la Navidad nos recuerda que «cuando vino el cumplimiento del tiempo, Dios envió a su Hijo, [...] para que redimiese a los que estaban bajo la ley, a fin de que recibiésemos la adopción de hijos» (GÁLATAS 4:4-5). El tiempo de Dios es perfecto siempre, y vale la pena esperar. 🌀

JAL

Señor, ayúdame a tener paciencia.

El tiempo de Dios es siempre correcto;
espera con paciencia que Él actúe.

El poder de las palabras sencillas

os que visitábamos a mi padre hospitalizado nos reíamos a carcajadas: dos viejos choferes de camiones, un ex cantante de música *country*, un artesano, dos mujeres de granjas vecinas y yo.

«... después, se levantó y me partió una botella en la cabeza», dijo el artesano, para terminar su historia sobre una pelea en un bar.

Mi padre, mientras luchaba contra su cáncer e intentaba conseguir un poco de aire para reírse, dijo para que se cuidaran de lo que contaban: «Randy es pastor». Aunque se callaron durante unos segundos, estallaron de risa ante la noticia.

Unos 40 minutos después, el artesano aclaró su garganta, miró a mi padre y se puso serio: «Howard, ahora ya no bebo más ni peleo en bares. Todo eso pasó. Tengo una nueva razón de vivir. Quiero contarte sobre mi Salvador». Y lo hizo, sin prestar atención a la sorprendentemente leve reticencia de mi padre.

> LECTURA:
> **2 Pedro 1:12-21**
>
> *Porque no os hemos dado a conocer el poder y la venida de nuestro Señor Jesucristo siguiendo fábulas artificiosas...* (v. 16).

Nunca escuché una manera más delicada de presentar el evangelio. Años más tarde, mi padre también creyó en Jesús.

Fue el sencillo testimonio de una viejo amigo que vivía una vida sencilla, y eso me recordó que lo sencillo no es ni ingenuo ni estúpido, sino directo y sin pretensiones... como Jesús; como la salvación. ✿

RKK

Señor, que pueda ver esas oportunidades en que los corazones están preparados para oír de ti y les hable de tu amor.

«... id, y haced discípulos a todas las naciones, bautizándolos en el nombre del Padre, y del Hijo, y del Espíritu Santo». MATEO 28:19

Candados de amor

En junio de 2015, en París, se removieron 45 toneladas de candados de las barandas del Puente de las Artes. Como un gesto romántico, las parejas grababan sus iniciales en un candado, lo colocaban en la baranda, lo cerraban y arrojaban la llave al río Sena.

Como este ritual se había repetido miles de veces, el puente ya no podía soportar más el peso de tanto «amor». Por fin, el gobierno de la ciudad, para proteger el puente, quitó los «candados de amor».

> **LECTURA:**
> **Romanos 8:31-39**
>
> *... Den gracias al SEÑOR, porque él es bueno; su gran amor perdura para siempre*
> (Salmo 106:1 NVI).

El propósito de los candados era simbolizar amor eterno, pero el amor humano no dura para siempre. Aun los amigos más íntimos pueden ofenderse y no resolver nunca el problema; los parientes, discutir y negarse a perdonar; los esposos y esposas, alejarse tanto que no recuerdan por qué decidieron casarse. El amor humano es inconstante.

Pero hay un amor invariable y duradero: el amor de Dios. Como afirma el Salmo 106:1: «Den gracias al SEÑOR, porque él es bueno; su gran amor perdura para siempre» (NVI). Las promesas de este amor inalterable y eterno se encuentran en toda la Biblia. Y su mayor demostración es la muerte de su Hijo para que los que creen en Él tengan vida eterna. Nada nos separará de su amor (ROMANOS 8:38-38). 🌿

CHK

Señor, te doy gracias por tu amor sin fin,
al que estoy sujeta por el Espíritu Santo que vive en mí.

La muerte y resurrección de Cristo
son la medida del amor de Dios para conmigo.

Anillo de sello

La primera persona que conocí más de cerca en el extranjero tenía un elegante acento inglés y un anillo en su dedo meñique. Al tiempo, me enteré de que el anillo no era una simple joya, sino que tenía grabado el escudo de su familia.

Se parecía un poco a un anillo de sello; tal vez, como el que se menciona en Hageo. En este breve libro del Antiguo Testamento, el profeta llama al pueblo de Dios a reanudar la reconstrucción del templo. Tras el exilio, habían regresado a su tierra natal para comenzar el trabajo, pero los enemigos del proyecto los habían detenido. Su mensaje incluye la promesa de Dios a Zorobabel, el líder, quien había sido escogido y apartado para la obra, como un anillo de sello (HAGEO 2:23).

> **LECTURA:**
> **Hageo 2:15-23**
>
> *... te pondré como anillo de sellar; porque yo te escogí, dice el Señor de los ejércitos* (v. 23).

En la antigüedad, esos anillos se usaban para identificarse. En vez de firmar, se presionaba un anillo en cera caliente o arcilla blanda para imprimir una marca. Como hijos de Dios, nosotros también imprimimos una marca en el mundo al difundir el evangelio, hablarles de la gracia del Señor a nuestros vecinos y trabajar para poner fin a la opresión.

Todos tenemos una señal única que revela que fuimos creados a imagen de Dios y que expresa nuestra mezcla particular de talentos, pasión y sabiduría. Como un anillo de sello, produzcamos un impacto en el mundo. 🌿

ABP

Señor, ayúdame hoy a identificarme como tu hijo.

**Somos herederos y embajadores de Dios,
y anunciamos su amor a todo el mundo.**

Tiempo a solas con Dios

Era una mañana atareada en el salón de la iglesia donde yo estaba ayudando. Casi una docena de niños hablaban y jugaban. Con tanta actividad, empezó a hacer calor en la habitación, y abrí la puerta. Un muchachito consideró que esa era su oportunidad de escaparse. Entonces, cuando pensó que nadie lo veía, salió de punti-

LECTURA:
Mateo 14:13-23

… [Jesús] subió al monte a orar aparte… (v. 23).

llas. Cuando estaba por alcanzarlo, no me sorprendió que estuviera yendo derecho hacia los brazos de su papá.

Este niño hizo lo que todos necesitamos hacer cuando la vida se vuelve ardua y angustiosa: se escabulló para estar con su padre. Jesús buscaba oportunidades para pasar tiempo en oración con su Padre celestial. Según el Evangelio de Mateo, fue a un lugar solitario cuando lo seguía una multitud. Al ver sus necesidades, los sanó y les dio de comer. Sin embargo, después de eso, «subió al monte a orar aparte» (MATEO 14:23).

Aunque Jesús ayudó muchas veces a una gran cantidad de personas, no permitió que esto lo agotara ni lo apresurara, sino que alimentaba su comunión con Dios por medio de la oración.

¿Y qué sucede contigo? ¿Dedicarás tiempo a estar a solas con Dios para experimentar la fortaleza y la satisfacción que solo Él ofrece? 🌺

JBS

*¿**Qué** te produce mayor satisfacción: cumplir con las demandas de la vida o cultivar tu relación con el Creador?*

**Cuando nos acercamos a Dios,
¡refrescamos la mente y renovamos las fuerzas!**

Hoy es el día

Nuestra nieta Maggie, de edad preescolar, y su hermana Katie, que va al jardín de infantes, llevaron varias mantas al patio trasero, donde construyeron una tienda para jugar. Ya habían estado allí durante un rato, cuando la madre escucho que Maggie la llamaba.

«¡Mamá, ven rápido! —gritó Maggie—. ¡Quiero que Jesús entre en mi corazón y necesito ayuda!». Aparentemente, en ese momento, sintió claramente que necesitaba a Jesús y estaba lista para poner su fe en Él.

El llamado urgente de Maggie pidiendo ayuda para confiar en Jesús me recuerda las palabras de Pablo en 2 Corintios sobre la salvación. El apóstol estaba exponiendo la realidad de que la venida de Cristo —incluso su muerte y resurrección— había instituido una era llamada «el momento propicio de Dios» (NVI). Actualmente, vivimos en dicho momento, y la salvación está a disposición de todos ahora mismo. Pablo afirmó: «He aquí ahora el tiempo aceptable; he aquí ahora el día de salvación» (v. 2). Para todos los que todavía no han confiado en Jesús para ser perdonados, el momento de hacerlo es ahora. Es urgente.

> **LECTURA:**
> **2 Corintios 5:18–6:2**
>
> *... He aquí ahora el tiempo aceptable; he aquí ahora el día de salvación* (6:2).

Quizá el Espíritu Santo esté alertándote sobre tu necesidad de poner tu fe en Jesús. No lo pospongas; haz como Maggie. Corre hacia Jesús. ¡Hoy es el día! ❦ *JDB*

Señor Jesús, pongo mi fe en ti.
Perdona mis pecados. Sálvame hoy.

Hoy es el mejor día para entrar en la familia de Dios.

¿Por qué tenemos que leer la Biblia?

La Biblia nos fue dada para que pudiéramos conocer a su autor y llegar a amarlo. Para conocer a alguien, necesitamos comunicarnos; hablar con esa persona y escucharla.

Lo mismo sucede con nuestra relación con Dios. Si queremos conocerlo, tenemos que comunicarnos con Él. Podemos hablar con Él a través de la oración. Pero ¿cómo podemos escuchar su voz?

Podemos escuchar lo que Dios tiene para decirnos si leemos el mensaje que nos dejó... la Biblia. Pablo, uno de los escritores, dice que la Biblia fue «inspirada por Dios». Considera esto: Dios mismo infundió su aliento a estas palabras. Pero ¿cómo sabemos que estas son verdaderamente sus palabras? ¿Cómo sabemos que podemos confiar en ellas?

Jesús mismo creía en el Antiguo Testamento y lo citaba. No citaba del Nuevo Testamento, porque todavía no se había escrito. Él creía en el Antiguo Testamento y hacía referencia a sus palabras.

> Si queremos conocerlo, tenemos que comunicarnos con Él. Podemos hablar con Él a través de la oración. Pero ¿cómo podemos escuchar su voz?

Entonces, Jesús confiaba en la Biblia. Sin embargo, hay muchísima evidencia que también apoya la veracidad de la Biblia.

Cientos de sitios arqueológicos han descubierto la ubicación exacta de sucesos bíblicos, y la Biblia se alinea con otros documentos históricos. ¿Sabías que se puede encontrar referencias de la vida de Jesús en documentos históricos, sin siquiera recurrir a la Biblia? Cuatro autores de diferentes trasfondos y personalidades —Mateo (cobrador de impuestos), Marcos (reportero gráfico), Lucas (médico) y Juan (pescador)— escribieron el mismo relato, pero cada uno desde su punto de vista singular.

Pero ¿no es acaso aburrido y confuso? La Biblia es una obra épica y emocionante que contiene la mejor historia de amor de todos los tiempos. Sin embargo, algunas partes pueden parecer aburridas. Es importante recordar que no es un solo libro, sino que está formada de muchos libros que se fueron compilando con el correr de los siglos. Además, no todos sus libros deben leerse como una novela. Algunos sucesos históricos fueron escritos para estudiarlos. Otros incluso contienen un censo. (¡Imagina acurrucarte en la cama a la noche para leer un lindo y largo censo!). Estas secciones están incluidas en la Biblia con muy buena razón, pero lo mejor es leerlas junto con algún libro que pueda explicar su contexto histórico.

Otros libros de la Biblia presentan descripciones de testigos oculares de la magnificencia y la creatividad de Dios. Algunos brindan una poesía reflexiva. Otros exploran con sinceridad la duda y todos los aspectos posibles de la naturaleza humana. Y aun otros están llenos de sabiduría y enfoques sensatos sobre cómo tener éxito en la vida. Por último, los libros proféticos señalan lo que podemos esperar en el futuro. En conjunto, estos libros del Creador de la vida nos muestran la mejor manera de interpretar nuestra existencia.

Dios quiere usar su Palabra en nuestra vida para...
DARNOS FE. *Porque por gracia sois salvos por medio de la fe; y esto no de vosotros, pues es don de Dios; no por obras, para que nadie se gloríe* (EFESIOS 2:8-9).

Así que la fe es por el oír, y el oír, por la palabra de Dios (ROMANOS 10:17).

ANIMARNOS. *Porque las cosas que se escribieron antes, para nuestra enseñanza se escribieron, a fin de que por la paciencia y la consolación de las Escrituras, tengamos esperanza* (ROMANOS 15:4).

PREPARARNOS. *Toda la Escritura es [...] útil para enseñar, para redargüir, para corregir, para instruir en justicia, a fin de que el hombre de Dios sea perfecto, enteramente preparado para toda buena obra* (2 TIMOTEO 3:16-17).

GUIARNOS. En este mundo caótico, donde parece ya no haber absolutos ni cuestiones correctas o incorrectas, la Biblia es una brújula exacta que siempre señala al verdadero Norte. Además, es la verdad que guía y dirige nuestros pasos. Según el Salmo 119, ilumina nuestro camino para que sepamos por dónde caminar.

El próximo paso

Jesús declaró: «Yo soy el pan de vida; el que a mí viene, nunca tendrá hambre; y el que en mí cree, no tendrá sed jamás» (JUAN 6:35). Enseñó que los seres humanos no viven solo de alimento físico, «sino de toda palabra que sale de la boca de Dios» (MATEO 4:4).

Nuestro cuerpo se desespera si no lo alimentamos.

¿Acaso no tenemos que alimentar el alma también? Es cierto, el mundo demanda nuestra atención constantemente. Pero, si separamos tiempo de manera intencional para nutrir habitualmente el alma leyendo la Palabra de Dios, creceremos.

Para mí, el mejor momento para leer es en la quietud de la mañana, mientras bebo una taza de café con Dios. Para otros, quizá sea antes de ir a dormir. Leo despacio y le pido al Espíritu Santo que me marque las verdades. A través de los años, descubrí que la única manera en que puedo conocer a Dios es tomándome el tiempo para escuchar lo que dice en su Palabra. A medida que voy conociéndolo, no puedo evitar enamorarme cada día más de Él. 🌿

BILL MYERS, ESCRITOR Y PRODUCTOR DE CINE; WWW.BILLMYERS.COM

DIRECCIONES DE LAS OFICINAS PARA LA REGIÓN DE IBEROAMÉRICA

ARGENTINA: Ministerios Nuestro Pan Diario, Casilla de Correos 23, Sucursal Olivos, B1636AAG, Buenos Aires. • Email: argentina@odb.org

BRASIL: Ministerios Nuestro Pan Diario, Caixa Postal 4190, 82501-970, Curitiba/PR. • Email: brasil@paodiario.org

COLOMBIA: Ministerios Nuestro Pan Diario, Apartado Postal 21, Fusagasugá, Cundinamarca. • Email: colombia@odb.org

EE.UU.: Ministerios Nuestro Pan Diario, PO Box 177, Grand Rapids, MI 49501-0177. • Email: usa@odb.org

ESPAÑA: Ministerios Nuestro Pan Diario, Apartado de correos 33, 36950 Moaña, Pontevedra. • Email: espana@odb.org

HONDURAS: Ministerios Nuestro Pan Diario, Apartado Postal 30082, Toncontín. • Email: honduras@odb.org

MÉXICO: Ministerios Nuestro Pan Diario, Apartado Postal 47-085, Col. Industrial Del. Gustavo A. Madero, México DF 07801. Email: mexico@odb.org

PERÚ: Ministerios Nuestro Pan Diario, Casilla de Correos 14-425, Lima. Email: peru@odb.org

PORTUGAL: Ministérios Nosso Pão Diário, Apartado 66, EC Valença, 4930-999 Valença. • Email: portugal@odb.org

Si no hay una oficina de Ministerios Nuestro Pan Diario en tu país, por favor, escribe a la oficina regional.

Dirección de Internet: www.nuestropandiario.org
Email: oficinaregional@odb.org

Índice de temas

Índice de temas

Índice de temas